最短合格

消防設備士4類 甲種 乙種 対応

第4版

超速マスター

消防設備士研究会

はじめに

第４類消防設備士は，デパートやビルなどの建物に設置する「自動火災報知設備」や，「ガス漏れ火災警報設備」の工事や整備を行うために必要な資格です。甲種・乙種の２種類の免状があり，「甲種」は設置工事と整備，「乙種」は整備のみができます。

本書は，これから第４類消防設備士の試験を受ける方のために，必要な科目を解説したテキストです。予備知識ゼロからでも学習できるように，基礎からできるだけていねいに解説しました。

消防設備士は法令で定められている事項をたくさん覚えなければならないため，ともすると無味乾燥な解説になりがちですが，本書では図版を多用して，なるべく視覚的に理解できるよう配慮しています。

さらに，各節ごとに問題もたっぷり用意しているので，これ一冊で合格に必要な実力が身につきます。

消防設備は，火災が発生したときに確実に作動するよう，正しく設置され，普段からきちんと整備されていなければなりません。ぜひ一人でも多くの人材が試験に合格して，この責任ある職務を担っていただきたいと願っています。本書がその一助になれば幸いです。

目 次

第2章 消防関係法令

第3章 自動火災報知設備

第4章　ガス漏れ火災警報設備ほか

第5章 実技試験対策

写真提供：ニッタン株式会社，パナソニック電工クリエイツ株式会社，日本フェンオール株式会社，沖電気防災株式会社ほか

受験案内

消防設備士とは

消防設備士は，劇場，デパート，ホテルなどの建物に設置されている「消防用設備等」の工事や整備，点検を行うために必要な資格です。甲種消防設備士は，消防設備等の工事と整備を行うことができ，乙種消防設備士は，消防設備等の整備のみを行うことができます。

甲種消防設備士は，取り扱う設備の種類に応じて，特類および第１類～第５類に分かれています。乙種消防設備士も同様に，第１類～第７類に分かれています。

甲種	乙種	類別	消防用設備等
○		特類	特殊消防用設備等
○	○	第１類	屋内消火栓設備，屋外消火栓設備，スプリンクラー設備，水噴霧消火設備
○	○	第２類	泡消火設備
○	○	第３類	不活性ガス消火設備，ハロゲン化物消火設備，粉末消火設備
○	○	第４類	**自動火災報知設備，ガス漏れ火災警報設備，消防機関へ通報する火災報知設備**
○	○	第５類	金属製避難はしご，救助袋，緩降機
	○	第６類	消火器
	○	第７類	漏電火災警報器

上の表のとおり，本書で扱う第４類では，自動火災報知設備やガス漏れ火災警報設備，消防機関へ通報する火災報知設備を取り扱います。

受験資格

◆乙種

乙種消防設備士の試験は，学歴，年齢，国籍，実務経験を問わず，誰でも受験できます。

◆甲種

甲種消防設備士試験を受験するには，下記の資格または実務経験をもっているか，大学・高校等で特定の学科を修めている必要があります。

以下のいずれか 1 つに該当する方には受験資格があります。

【資格または実務経験】

①他の類の甲種消防設備士
②乙種消防設備士の免状を得た後，2 年以上消防用設備の整備の経験を有する者
③技術士の第 2 次試験に合格した者
④電気工事士（第 1 種・第 2 種）
⑤電気主任技術者（第 1 種〜第 3 種）
⑥消防用設備の工事の補助者として，5 年以上の実務経験を有する者
⑦専門学校卒業程度検定試験（機械・電気・工業化学・土木または建築の部門に関するもの）の合格者
⑧管工事施工管理技士（1 級・2 級）
⑨高等学校の「工業」の教員職員免許を有する者
⑩無線従事者（アマチュア無線技士を除く）の免許を受けている者
⑪ 1 級建築士または 2 級建築士
⑫配管技能士（1 級・2 級）
⑬ガス主任技術者
⑭給水装置工事主任技術者
⑮消防行政に係る事務のうち，消防用設備等に関する事務について 3 年以上の実務経験を有する者
⑯消防法施行規則の一部を改正する省令の施行（昭和 41 年）の前において，消防用設備等の工事について 3 年以上の実務経験を有する者
⑰昭和 41 年前の東京都火災予防条例による旧制度の消防設備士

【学歴】

①次に掲げる学校において，機械，電気，工業化学，土木または建築に関する学科（課程）を修めて卒業した者
- 大学，短大，高等専門学校（5 年制）
- 高等学校または中等教育学校
- 外国に所在する学校で，日本における大学，短大，高等専門学校（5 年制）または高等学校に相当するもの
- 旧制大学，旧制専門学校，高等師範学校，実業学校教員養成所，旧制専門学校卒業程度検定試験合格者

②次に掲げる学校において，機械，電気，工業化学，土木または建築に関する関する科目を 15 単位以上修得した者（単位制ではない学校の場合は授業時間で換算）
- 大学，短大，高等専門学校（5 年制），専修学校
- 学校教育法第 134 条第 1 項に定める各種学校
- 大学及び高等専門学校の専攻科
- 防衛大学校，防衛医科大学校，水産大学校，海上保安大学校，気象大学校
- 職業能力開発総合大学校，職業能力開発大学校，職業能力開発短期大学校，職業訓練大学校，職業訓練短期大学校，中央職業訓練所

③理学，工学，農学または薬学のいずれかに相当する専攻分野の名称を付記された修士または博士の学位を有する者

※受験資格の詳細については，在学されていた学校もしくは消防試験研究センターにお問い合わせください。

試験科目・出題形式

甲種・乙種ともに，筆記試験と実技試験があります。試験時間は，甲種が 3 時間 15 分，乙種が 1 時間 45 分です。

◆筆記試験

4 つの選択肢から正解を 1 つ選ぶマークシート方式です。試験科目と

問題数は次のとおりです。

試験科目		甲種	乙種
基礎的知識	電気に関する部分	10	5
消防関係法令	共通部分	8	6
	第 4 類に関する部分	7	4
構造・機能・工事・整備	電気に関する部分	12	9
	規格に関する部分	8	6
	合計	45	30

◆実技試験

実技試験は，写真やイラスト，図面などによる出題に対して，記述式で解答します。試験科目と問題数は次のとおりです。

試験科目	甲種	乙種
鑑別等	5	5
製図	2	−

※製図問題は乙種にはありません。

合格基準

次の①と②の両方の成績を修めた方が合格となります。

①筆記試験	各科目ごとに 40%以上，全体では 60%以上
②実技試験	60%以上

試験の一部免除

以下の資格をもっている受験者は，試験の一部が免除されます。

①消防設備士

すでに他の類の消防設備士免状をもっている方は，免状の種類に応じて，筆記試験の以下の科目が免除されます。

<table>
<tr><th>もっている免状</th><th>甲種第４類を受験する場合</th><th>乙種第４類を受験する場合</th></tr>
<tr><td>甲種第１～５類</td><td>消防関係法令の共通部分
(８問)</td><td>消防関係法令の共通部分
(６問)</td></tr>
<tr><td>乙種第１～６類</td><td rowspan="2">免除なし</td><td>消防関係法令の共通部分
(６問)</td></tr>
<tr><td>乙種第７類</td><td>・消防関係法令の共通部分
(６問)
・基礎的知識の電気に関する部分（５問）</td></tr>
</table>

②電気関係の資格

電気工事士，電気主任技術者，電気部門の技術士の資格をもっている方は，筆記試験と実技試験の一部が以下のように免除されます。

<table>
<tr><th>もっている免状</th><th>免除科目</th></tr>
<tr><td rowspan="3">電気工事士</td><td>筆記試験のうち，基礎的知識の電気に関する部分，</td></tr>
<tr><td>構造・機能・工事・整備の電気に関する部分</td></tr>
<tr><td>実技試験のうち，鑑別等試験の問１</td></tr>
<tr><td rowspan="2">電気主任技術者</td><td>筆記試験のうち，基礎的知識の電気に関する部分，</td></tr>
<tr><td>構造・機能・工事・整備の電気に関する部分</td></tr>
<tr><td rowspan="2">電気部門の技術士</td><td>筆記試験のうち，基礎的知識の電気に関する部分，</td></tr>
<tr><td>構造・機能・工事・整備の電気に関する部分及び規格に関する部分</td></tr>
</table>

試験日程

消防設備士試験は，都道府県ごとに実施されます。居住地や勤務地にかかわらず，希望する都道府県で受験できますが，試験日程や試験会場は都道府県ごとに異なるので注意してください。

なお，試験日程によっては，複数の類を受験できる場合があります。詳細は消防試験研究センターの試験案内等を参照してください。

受験手続

受験申込みをするには，書面による方法（書面申請）と，インターネットによる方法（電子申請）があります。どちらの場合も，試験日程によって申請期間が異なるため，あらかじめ受験したい都道府県の試験日程を調べておきましょう。

書面申請は，受験したい都道府県の受験願書を入手し，必要事項を記入して郵送します。受験願書は，各都道府県の消防試験研究センター支部や消防本部で入手できます。

電子申請は，消防試験研究センターのホームページから行います。スマートフォンでも申請できますが，センターからのメール（uketsuke@shinsei.shoubo-shiken.or.jp）を受信できるように迷惑メール対策の設定を確認してください。また，受験票を印刷するためのプリンターが必要になりますが，持っていない場合はコンビニのマルチプリント機などを利用しましょう。

なお，危険物取扱者試験の電子申請も同じホームページから行っているので，間違えないように注意してください。

試験当日の準備

試験当日は，受験票（写真を貼付したもの），鉛筆（HB または B），消しゴムを必ず持参してください。電卓は使用できません。

問合せ先

受験願書の申込みや試験の詳細については，財団法人　消防試験研究センター各支部（東京の場合は中央試験センター）に問い合わせるか，消防試験研究センターのホームページを参照してください。

財団法人　消防試験研究センター本部
〒100-0013　東京都千代田区霞が関 1-4-2 大同生命霞が関ビル 19 階
TEL　03-3597-0220
FAX　03-5511-2751
ホームページ：https://www.shoubo-shiken.or.jp/

第1章

電気に関する基礎知識

電気回路の計算

まとめ&丸暗記　この節の学習内容とまとめ

- □ オームの法則　$V=RI$〔V〕　$I=\dfrac{V}{R}$〔A〕　$R=\dfrac{V}{I}$〔Ω〕
- □ 直列回路の合成抵抗　$R=R_1+R_2+R_3$〔Ω〕
- □ 並列回路の合成抵抗　$R=\dfrac{1}{\dfrac{1}{R_1}+\dfrac{1}{R_2}+\dfrac{1}{R_3}}$〔Ω〕
- □ 和分の積　$\dfrac{R_1R_2}{R_1+R_2}$
- □ ブリッジ回路の平衡条件　$R_1R_4=R_2R_3$

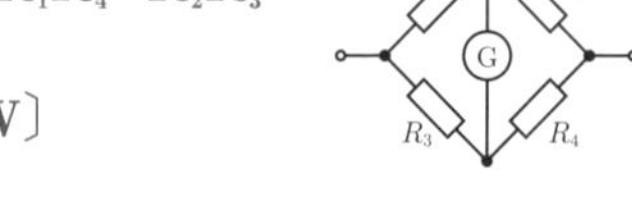

- □ 電力　$P=VI=RI^2=\dfrac{V^2}{R}$〔W〕
- □ 直列回路の合成静電容量　$C=\dfrac{1}{\dfrac{1}{C_1}+\dfrac{1}{C_2}+\dfrac{1}{C_3}}$〔F〕

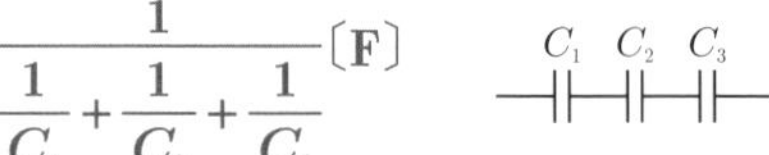

- □ 並列回路の合成静電容量
  $C=C_1+C_2+C_3$〔F〕
- □ 交流回路の瞬時値
  $e=E_m\sin(\omega t\pm\theta)$〔V〕

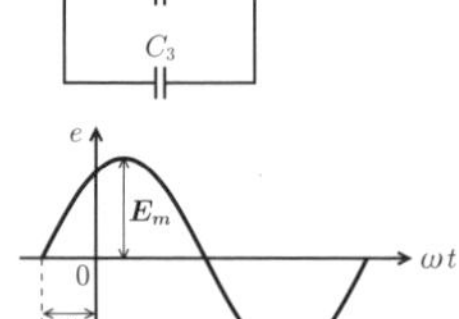

- □ RLC回路の合成インピーダンス
  $Z=\sqrt{R^2+(X_L-X_C)^2}$〔Ω〕

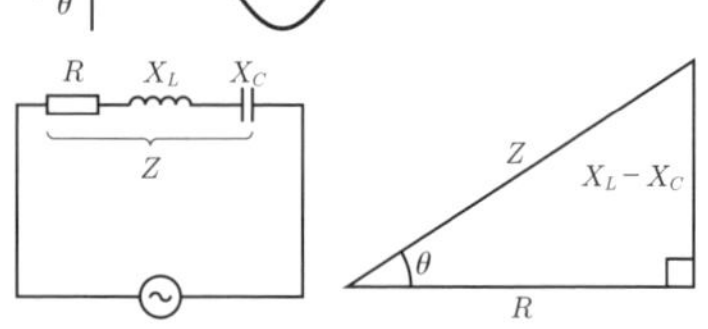

- □ 交流回路の電力　$P=VI\cos\theta$〔W〕　力率 $\cos\theta=\dfrac{R}{Z}$

オームの法則

1 電流と電圧の関係

乾電池と豆電球を図のように電線でつなぐと，電線の中を目に見えない「何か」が流れて，豆電球が点灯します。この何かを電流といいます。

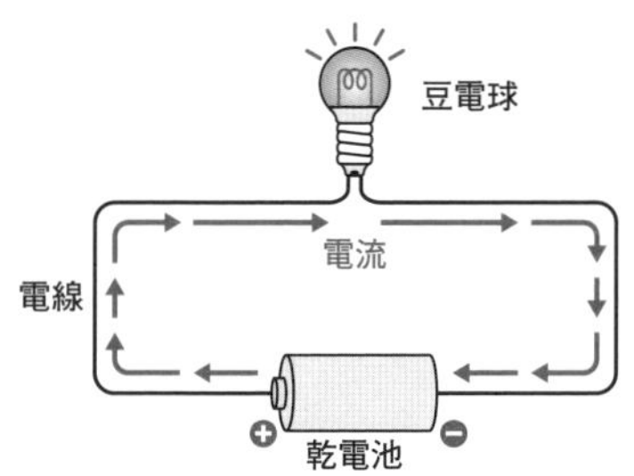

電流が流れるには，電気の流れを作り出すポンプのような装置が必要です。上の回路で，このポンプの役割を果たしているのは乾電池です。

ポンプの圧力が弱ければ，電流はちょろちょろとしか流れません。逆にポンプの圧力が強ければ大量の電流が流れます。このポンプの圧力に相当するものを，電圧といいます。

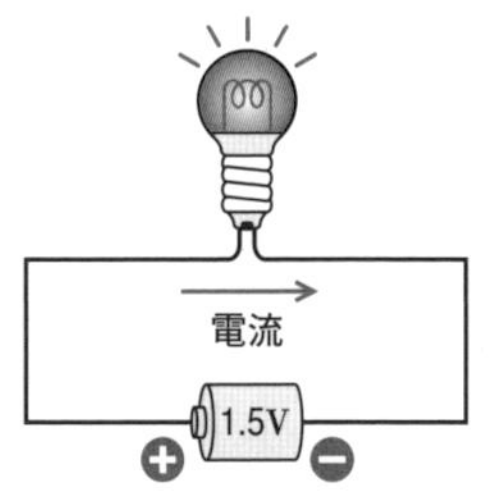

乾電池が生み出す電圧によって電線に電流が流れ，豆電球が点灯する。

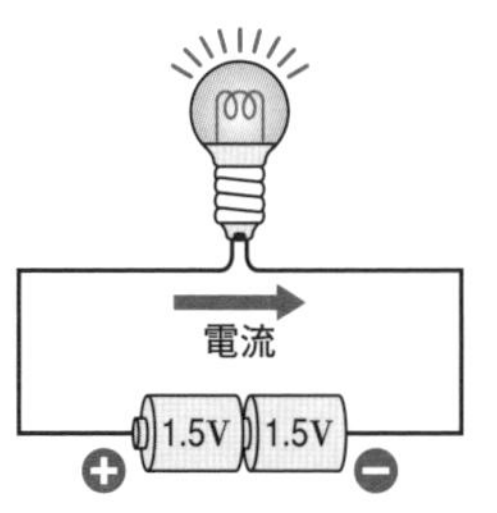

電圧を大きくすると，より多くの電流が流れ，豆電球はより明るく点灯する。

補足

電流の方向

電流は，プラスからマイナスに向かって流れると定義されています。

補足

電位差

電圧は，2点間の電気的な位置（電位）の差によって生じます。電位の高いほうがプラス，低いほうがマイナスとなり，両者の電位の差（電位差）が電圧となります。乾電池は，プラス極とマイナス極の間に化学反応によって電位差を作り出しています。

電流の単位はアンペア（単位記号〔A〕），電圧の単位はボルト（単位記号〔V〕）で表します。

2 抵抗とは，電流の流れにくさのこと

電気回路では，電流は電圧の大きさに比例して大きくなります。このことは，次のような式で表すことができます。

$$V = RI$$

記号 V は電圧，記号 I は電流を表します。R の値を仮に1とすれば，

電圧 $V = 1$〔V〕のとき，電流 $I = 1$〔A〕
電圧 $V = 2$〔V〕のとき，電流 $I = 2$〔A〕
⋮

のように，左辺の電圧 V を大きくするにつれて，右辺の電流 I が大きくなることがわかりますね。

では,記号 R は何を表すのでしょうか？　たとえば電圧 V の値を10〔V〕として，R の値を変化させてみると，

$R = 1$ のとき，電流 $I = 10$〔A〕
$R = 2$ のとき，電流 $I = 5$〔A〕
⋮

のように，R を大きくするにつれて，電流 I の値は小さくなっていきます。このことから，R は「**電流の流れにくさ**」を表す値だと考えることができますね。

この「電流の流れにくさ」のことを**抵抗**といいます。電圧が電流の流れを生み出すのに対し，抵抗は電流の流れをさまたげる働きをします。抵抗が大きいほど，電流の流れは小さくなります。つまり，電流は抵抗の大きさに反比例します。

乾電池と豆電球を電線でつないだ電気回路では，豆電球が抵抗として働

きます。

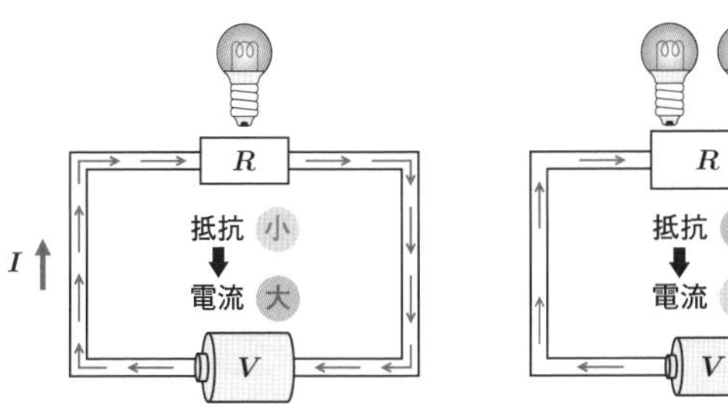

抵抗の値はオーム（単位記号〔Ω〕）という単位を使って表します。1ボルトの電圧をかけると，1アンペアの電流が流れるときの回路の抵抗が，1オームです。

3 オームの法則

ここまでの説明で，「**電流 I は電圧 V に比例し，抵抗 R に反比例する**」ということがわかりました。電圧と電流，抵抗のこのような関係は，ドイツの物理学者オームの名前にちなんで，**オームの法則**と呼ばれます。

覚える $V = RI$〔V〕

V：電圧〔V〕　R：抵抗〔Ω〕　I：電流〔A〕

この式は，次のような変形でもよく用いられます。どの形でも使えるように覚えておいてください。

$$I = \frac{V}{R}〔A〕 \qquad R = \frac{V}{I}〔Ω〕$$

補足

短絡

回路の抵抗がゼロになると，電流をさまたげるものがないので，理論上は無限大の電流が流れることになります。この現象を短絡（ショート）といいます。電気機器の回路がショートすると，感電や火災などの危険があるため，注意が必要です。

補足

オームの法則の覚え方

オームの法則は，次のような図で覚えておくと，変形も含めて簡単に覚えられます。

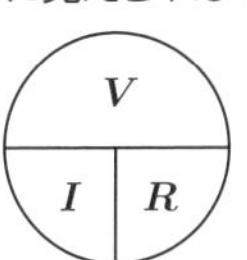

電圧 V ＝ (I R)

電流 I ＝ (V / R)

抵抗 R ＝ (V / I)

例 題 図のような回路において，電源の電圧が 1.5〔V〕のとき，0.5〔A〕の電流が流れた。抵抗 $\boldsymbol{R}$ の値は何〔Ω〕か。

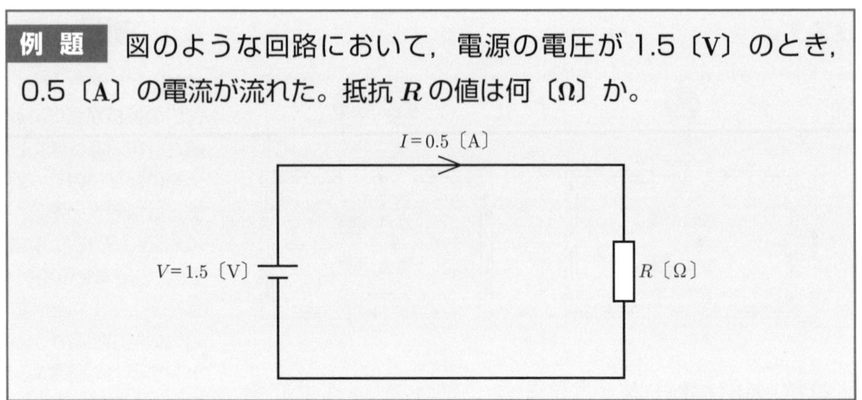

解 説 オームの法則 $\boldsymbol{V} = \boldsymbol{RI}$ より，$1.5 = \boldsymbol{R} \times 0.5$。したがって，$\boldsymbol{R} = 1.5 \div 0.5 = 3$〔Ω〕

解 答 3〔Ω〕

合成抵抗

1 抵抗を直列につなぐ

図のように，複数の抵抗を一列に接続した回路を考えます。

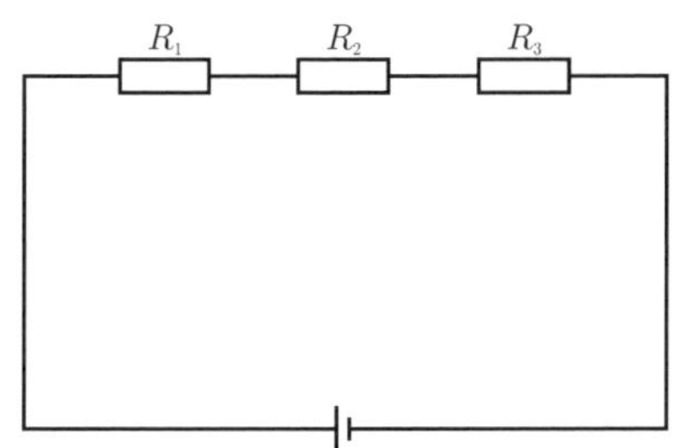

直列につながった抵抗は，長く伸びた1本の抵抗のようなものです。長さが伸びるほど，抵抗の値は大きくなります。

複数の抵抗を合わせた回路全体の抵抗を，**合成抵抗**といいます。抵抗を直列に接続した場合の合成抵抗 R は，次のように求められます。

覚える $R = R_1 + R_2 + R_3$〔Ω〕

直列につなぐ抵抗が増えるほど，合成抵抗は大きくなります。

2 抵抗を並列につなぐ

今度は，複数の抵抗を図のように並列に接続した回路を考えます。

補足

回路図記号

─┤├─ は直流電源を表し，長い棒がプラス，短い棒がマイナスになります。

─□─ は抵抗を表します。なお，旧式の表記法では抵抗を ─WW─ で表すことがあります。

補足

一般に導体の抵抗は，長さが長いほど大きくなります（60ページ）。そのため，直列に接続する抵抗が増えると，抵抗値は大きくなります。

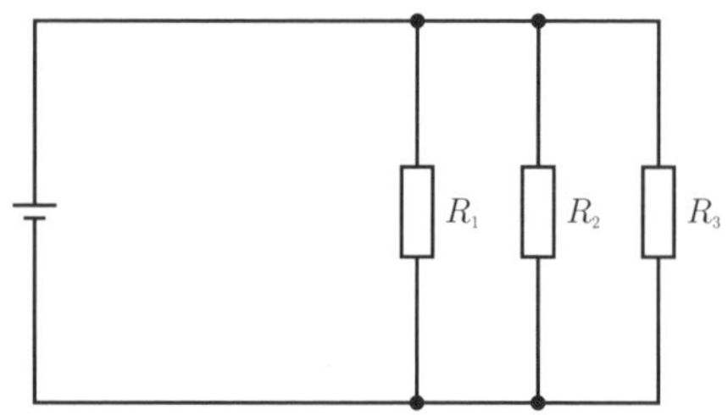

並列につながった抵抗は，太くなった１本の抵抗のようなものです。断面積が大きくなるほど，抵抗の値は小さくなります。

このような場合の合成抵抗は，次のように求められます。

覚える $$R=\frac{1}{\frac{1}{R_1}+\frac{1}{R_2}+\frac{1}{R_3}}\ [\Omega]$$

並列につなぐ抵抗が増えるほど，合成抵抗は小さくなります。

和分の積

２本の抵抗を並列に接続したときの合成抵抗は，次のように変形できます。

覚える $$R=\frac{1}{\frac{1}{R_1}+\frac{1}{R_2}}=\frac{1}{\frac{R_2}{R_1R_2}+\frac{R_1}{R_1R_2}}=\frac{1}{\frac{R_2+R_1}{R_1R_2}}=\frac{R_1R_2}{R_1+R_2}\ [\Omega]$$

計算にはこの式が便利です。分母が足し算（和），分子がかけ算（積）になるので，「**和分の積**」と覚えましょう。

3 直列接続と並列接続の組合せ

直列接続と並列接続を組み合わせた，次のような回路を考えます。

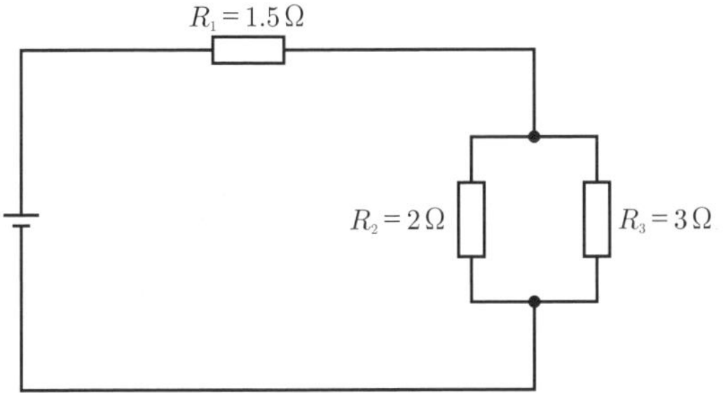

このような回路では，はじめに部分ごとの合成抵抗を求め，次にそれらを合わせた全体の合成抵抗を求めます。上の例では，はじめに R_2 と R_3 の並列接続の合成抵抗 R_{23} を求めます。

$$R_{23} = \frac{R_2 R_3}{R_2 + R_3} = \frac{2 \times 3}{2 + 3} = \frac{6}{5} = 1.2 \text{〔}\Omega\text{〕}$$

回路全体の合成抵抗 R は，R_1 と R_{23} を直列に接続したものなので，次のように求められます。

$$R = R_1 + R_{23} = 1.5 + 1.2 = 2.7 \text{〔}\Omega\text{〕}$$

例 題 図の回路において，AB 間の合成抵抗は何〔Ω〕か。

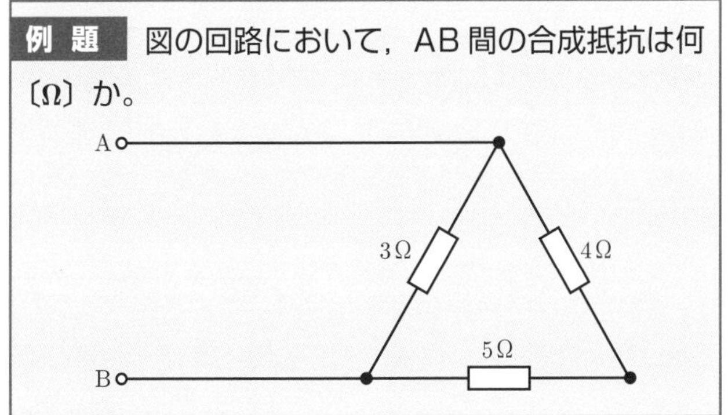

解 説 例題の回路は一見複雑そうですが，次のように変形することができます。

補足

一般に導体の抵抗は，断面積が大きいほど小さくなります（60ページ）。そのため，並列に接続する抵抗が増えると，抵抗値は小さくなります。

補足

和分の積は，並列に接続する抵抗が2個だけのときに成り立ちます。3個以上の抵抗を並列接続した回路では，和分の積は成り立たないので注意してください。
ちなみに，3個の抵抗を並列接続した場合の合成抵抗は，次のように変形できます。

$$R = \frac{R_1 R_2 R_3}{R_1 R_2 + R_2 R_3 + R_3 R_1} \text{〔}\Omega\text{〕}$$

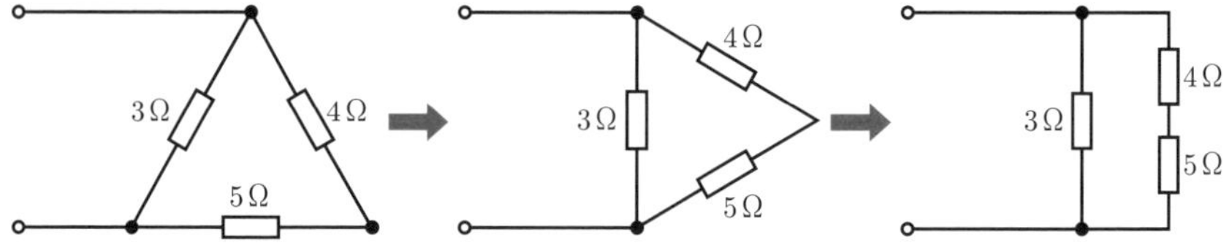

こうすれば，AB 間の合成抵抗は，4Ω と 5Ω の抵抗を直列に接続した合成抵抗と，3Ω の抵抗とを並列に接続したものだとわかります。

4Ω と 5Ω の抵抗を直列に接続した合成抵抗は，4 ＋ 5 ＝ 9Ω。

AB 間の合成抵抗は，9Ω の合成抵抗と 3Ω の抵抗を並列に接続したものなので，次のようになります。

$$\frac{9 \times 3}{9+3} = \frac{27}{12} = \frac{9}{4} = 2.25 \text{〔Ω〕}$$

解答 2.25〔Ω〕

電圧と電流の分配

1 直列回路では電圧が分配される

直列回路では，電気の流れは一本道です。したがって，各抵抗に同じ量の電流が流れます。

一方，各抵抗に加わる電圧は，回路全体の電圧 V を，各抵抗の比にしたがって分配したものになります。

$$V_1 = R_1 I = \frac{R_1}{R_1 + R_2} \times V \text{〔V〕}$$

$$V_2 = R_2 I = \frac{R_2}{R_1 + R_2} \times V \text{〔V〕}$$

$$V = V_1 + V_2 \text{〔V〕}$$

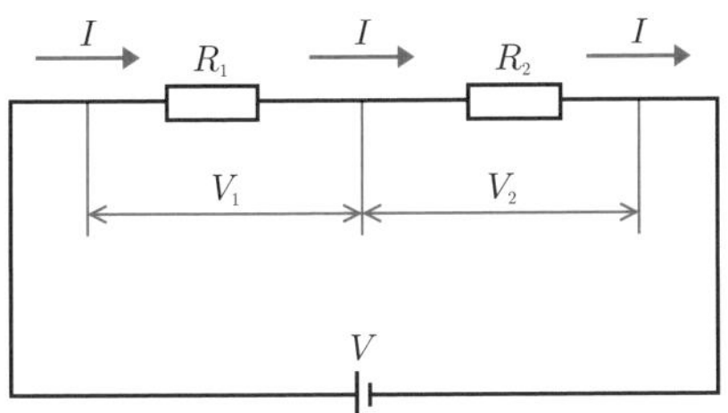

2 並列回路では電流が分配される

並列回路では，各抵抗に同じ電圧が等しく加わります。一方，各抵抗に流れる電流は，回路全体の電流を，抵抗の大きさの逆比にしたがって配分したものになります。並列に接続した抵抗が2つの場合は，次のようになります。

補足

左の回路図で，抵抗 R_1 に加わる電圧 V_1 は，オームの法則 $V = RI$ より，$V_1 = R_1 I$
また，$I = V／R$，$R = R_1 + R_2$ より，

$$V_1 = R_1 I = R_1 \times \frac{V}{R} = \frac{R_1}{R_1 + R_2} \times V$$

となります。V_2 についても同様です。
また，V_1 と V_2 の和を求めると，

$$V_1 + V_2 = R_1 I + R_2 I = (R_1 + R_2) I = RI = V$$

となるので，各抵抗に加わる電圧を合計すると，電源電圧 V に等しくなることがわかります。

$$I_1 = \frac{R_2}{R_1 + R_2} \times I \text{〔A〕}$$

$$I_2 = \frac{R_1}{R_1 + R_2} \times I \text{〔A〕}$$

$$I = I_1 + I_2 \text{〔A〕}$$

例題 図の回路において，3Ω の抵抗に流れる電流は何〔A〕か。

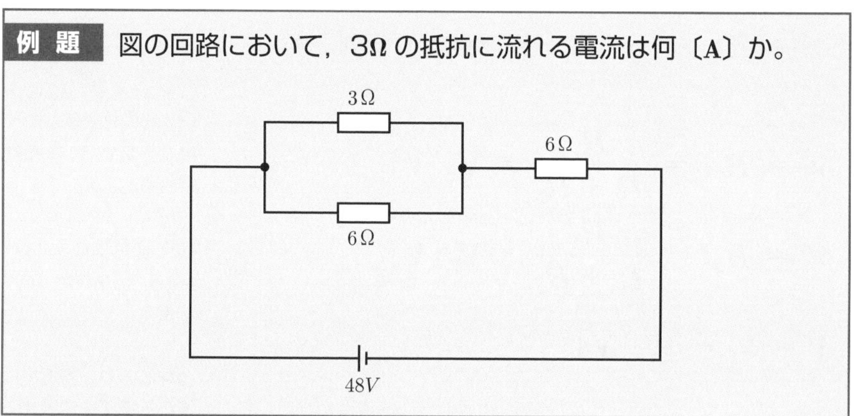

解説 回路全体の合成抵抗は，次のように求められます。

$$\frac{3 \times 6}{3+6} + 6 = \frac{18}{9} + 6 = 2 + 6 = 8 \text{〔Ω〕}$$

電源電圧 V が 48V，合成抵抗 R が 8Ω なので，回路全体に流れる電流 I は，オームの法則 $I = V ／ R$ より，48 ÷ 8 = 6〔A〕です。

3Ω の抵抗に流れる電流は，回路全体の電流 I を 3Ω と 6Ω の抵抗に分配したものなので，次のように計算できます。

$$I_1 = \frac{R_2}{R_1 + R_2} \times I = \frac{6}{3+6} \times 6 = \frac{36}{9} = 4 \text{〔A〕}$$

解答 4〔A〕

ブリッジ回路

1 ブリッジの平衡条件

次のように，並列に接続した回路の間に橋をかけたような回路をブリッジ回路といいます。

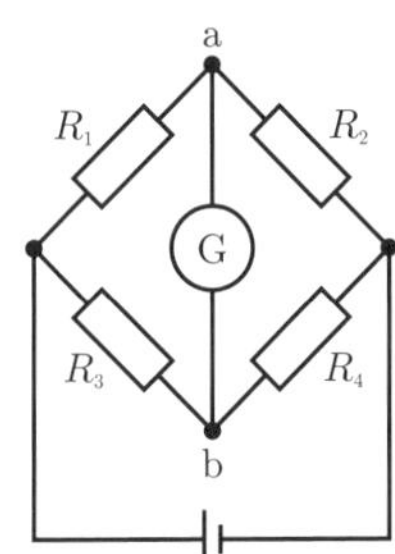

ブリッジ回路では，次の式が重要です。

覚える $\boldsymbol{R_1R_4 = R_2R_3}$ **が成り立つとき，ab 間には電流が流れない。この状態をブリッジが「平衡（へいこう）している」という。**

$R_1R_4 = R_2R_3$ を，ブリッジの平衡条件といいます。

補足

ブリッジ回路の図は，次のような形をしている場合もあります。

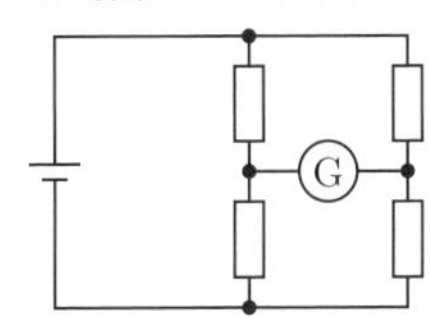

2 ホイートストンブリッジ

ブリッジの平衡条件を利用すると，抵抗の値を測定することができます。右の回路で，Ⓖは検流計，─⧄─ は可変抵抗を表します。R_a，R_b は既知の抵抗，R_x が測定したい抵抗です。

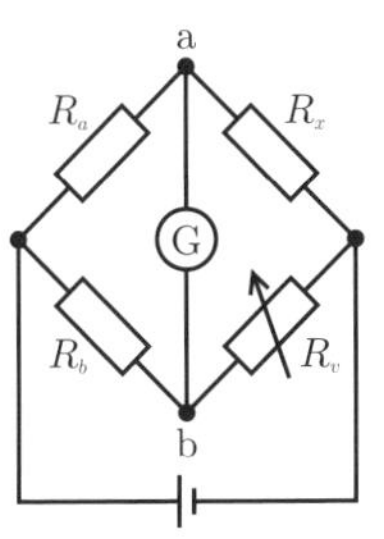

補足

可変抵抗
抵抗値を変えることができる抵抗器。

可変抵抗 R_v の値を調整して，検流計の値がゼロになるようにします。このとき，ブリッジは平衡しているので，R_a，R_b，R_v，R_x には，次の式が成り立ちます。

$$R_aR_v = R_bR_x \qquad \therefore\ \boldsymbol{R_x = \frac{R_a}{R_b}R_v}$$

このような原理で抵抗の値を測定する回路をホイートストンブリッジといいます。

例題 図の回路において，可変抵抗 $\boldsymbol{R_v}$ の値が 12.3Ω のとき，検流計 Ⓖ がゼロを指した。$\boldsymbol{R}$ の値は何〔Ω〕か。

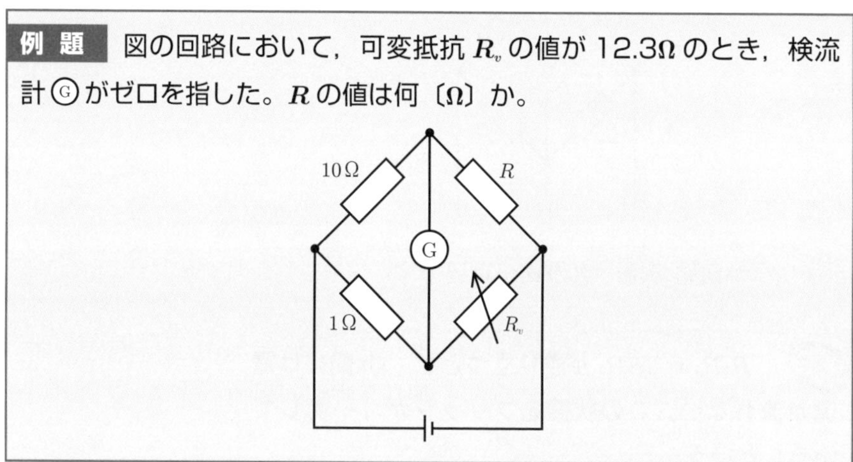

解説 $\boldsymbol{R_a}$ = 10Ω，$\boldsymbol{R_b}$ = 1Ω，$\boldsymbol{R_v}$ = 12.3Ω のときブリッジの平衡条件が成り立つので，未知の抵抗 $\boldsymbol{R}$ は次のように計算できます。

$$\boldsymbol{R} = \frac{\boldsymbol{R_a}}{\boldsymbol{R_b}}\boldsymbol{R_v} = \frac{10}{1} \times 12.3 = 123\ 〔\Omega〕$$

解答 123〔Ω〕

電力と電力量

1 電力とは

私たちは普段から，電気を使ってお湯を沸かしたり，コンピュータを動かしたり，音楽を聴いたりしています。これらはいずれも，電気のもつエネルギーを利用しています。電気がもつ単位時間当たりのエネルギーを，**電力**といいます。電力は，次のように電圧×電流で求められます。単位はワット（単位記号：〔W〕）です。

覚える $P = VI$〔W〕

P：電力〔W〕 V：電圧〔V〕 I：電流〔A〕

上の式は，オームの法則 $V = RI$，$I = V／R$ より，次のように表すこともできます。こちらの式も覚えておいてください。

覚える $P = RI^2$〔W〕　　$P = \dfrac{V^2}{R}$〔W〕

2 電力量とは

抵抗に電流を流すと，抵抗から熱が生じます。電気ポットや電熱器は，ニクロム線という抵抗を電気で発熱させ，お湯を沸かしたり，鍋（なべ）をあたためたりしているのです。

補足

$P = VI$ に $V = RI$ を代入すると，

$$P = (RI)I = RI^2$$

また，$P = VI$ に $I = V／R$ を代入すると，

$$P = V\left(\frac{V}{R}\right) = \frac{V^2}{R}$$

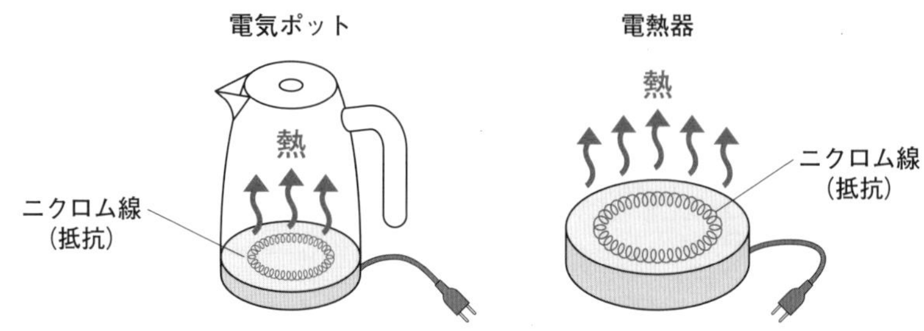

電気によって発生した熱を**ジュール熱**といいます。抵抗 R に電流 I を t 秒間流したときのジュール熱 H は，次の式で表されます。

$$H = RI^2 t \text{〔J〕}$$

H：ジュール熱〔J〕　R：抵抗〔Ω〕　I：電流〔A〕　t：時間〔秒〕

この式を**ジュールの法則**といいます。ジュール熱の単位にはジュール(単位記号：〔J〕）を使います。

ところで，電力 $P = RI^2$〔W〕なので，ジュールの法則は，

$$H = P \times t \text{〔J〕}$$

のように書き換えることができます。この式は，電力をどのくらい消費したかを表しているので，**電力量**といいます。電力量の単位には，ジュール〔J〕の代わりに**ワット秒**〔W・s〕や**ワット時**〔W・h〕が使われます。

電力量〔W・s〕＝電力〔W〕×秒〔s〕
電力量〔W・h〕＝電力〔W〕×時間〔h〕

例 題 図の回路において，5Ω の抵抗で消費される電力は何〔W〕か。

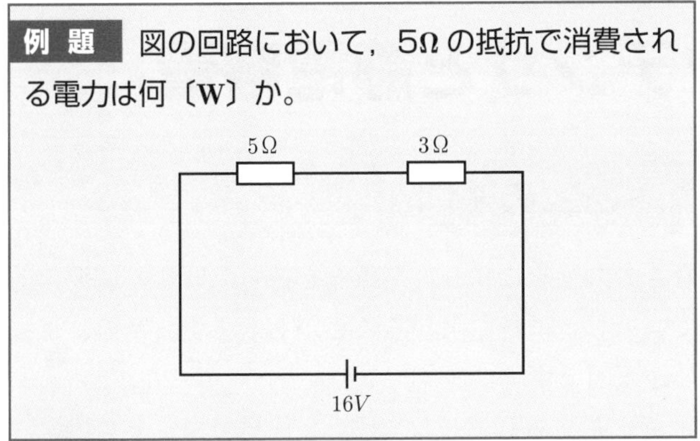

解 説 回路全体の合成抵抗は 5 ＋ 3 ＝ 8〔Ω〕になります。したがってオームの法則 $I = V / R$ により，回路に流れる電流は 16 ÷ 8 ＝ 2〔A〕です。

5Ω の抵抗に 2A の電流が流れるので，この抵抗で消費される電力は次のように計算できます。

$$P = RI^2 = 5 \times 2^2 = 20 \text{〔W〕}$$

解 答 20〔W〕

補足

電気ポットの消費電力

1g の水の温度を 1℃上げるには，約 4.2〔J〕のジュール熱が必要です。たとえば，200cc (200g) の水を 20℃から 100℃に熱するのに必要な電力量は，

200 × (100 − 20) × 4.2 ＝ 67200〔J〕
＝ 67200〔W・s〕

となります。これを 1 分間で行う電気ポットの消費電力は，67200〔W・s〕 ÷ 60〔秒〕＝ 1120〔W〕です。

コンデンサと静電容量

1 静電気とクーロンの法則

プラスチックの下敷きで頭髪をこすり，下敷きを持ち上げると，髪の毛が下敷きに吸い付いていっしょに持ち上がることがあります。摩擦(まさつ)によって**静電気**が発生したのが原因です。

静電気は，物質に電気が蓄えられる現象です。2種類の物質を摩擦すると，一方の物質から出た電子が他方の物質へ移動し，一方はプラス，他方はマイナスに帯電(たいでん)します。

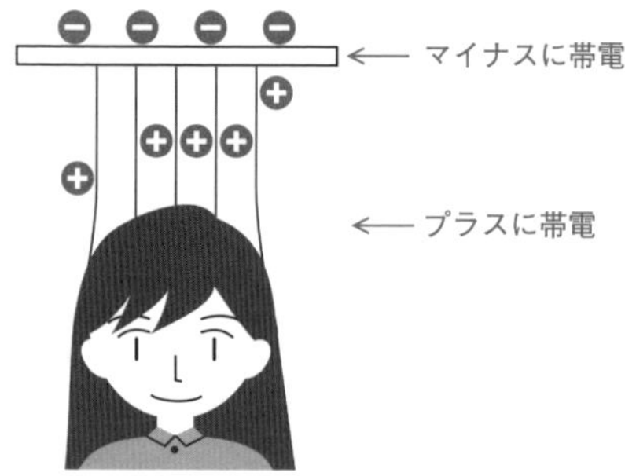

帯電した物質同士には，互いに引きつけ合ったり，反発したりする力が生じます。この力の大きさは，次の式で表すことができます。

$$F = K \frac{q_1 q_2}{r^2} \text{〔N〕}$$

※ K は 9×10^9（比例定数）

F：クーロン力〔N〕（ニュートン）
q_1, q_2：電荷量〔C〕（クーロン）
r：電荷間の距離〔m〕

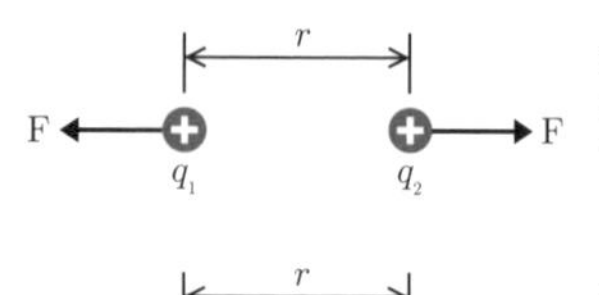

2つの電荷が同じ符号のときは反発する力が生じる

2つの電荷が異なる符号のときは引きつけ合う力が生じる

この式をクーロンの法則といいます。この法則によれば，力の大きさは帯電した電気の量（電荷量）に比例し，2つの帯電体の距離の2乗に反比例します。

2 静電容量とは

2枚の金属板を，すき間を少しだけ空けて向かい合わせに並べ，金属板の両側に電圧を加えます。すると，静電気が生じたときのように，一方の金属板にはプラス，もう一方の金属板にはマイナスの電気が蓄えられます。

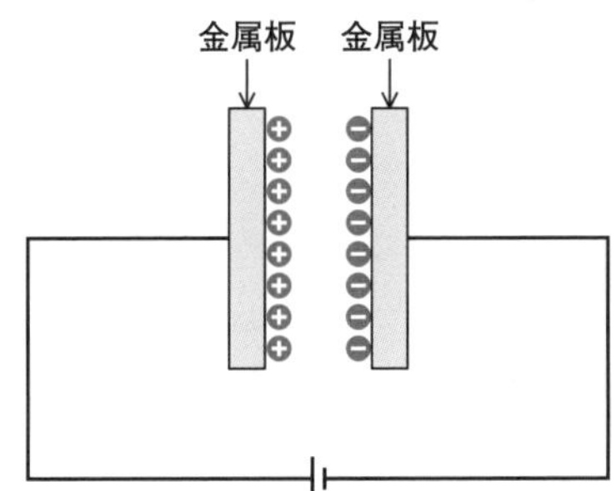

この装置は，平行板コンデンサと呼ばれます。コンデンサは，電気を蓄える働きをする一種の蓄電池として，電気回路に用いられています。

コンデンサが蓄えることができる電気の量を，静電容量といいます。コンデンサの静電容量には，ファラド（単位記号〔F〕）やマイクロファラド（単位記号〔μF〕）という単位が使われます。1マイクロファラドは，百万分の1ファラドです。

$$1\mu\text{F} = \frac{1}{1{,}000{,}000}\text{F} \quad 1\text{F} = 1{,}000{,}000\mu\text{F}$$

補足

電荷
物質が帯びている電気のこと。プラスの電荷とマイナスの電荷があります。実際には，物質の電子が不足している状態をプラスの電荷，電子が余っている状態をマイナスの電荷と考えます。

補足

クーロン〔C〕
電荷量の単位。1アンペアの電流が1秒間に運ぶ電荷の量を，1クーロンとします。

3 合成静電容量

コンデンサは，回路図では ⊣⊢ という記号で表されます。回路に複数のコンデンサを接続したときの，全体の静電容量（合成静電容量）の求め方を覚えておきましょう。合成抵抗を求める式とよく似ているので，難しくありません。

①直列接続

右図のように，複数のコンデンサを直列に接続した場合の合成静電容量は，次の式で表されます。

C_1　C_2　C_3

覚える

$$C=\frac{1}{\dfrac{1}{C_1}+\dfrac{1}{C_2}+\dfrac{1}{C_3}}\,〔\mathrm{F}〕$$

$$C=\frac{C_1C_2}{C_1+C_2}\,〔\mathrm{F}〕$$

← コンデンサが２つだけの場合は，「和分の積」で計算できる

直列に接続したコンデンサは，２枚の金属板の間の距離を離したのと同じです。静電容量は金属板の間の距離に反比例するので，直列に接続するコンデンサが増えるほど，全体の静電容量は小さくなります。

②並列接続

右図のように，複数のコンデンサを並列に接続した場合の合成静電容量は，次の式で表されます。

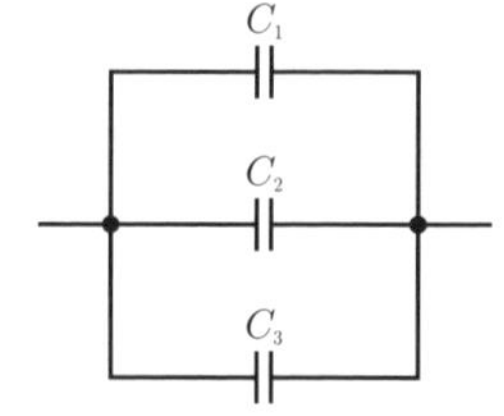

覚える $C = C_1 + C_2 + C_3$〔F〕

並列に接続したコンデンサは，2枚の金属板の面積を大きくしたのと同じです。静電容量は金属板の面積に比例するので，並列に接続するコンデンサが増えるほど，全体の静電容量は大きくなります。

例題 6μFと12μFのコンデンサを直列に接続した場合の合成静電容量は何〔μF〕か。

解説 2つのコンデンサを直列に接続するので，合成静電容量 C は次のように計算します。

$$C = \frac{C_1C_2}{C_1 + C_2} = \frac{6 \times 12}{6 + 12} = \frac{72}{18} = 4 \text{〔μF〕}$$

解答 4〔μF〕

補足

静電容量と電荷の関係

平行板コンデンサに蓄えられる電荷の量 Q は，静電容量 C が大きいほど，または加える電圧 V が大きいほど多くなります。この関係は，次の式で表されます。

$Q = CV$〔C〕

補足

静電エネルギー

コンデンサが蓄える電気エネルギーを静電エネルギーといい，次の式で求められます。

$W = \frac{1}{2}CV^2$〔J〕

W：静電エネルギー〔J〕
C：静電容量〔F〕
V：電圧〔V〕

電気と磁気

1 電磁石

電線に電流を流すと，電線の周囲に磁界が発生します。このときの磁界の方向（N 極→S 極）は，電線を中心に右回りになります。これを，アンペアの右ねじの法則といいます。

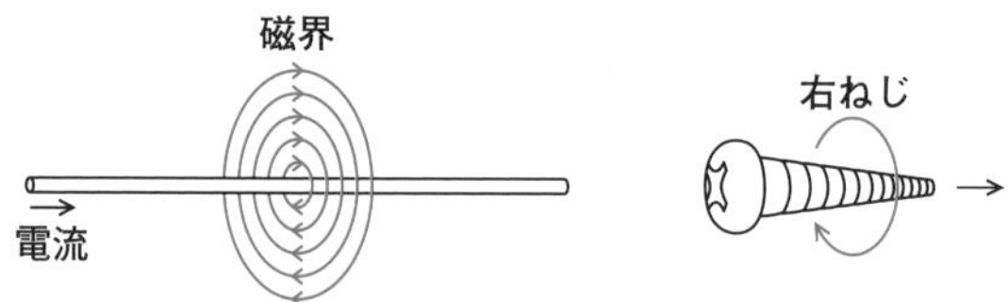

そこで，電線をコイル状にして電流を流すと，アンペアの右ねじの法則により，合成された磁界はコイルの内側を通って一定の方向を向きます。

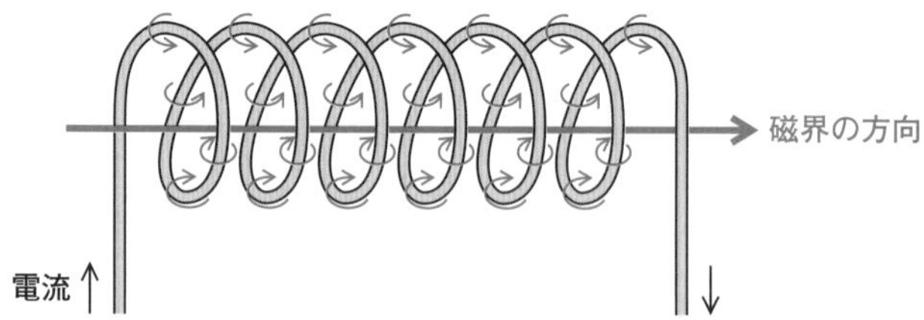

コイルの中心に鉄心を入れると，一方が N 極，他方が S 極の電磁石になります。電磁石の磁界の強さは，コイルの巻数と電流の大きさに比例します。

2 フレミングの左手の法則

図のように磁石の N 極と S 極の間に電線を置いて電流を流すと，磁石による磁界と，電流によって電線に生じる磁界とが合成され，電線を上に押し上げる力が働きます。

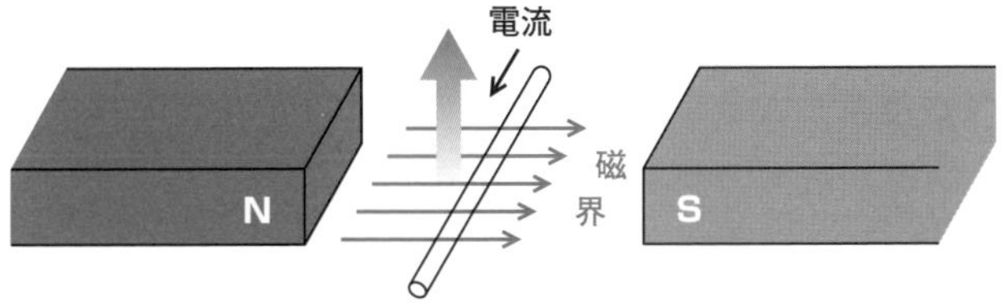

このように，磁石と電流によって生じる力を電磁力といいます。電磁力の方向は，磁界の方向と電流の方向によって決まります。これらの関係は，フレミングの左手の法則によって表すことができます。

覚える　フレミングの左手の法則

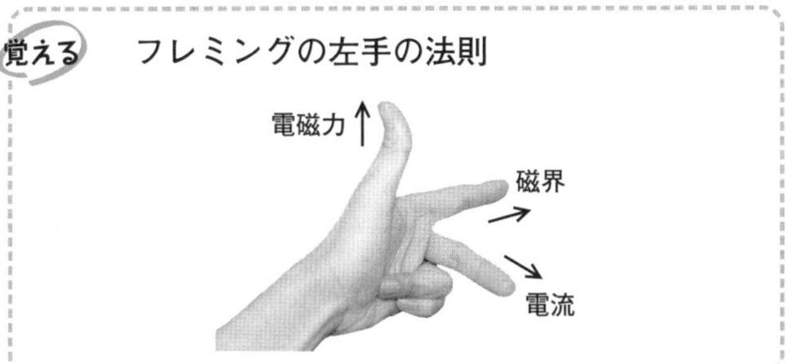

3 フレミングの右手の法則

図のように，コイルの中に棒磁石を入れたり出したりすると，コイルに電圧が生じます。この現象を電磁誘導といい，電磁誘導によって発生する電圧を誘導起電力といいます。

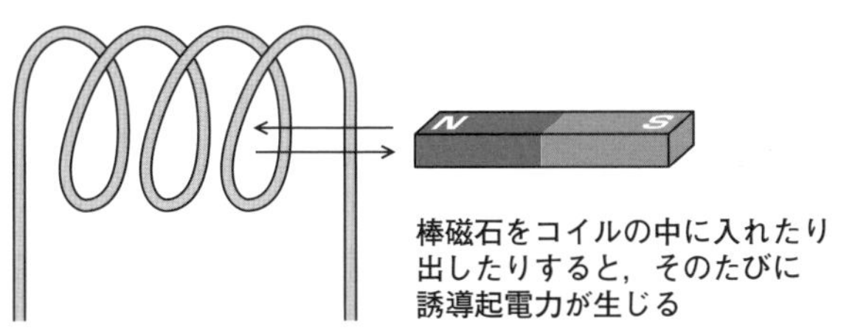

誘導起電力は，磁石をコイルに出し入れしたとき，

補足

ファラデーの法則
電磁誘導によって生じる誘導起電力の大きさは，コイルの巻数と，単位時間当たりの磁束の変化量に比例します。これをファラデーの法則といいます。

$$e = N\frac{\Delta\phi}{\Delta t}〔\mathrm{V}〕$$

e：誘導起電力
N：コイルの巻数
$\Delta\phi$：磁束の変化量
Δt：時速変化の時間

コイルの中を通る磁束に変化が生じる瞬間に生じます。磁束の変化が大きいほど，発生する誘導起電力も大きくなります。また，コイルを入れるときと出すときとでは，誘導起電力の向きが逆になります。

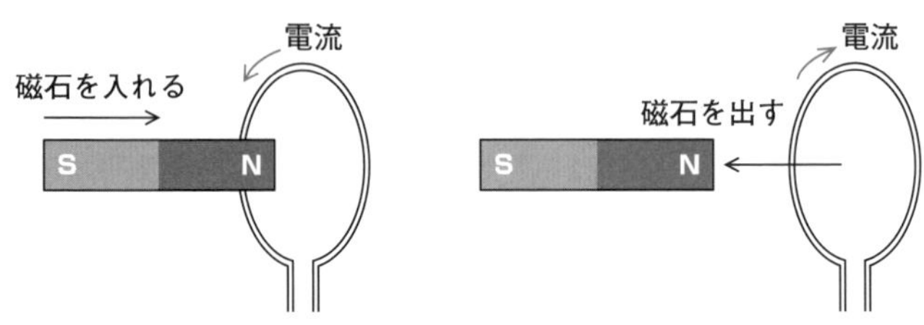

電磁誘導は，磁石を動かす代わりに，固定した磁石の間を切るように電線を上下に動かしても発生します。

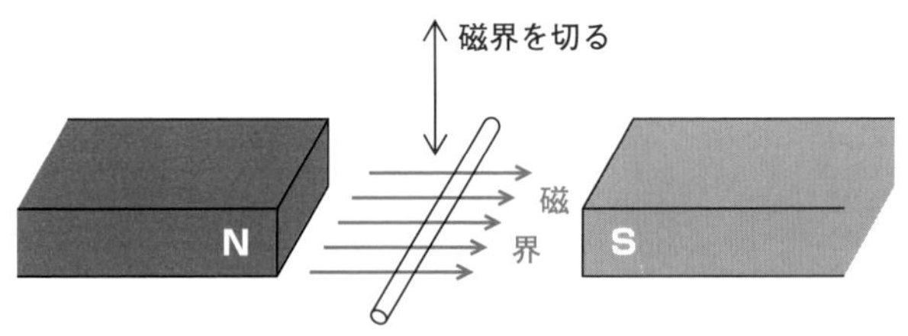

誘導される起電力の向きは，磁界の方向と電線を動かす方向によって決まります。これらの関係は，**フレミングの右手の法則**によって表すことができます。

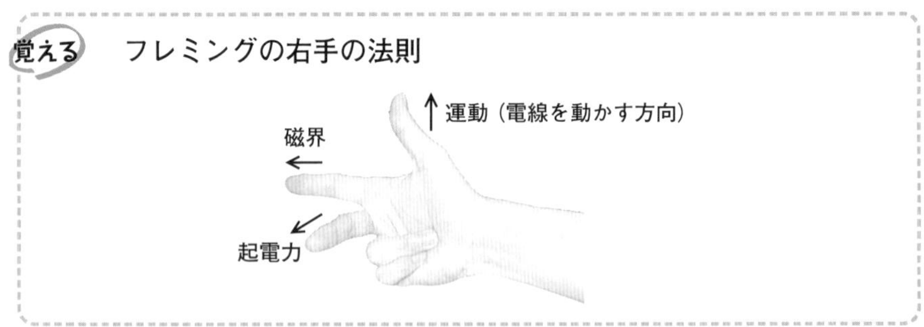

交流回路

1 直流と交流

交流は，電流の大きさや向きが周期的に変化する電気です。電流の変化をグラフで表すと，直流が左図のような水平の直線になるのに対し，交流は右図のような波形になります。

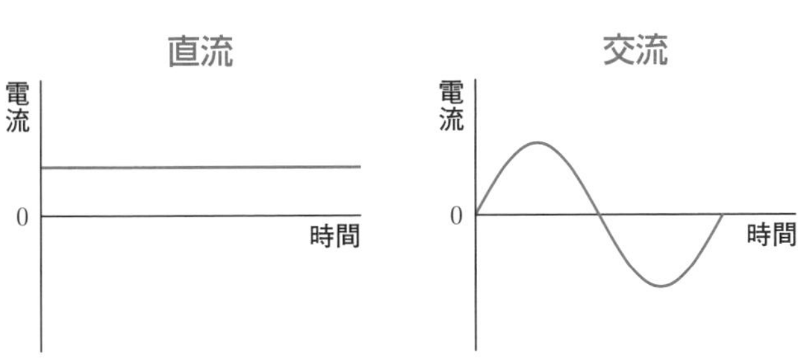

このような波形のグラフは，三角関数のサイン（正弦（せいげん））を使った式で表すことができるので，**正弦波交流**といいます。

正弦波交流のグラフは，同じ波形の繰り返しです。繰り返し1回分にかかる時間を**周期**といい，1秒間の繰り返し回数を**周波数**（単位記号：〔Hz（ヘルツ）〕）といいます。

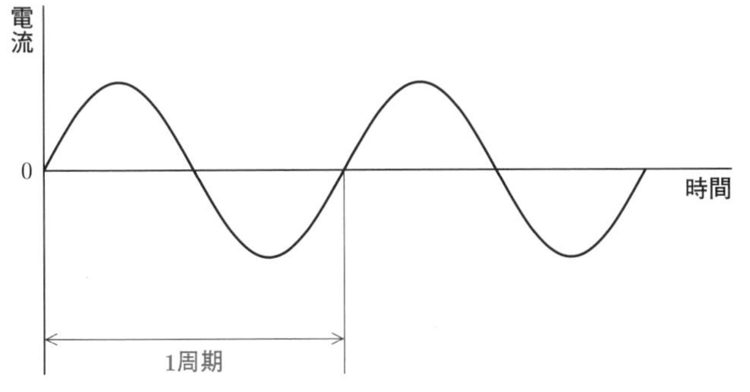

補足

AC/DC
交流は英語でAC（Alternating Current），直流は英語でDC（Direct Current）と略します。電子機器に付属しているACアダプターは，交流を直流に変換する装置です。

補足

交流の周波数
国内では，東日本で50Hz，西日本で60Hzの交流が使われています。

2 角速度と位相

円運動の回転速度を，単位時間当たりに回転する角度で表したものを**角速度**といいます。角速度の単位にはラジアン毎秒〔rad/s〕が使われます。ラジアン〔rad〕は角度の単位で，360 度＝ 2π（パイ）ラジアンになります。

正弦波の 1 周期は，図のように円運動の 1 回転に対応します。たとえば周波数 50Hz の正弦波は，1 秒間に 50 回転するので，角速度で表すと $2\pi\times 50=100\pi$〔rad/s〕になります（角速度＝ 2π ×周波数）。

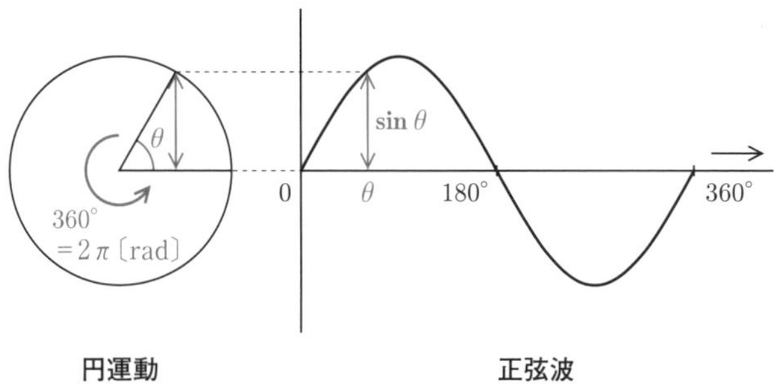

また，周波数が同じ正弦波でも，図のように波形の位置が前後にずれる場合があります。この前後のずれを**位相**（いそう）といいます。

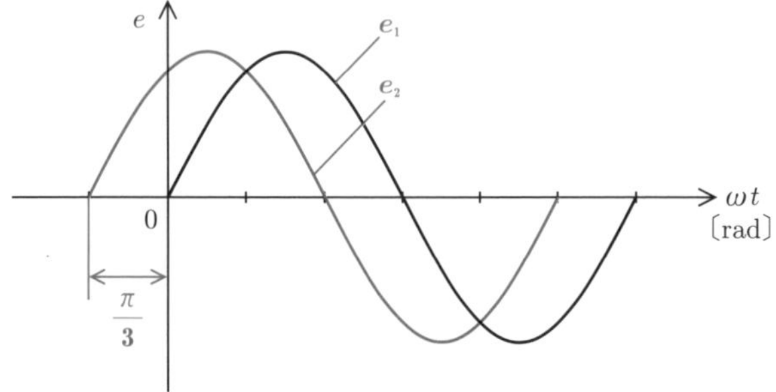

位相のずれは，回転角の差によって生じます。上のグラフでは，e_1 が 0〔rad〕のとき，e_2 は $\frac{\pi}{3}$〔rad〕まで進んでいるので，「e_2 は e_1 より $\frac{\pi}{3}$〔rad〕位相が進んでいる」，または「e_1 は e_2 より $\frac{\pi}{3}$〔rad〕位相が遅れている」と言うことができます。

3 正弦波交流の瞬時値式

正弦波交流の電圧は，次のような式で表すことができます。

覚える $e = E_m \sin(\omega t \pm \theta)$〔V〕

e ：瞬時値〔V〕
E_m：最大値〔V〕
ω ：角速度〔rad/s〕
t ：時間〔秒〕
θ ：位相〔rad〕

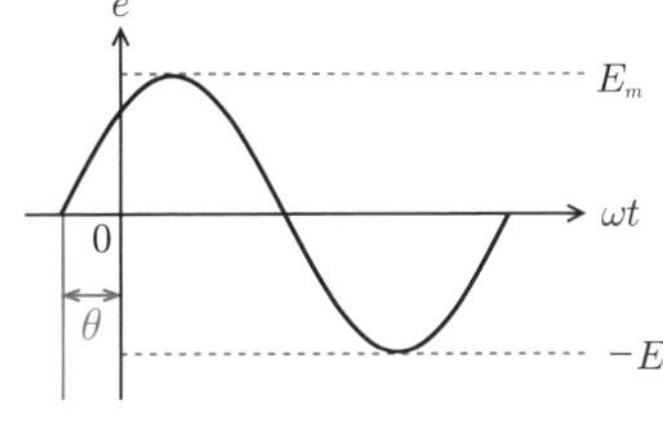

この式で求める電圧は，常に変化している交流のある瞬間の電圧を表したものなので，**瞬時値**といいます。

最大値 E_m は，この交流の波形がいちばん高くなるときの値です。ωt は，角速度 ω〔rad/s〕の正弦波の t 秒後の回転角〔rad〕を表します。

θ（シータ）〔rad〕は位相のずれを表し，$\theta = 0$ の波形より位相が進んでいるときはプラス（+），遅れているときはマイナス（−）になります。

4 正弦波交流の実効値

正弦波交流の電圧や電流は絶えず変化しているため，大きさを表すときには，「その交流と同じだけの働きをする直流の大きさ」に換算します。この値を，その交流の**実効値**といいます。

交流の実効値は，最大値の $\frac{1}{\sqrt{2}}$ です。

補足

ラジアン
半径 r の円で，半径と等しい長さの円弧を描いたときの中心角の角度を1ラジアンとします（1ラジアン≒57.5度）。中心角180度の円弧は半径×π なので，180度＝π ラジアン，360度＝2π ラジアンになります。

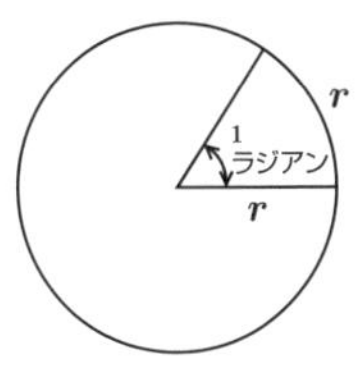

度	ラジアン
30°	$\frac{\pi}{6}$
45°	$\frac{\pi}{4}$
60°	$\frac{\pi}{3}$
90°	$\frac{\pi}{2}$
180°	π
360°	2π

覚える 実効値電圧　$E = \frac{E_m}{\sqrt{2}}$〔V〕

「100V の交流」といえば，特に断りがない限り，実効値が 100V の交流を指します。

なお，前ページの瞬時値の式を実効値 E〔V〕を使って表すと，次のようになります。

$$e = \sqrt{2}\, E\sin(\omega t \pm \theta)\ 〔\mathrm{V}〕$$

5 誘導リアクタンスと容量リアクタンス

交流回路では，抵抗のほかにコイルとコンデンサも電流の流れをさまたげる働きをします。コイルによる抵抗を誘導リアクタンス，コンデンサによる抵抗を容量リアクタンスといい，単位には抵抗と同じオーム〔Ω〕を使います。

誘導リアクタンスと容量リアクタンスの大きさは，それぞれ次の式で求めることができます。

誘導リアクタンス　$X_L = 2\pi fL$〔Ω〕

X_L：誘導リアクタンス〔Ω〕　f：周波数〔Hz〕　L：インダクタンス〔H〕

インダクタンスは，コイルがもつ固有の定数です。この式が示すように，誘導リアクタンスは交流の周波数が大きいほど，またコイルのインダクタンスが大きいほど大きくなります。

また，コイルを使った交流回路では，次ページの図のように，電流の位相が電圧より 90 度（$\frac{\pi}{2}$〔rad〕）遅れます。

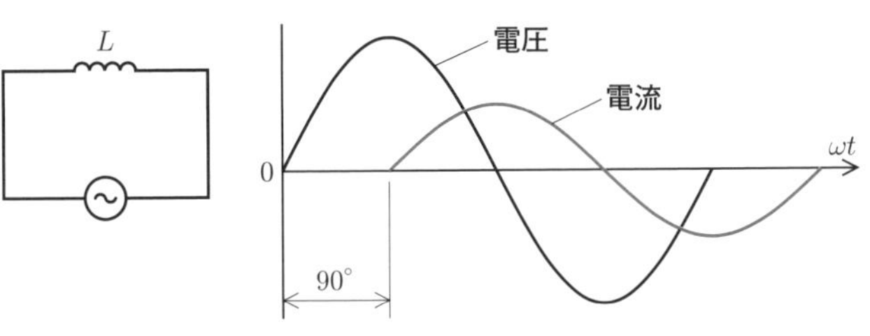

$$\text{容量リアクタンス}\quad X_C = \frac{1}{2\pi fC}\,〔\Omega〕$$

X_C：容量リアクタンス〔Ω〕　f：周波数〔Hz〕
C：静電容量〔F〕

容量リアクタンスは交流の周波数が小さいほど，またコンデンサの静電容量が小さいほど大きくなります。

また，コンデンサを使った交流回路では，電流の位相が電圧より 90 度（$\frac{\pi}{2}$〔rad〕）進みます。

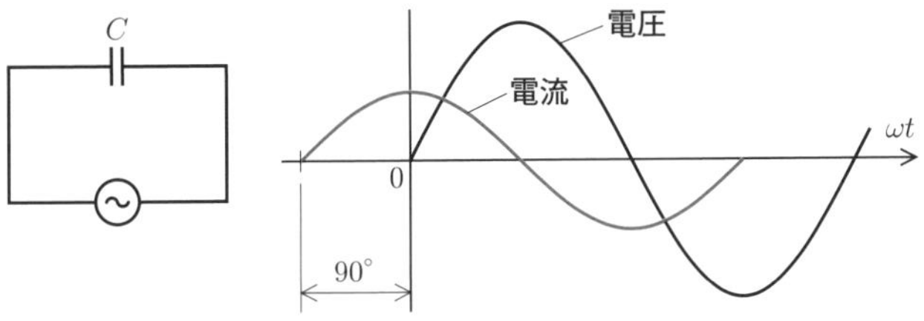

6 交流回路のインピーダンス

抵抗，コイル，コンデンサを直列に接続した，次のような交流回路を考えてみましょう。

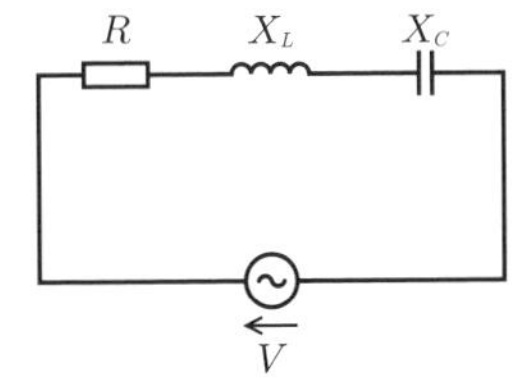

補足

リアクタンス
誘導リアクタンスと容量リアクタンスをまとめて，単にリアクタンスという場合もあります。単位は抵抗と同じくオーム〔Ω〕を使います。

抵抗のみの直列接続では，各抵抗を単純に足し合わせて合成抵抗を求めることができました。しかし，抵抗と誘導リアクタンス，容量リアクタンスは，単純に足し合わせることはできず，次のように計算します。

覚える $Z=\sqrt{R^2+(X_L-X_C)^2}$〔Ω〕

Z：インピーダンス〔Ω〕
R：抵抗〔Ω〕
X_L：誘導リアクタンス〔Ω〕
X_C：容量リアクタンス〔Ω〕

抵抗 R，誘導リアクタンス X_L，容量リアクタンス X_C をまとめて，インピーダンスといいます。オームの法則は交流回路の電圧と電流，インピーダンスについても成り立ちます。

$$I=\frac{E}{Z}〔A〕$$

I：実効値電流〔A〕
E：実効値電圧〔V〕
Z：インピーダンス〔Ω〕

例 題 図のような交流回路で，100V の電源を接続したとき，回路に流れる電流は何〔A〕か。

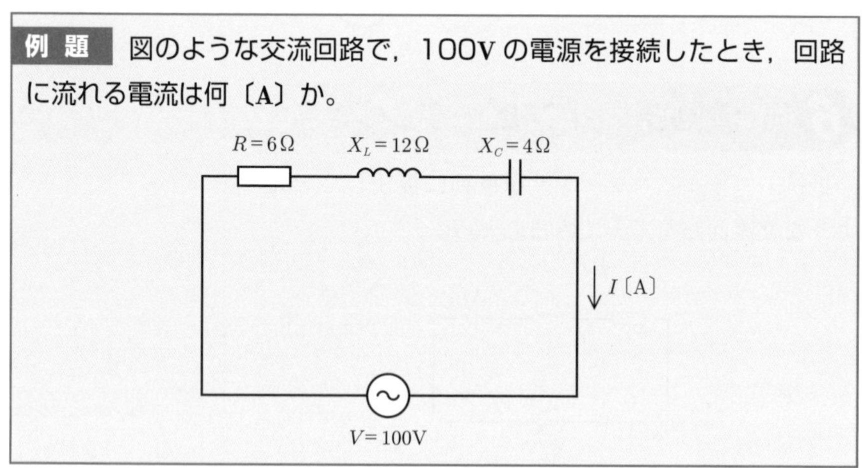

解 説 回路全体の合成インピーダンス Z は，次のようになります。

$$Z=\sqrt{R^2+(X_L-X_C)^2}=\sqrt{6^2+(12-4)^2}$$
$$=\sqrt{36+64}=\sqrt{100}=10〔\Omega〕$$

合成インピーダンスが 10Ω，電圧が 100V なので，電流 I はオームの法則により次のように求められます。

$$I=\frac{100}{10}=10〔A〕$$

解 答 10〔A〕

7 交流回路の電力と力率

交流回路では，電圧と電流で位相がずれることがあるため，単純に電圧×電流では電力を求めることができません。有効に利用できる交流回路の電力＝有効電力は，次の式で求めます。

覚える $P = VI\cos\theta$〔W〕

P：有効電力〔W〕 V：実効値電圧〔V〕
I：実効値電流〔A〕 $\cos\theta$：力率

交流回路では，単純な電圧と電流の積を**皮相電力**といいます。皮相電力は，発電機や変圧器などの電源側が供給する電力の大きさを表します。

有効電力は，皮相電力×$\cos\theta$で求められます。この$\cos\theta$を**力率**といいます。力率は，供給される電力（皮相電力）のうち，何割を有効に利用できるかを表

補足

力率の改善
一般に，コイルを利用した電気機器（モーターなど）が多いと，誘導リアクタンスが増えて力率が低くなります。力率が低いと，電力が余分に必要になるため，力率を大きくするために回路にコンデンサを接続する方法がとられます。

します。

力率 $\cos\theta$ は，電圧と電流の位相差 θ が小さいほど大きくなり，$\theta = 0$ のとき最大の 1 になります。逆に位相差 θ が大きいと力率は小さくなり，$\theta = 90°$ のとき最小の 0 になります。

力率 $\cos\theta$ は，次のようにインピーダンスから求めることができます。

覚える $$\cos\theta = \frac{R}{Z} = \frac{R}{\sqrt{R^2 + (X_L - X_C)^2}}$$

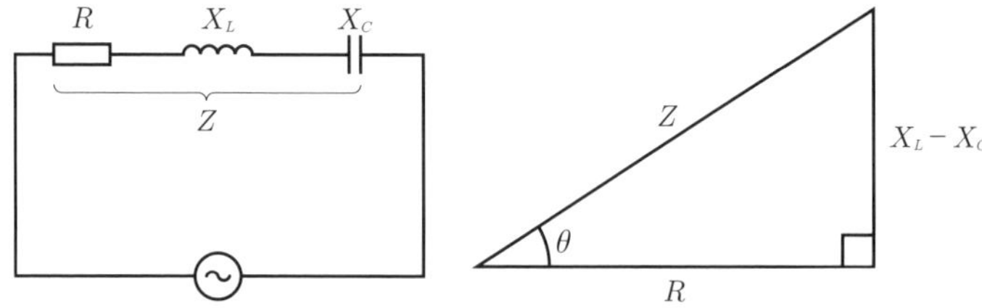

例題 100V の単相交流電源に，消費電力 800W，力率 80% の負荷を接続した。このとき負荷に流れる電流は何〔A〕か。

解説 有効電力（消費電力と同じ）を求める式 $P = VI\cos\theta$ に，問題文の数値を当てはめると，次のようになります。

$$800 = 100 \times I \times 0.8 \quad \therefore I = \frac{800}{100 \times 0.8} = 10 \text{〔A〕}$$

解答 10〔A〕

チャレンジ問題

［解説］38 ページ　［解答一覧］43 ページ

問1

オームの法則を表す式は次のうちどれか。ただし，抵抗を R，電流を I，電圧を V とする。

(1) $I=\dfrac{R}{V}$　(2) $V=RI$　(3) $V=\dfrac{I}{R}$　(4) $R=VI$

問2

図の回路において，AB 間の合成抵抗の値として正しいものは次のうちどれか。

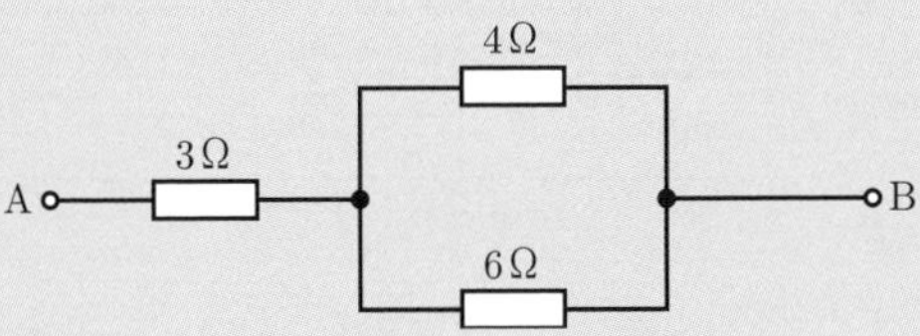

(1) 3.4Ω　(2) 5.4Ω　(3) 8.0Ω　(4) 10.0Ω

問3

図の回路において，AB 間の合成抵抗の値として正しいものは次のうちどれか。

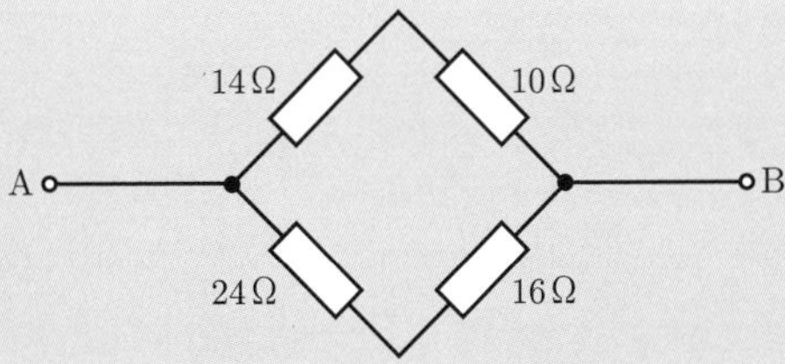

(1) 15Ω　(2) 16Ω　(3) 30Ω　(4) 64Ω

問4

難　中　易

図の回路において，AB 間の合成抵抗が 10Ω であるとき，R の値として正しいものは次のうちどれか。

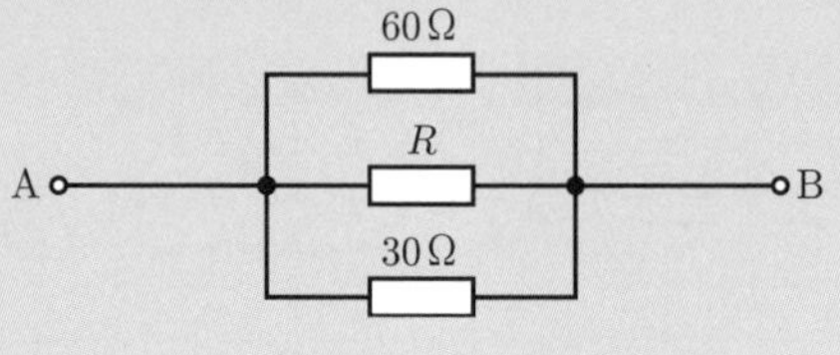

(1) 10Ω　　(2) 20Ω　　(3) 30Ω　　(4) 40Ω

問5

難　中　易

図のような回路に流れる電流 I〔A〕の値として，正しいものは次のうちどれか。

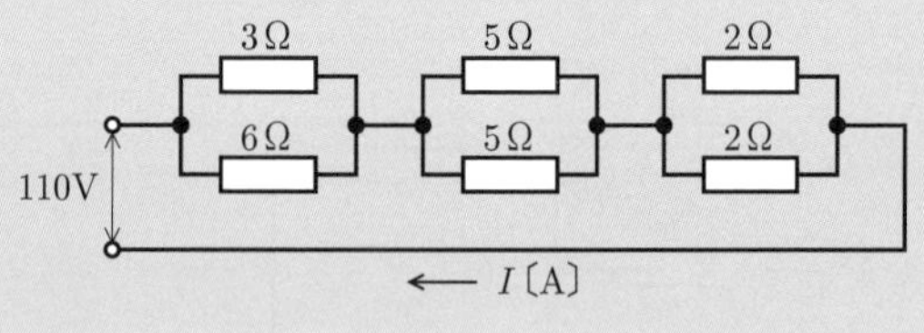

(1) 5.5　　(2) 10　　(3) 15　　(4) 20

問6

難　中　易

図の回路において，スイッチ S を開いた状態で AB 間に 100V の電圧を加え，電流計Ⓐで流れる電流を計測した。次に，S を閉じた状態で同様に 100V の電圧を加えた。このときの電流計Ⓐの指示値は，S を開いた状態のときの何倍になるか。

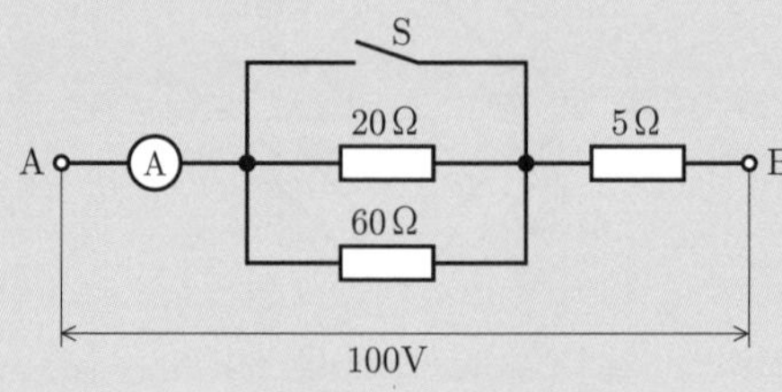

(1) 2 倍　　(2) 4 倍　　(3) 5 倍　　(4) 10 倍

問7 難 中 易

図に示すホイートストンブリッジ回路において，各辺の抵抗が $P=4\Omega$，$Q=3\Omega$，$R=6\Omega$ のとき，検流計Ⓖの指示値が0Aを示した。このときの抵抗 X の値として正しいものは次のうちどれか。

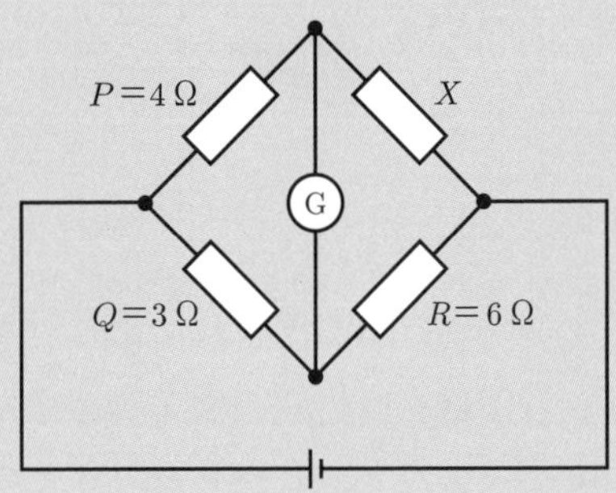

(1) 2Ω　(2) 4Ω　(3) 8Ω　(4) 10Ω

問8 難 中 易

4Ωと12Ωの抵抗を並列に接続した直流回路がある。この回路に30Vの電圧を加えたときの消費電力〔W〕の値として，正しいものは次のうちどれか。

(1) 60W　(2) 100W　(3) 300W　(4) 900W

問9 難 中 易

10Ωの抵抗に3Aの電流が1時間流れたとき，発生する熱量〔kJ〕の値として，正しいものは次のうちどれか。

(1) 324kJ　(2) 540kJ　(3) 900kJ　(4) 1,112kJ

問10 難 中 易

静電容量がそれぞれ $5\mu F$，$12\mu F$ 及び $20\mu F$ のコンデンサを並列に接続したときの合成静電容量の値として，正しいものは次のうちどれか。

(1) $3\mu F$　(2) $9\mu F$　(3) $18\mu F$　(4) $37\mu F$

問 11　　難　中　易

コイルと棒磁石を使用して，図のような実験を行った。実験結果の説明として，正しいものは次のうちどれか。

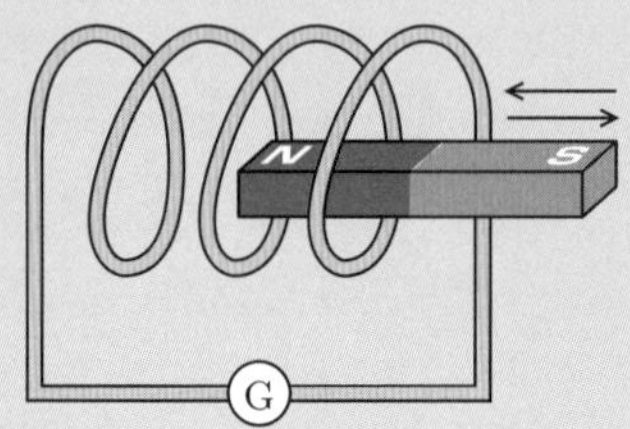

(1) 磁石を動かしてコイルの中に出し入れすると検流計の針が振れ，磁石を静止してもしばらくは一定の値を指示した。
(2) 磁石をコイルの中に入れたときと出したときとでは，検流計の針の振れが逆になった。
(3) 磁石を動かす速度を変えてみると，磁石をゆっくり動かすほど，検流計の針の振れが大きくなった。
(4) 磁石を固定してコイルのほうを動かすと，検流計の針は振れなかった。

問 12　　難　中　易

実効値 110V の正弦波交流の最大値電圧〔V〕の値として，正しいものは次のうちどれか。

(1) 144　(2) 155　(3) 190　(4) 220

問 13　　難　中　易

負荷が誘導リアクタンスのみの交流回路における電圧と電流の関係について，正しいものは次のうちどれか。

(1) 電流は電圧より位相が 90° 遅れる。
(2) 電流は電圧より位相が 90° 進む。
(3) 電流は電圧より位相が 180° 遅れる。
(4) 電流は電圧より位相が 180° 進む。

•問 14•

難 中 易

図のような回路に流れる電流〔A〕の値として，正しいものは次のうちどれか。

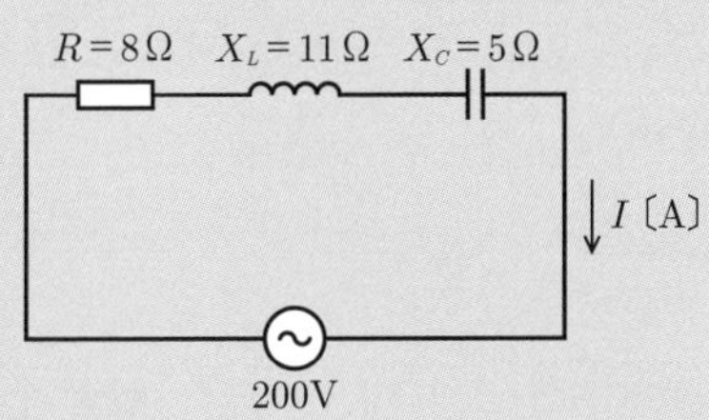

(1) 10　(2) 15　(3) 20　(4) 24

•問 15•

難 中 易

消費電力 800W の電動機を 100V で運転したところ，10A の電流が流れた。電動機の力率〔%〕の値として正しいものは次のうちどれか。

(1) 70%　(2) 80%　(3) 90%　(4) 100%

•問 16•

難 中 易

静電容量の単位として正しいものは次のうちどれか。

(1) ジュール

(2) ファラド

(3) ヘンリー

(4) ワット秒

解説

問1 オームの法則を言葉で表すと，「抵抗に加わる電圧は電流に比例する」となります。これを式で表せば，$V = RI$ です。

オームの法則の式は，次のような変形も合わせて覚えておきましょう。

$$V = RI \qquad I = \frac{V}{R} \qquad R = \frac{V}{I}$$

解答（2） 参照 5ページ

問2 まず，4Ω と 6Ω の抵抗を並列接続した部分の合成抵抗値を求めます。2 つの抵抗を並列接続したときの合成抵抗値は「和分の積」で求められます。

$$\frac{4 \times 6}{4 + 6} = \frac{24}{10} = 2.4 \ [\Omega]$$

並列部分と 3Ω の抵抗は直列に接続されているので，AB 間の合成抵抗値は，次のように計算できます。

$$2.4 + 3 = 5.4 \ [\Omega]$$

解答（2） 参照 7，8ページ

問3 一見ブリッジ回路のように見えますが，よく見ると直列接続と並列接続を組み合わせているだけです。

14Ω と 10Ω の抵抗は直列に接続されているので，この部分の合成抵抗は 14 + 10 = 24Ω です。

24Ω と 16Ω の抵抗も同様なので，この部分の合成抵抗は 24 + 16 = 40Ω になります。

24Ω の抵抗と 40Ω の抵抗が並列に接続されているので，AB 間の合成抵抗は次のように計算できます。

$$\frac{24\times40}{24+40}=\frac{24\times40}{64}=\frac{\overset{3}{\cancel{24}}\times\overset{5}{\cancel{40}}}{\underset{1}{\cancel{8}}\times\underset{1}{\cancel{8}}}=\frac{3\times5}{1\times1}=15\ [\Omega]$$

解答（1）　参照 7, 8 ページ

問4　計算を簡単にするために，60Ω と 30Ω の合成抵抗を先に求めます。

$$\frac{60\times30}{60+30}=\frac{1800}{90}=20\Omega$$

以上より，AB 間の合成抵抗は，20Ω の抵抗と R を並列に接続したものと同じです。この値が 10Ω になるので，次の式が成り立ちます。

$$\frac{20R}{20+R}=10 \qquad \therefore \quad R=20\ [\Omega]$$

解答（2）　参照 8, 9 ページ

問5　まず，回路全体の合成抵抗を求めます。3 つの並列接続部分の合成抵抗をそれぞれ R_1，R_2，R_3 とすると，

$$R_1=\frac{3\times6}{3+6}=2\,[\Omega] \quad R_2=\frac{5\times5}{5+5}=2.5\,[\Omega] \quad R_3=\frac{2\times2}{2+2}=1\,[\Omega]$$

したがって回路全体の合成抵抗は，

$$R_1+R_2+R_3=2+2.5+1=5.5\ [\Omega]$$

電圧は 110V なので，オームの法則により，電流 I の値は次のようになります。

$$I=\frac{V}{R}=\frac{110}{5.5}=20\ [\mathrm{A}]$$

解答（4）　参照 5, 8 ページ

問 6

①スイッチ S を開いた状態のとき，回路全体の合成抵抗は 20Ω と 60Ω の抵抗の並列接続になるので，次のように計算できます。

$$\frac{20\times60}{20+60}+5=\frac{1200}{80}+5$$

$$=15+5=20〔\Omega〕$$

AB 間を流れる電流は，オームの法則より 100 ／ 20 ＝ 5〔A〕になります。

②スイッチ S を閉じると，20Ω と 60Ω の抵抗は短絡される（抵抗値が 0 になる）ため，回路は右図と同様の状態になります。したがって，回路全体の抵抗は 5Ω になり，AB 間を流れる電流は 100 ／ 5 ＝ 20〔A〕になります。

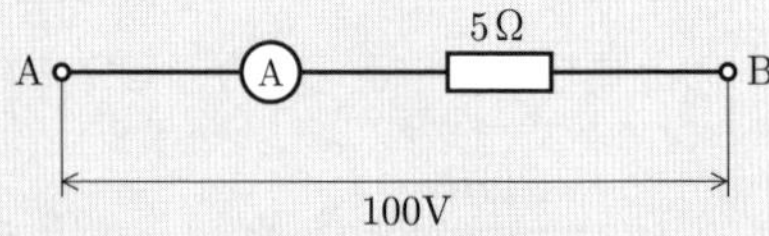

以上より，スイッチ S を閉じたときの電流 20A は，開いたときの電流 5A の 4 倍になります。

解答（2）　参照 5，9 ページ

問 7　検流計 Ⓖ が 0 を指示したので，次のようなブリッジの平衡条件が成立します。

$$PR=QX$$

P，Q，R に値を当てはめると，

$$4\times6=3\times X\qquad\therefore X=8〔\Omega〕$$

となります。

解答（3）　参照 13 ページ

問8 4Ωと12Ωの抵抗を並列に接続したときの合成抵抗は，

$$\frac{4\times 12}{4+12}=\frac{48}{16}=3\ [\Omega]$$

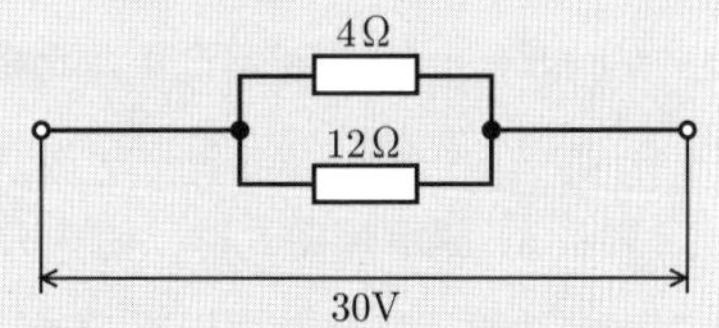

消費電力 $P=VI=V^2/R$〔W〕より，

$$P=\frac{V^2}{R}=\frac{30^2}{3}=\frac{900}{3}=300\ [\text{W}]$$

となります。

解答（3）　参照 15ページ

問9 ジュールの法則 $H=RI^2t$〔J〕を使って求めます。

$$H=RI^2t=10\times 3^2\times 3600$$
$$=324000\ [\text{J}]=324\ [\text{kJ}]$$

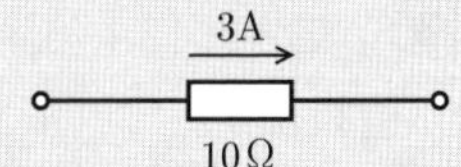

解答（1）　参照 16ページ

問10 並列に接続したコンデンサの合成静電容量は，各静電容量の合計で求めることができます。

$$C=C_1+C_2+C_3$$
$$=5+12+20=37\ [\mu\text{F}]$$

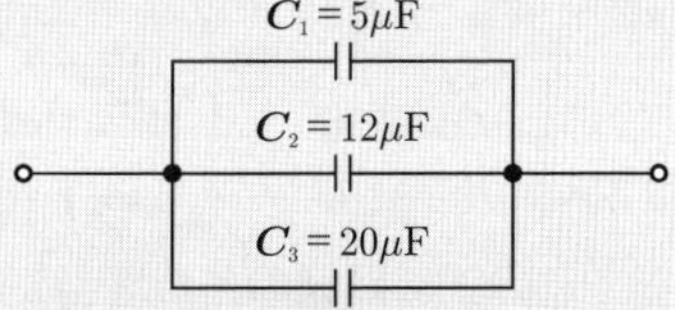

解答（4）　参照 20ページ

問11 コイルを貫通する磁束が変化すると，コイルに起電力が発生し，電流が流れます。この現象を電磁誘導といいます。コイルに発生する誘導起電力の大きさは，磁束が変化する速さに比例します。

× (1) 磁石を静止すると，起電力も誘導されなくなるので，検流計の針の振れは止まります。

○ (2) 正しい記述です。誘導起電力の向きは，磁束の変化の向きに応じて変わります。

× (3) 誘導起電力は，磁束の変化が速いほど大きくなります。

× (4) 磁石を固定してコイルを動かしても，コイルを貫く磁束は変化するので，誘導起電力が生じます。

解答（2） 参照 23 ページ

問 12 正弦波交流の最大値は，実効値の $\sqrt{2}$ 倍になります。したがって，実効値 110V の正弦波交流の最大値は，$110 \times \sqrt{2} \fallingdotseq 155$〔V〕です。

解答（2） 参照 27 ページ

問 13 コイルによる誘導リアクタンス回路では，電流の位相が電圧より 90° 遅れます。

逆に，コンデンサによる容量リアクタンス回路では，電流の位相が電圧より 90° 進みます。

解答（1） 参照 28 ページ

問 14 回路全体の合成インピーダンス Z は，次の式で求められます。

$$Z = \sqrt{R^2 + (X_L - X_C)^2} \text{〔}\Omega\text{〕}$$

この式に問題の各値を当てはめると，次のようになります。

$$Z = \sqrt{8^2 + (11 - 5)^2} = \sqrt{8^2 + 6^2} = \sqrt{64 + 36} = \sqrt{100}$$
$$= 10 \text{〔}\Omega\text{〕}$$

回路全体の合成インピーダンスが 10Ω，電圧が 200V なので，電流はオームの法則により，次のようになります。

$$I = \frac{V}{Z} = \frac{200}{10} = 20 \text{〔A〕}$$

解答 (3)　参照 30 ページ

問 15 交流回路の消費電力は，$P = VI\cos\theta$〔W〕で求めます。この式に問題文の値を当てはめると，次のようになります。

$$800 = 100 \times 10 \times \cos\theta \quad \therefore \cos\theta = \frac{800}{100 \times 10} = 0.8 = 80\text{〔\%〕}$$

解答 (2)　参照 31 ページ

問 16

× (1) ジュール〔J〕は，熱量やエネルギーの単位です。

○ (2) ファラド〔F〕は，静電容量の単位です。

× (3) ヘンリー〔H〕は，インダクタンスの単位です。

× (4) ワット秒〔W・秒〕は，電力量の単位です。

解答 (2)　参照 19 ページ

解 答

問1	(2)	問5	(4)	問9	(1)	問13	(1)
問2	(2)	問6	(2)	問10	(4)	問14	(3)
問3	(1)	問7	(3)	問11	(2)	問15	(2)
問4	(2)	問8	(3)	問12	(2)	問16	(2)

電気計測

まとめ&丸暗記　この節の学習内容とまとめ

□ 電圧計と電流計の接続

電圧計は負荷と並列に，電流計は負荷と直列に接続する。

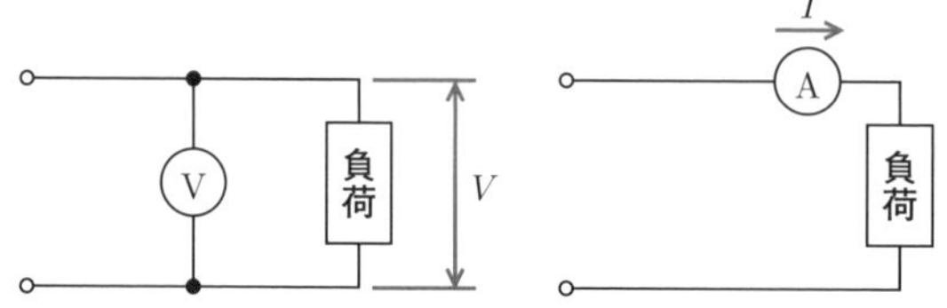

□ 電圧計の倍率器　$R=(n-1)r$〔Ω〕

□ 電流計の分流器　$R=\dfrac{r}{n-1}$〔Ω〕

□ 接地抵抗の測定　アーステスタ，コールラウシュブリッジ法，電圧降下法

□ 絶縁抵抗の測定　メガー

□ 指示電気計器

交流／直流	種類	記号
直流用	可動コイル形	
交流用	可動鉄片形	
	誘導形	
	整流形	
	振動片形	

交流／直流	種類	記号
交流直流両用	電流力計形	
	熱電形	
	静電形	

□ 誤差　$\varepsilon=M-T$　□ 百分率誤差　$\varepsilon_0=\dfrac{M-T}{T}\times100$〔%〕

□ 補正　$\alpha=T-M$　□ 百分率補正　$\alpha_0=\dfrac{T-M}{M}\times100$〔%〕

電圧計と電流計

1 電圧計と電流計の接続

負荷にかかる電圧を測定するときは，電圧計に負荷と同じ電圧がかかるように，電圧計を負荷と並列に接続します。

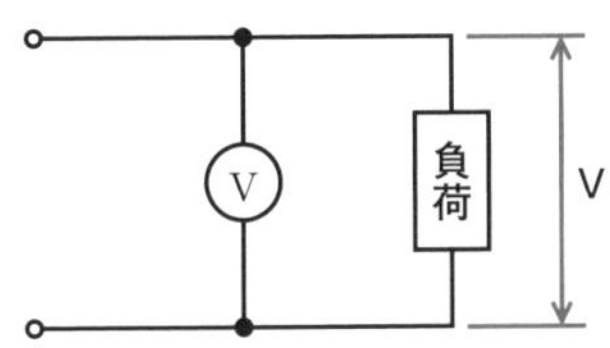

また，負荷を流れる電流を測定するときは，電流計に同じ量の電流が流れるように，電流計を負荷と直列に接続します。

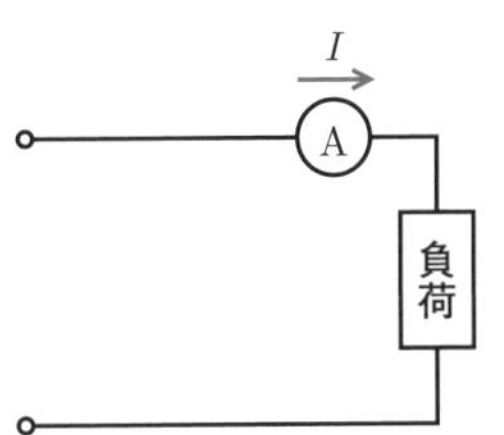

2 倍率器

たとえば，最大目盛が 100V，内部抵抗が 100Ω の電圧計があったとします。この電圧計で 300V の電圧を測定しようとしても，そのままでは目盛をオーバーしてしまうので測定できません。

補足

電圧計の図記号

直流電圧計

交流電圧計

補足

電流計の図記号

直流電流計

交流電流計

補足

内部抵抗

電圧計や電流計の内部にある抵抗。

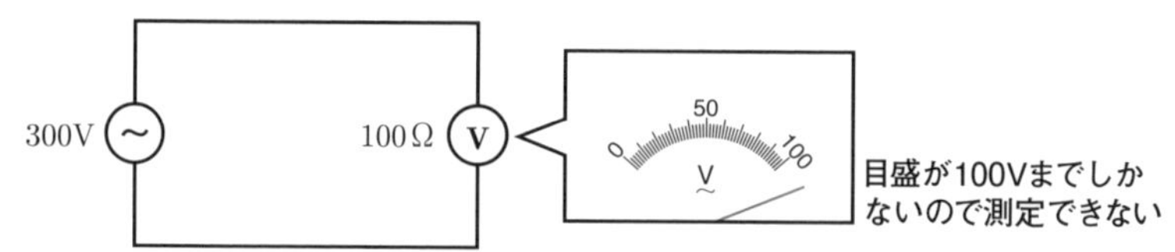

そこで，この電圧計と直列に，200Ωの抵抗を接続します。すると，電圧計に直接かかる電圧は，

$$\frac{100}{100+200}\times 300 = 100 〔V〕$$

となるので，電圧計の目盛は100Vを指します。この数値を3倍に読み替えれば，300Vの電圧を測定できたことになります。

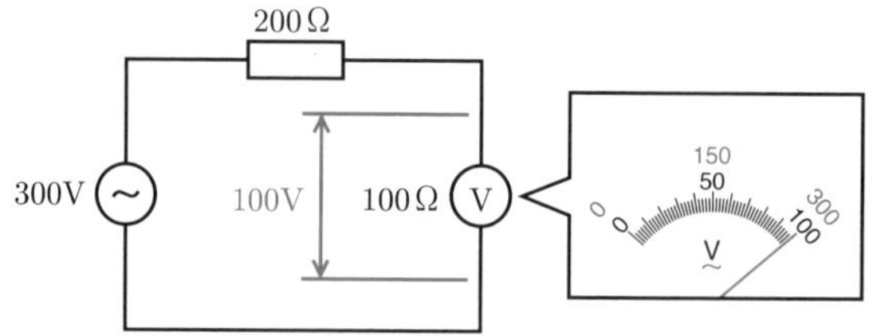

このように，電圧計の最大目盛より大きな電圧を測定するために，電圧計と直列に接続する抵抗を倍率器といいます。

電圧計の内部抵抗を r〔Ω〕とすると，最大目盛の n 倍の電圧を測定するのに必要な倍率器の抵抗値 R は，

$$R = (n-1)\,r 〔\Omega〕$$

となります。つまり，最大目盛の n 倍の電圧を測定するには，倍率器の抵抗を内部抵抗の $n-1$ 倍にします。

3 分流器

電流計で最大目盛より大きな電流を測定する場合には，電流計と並列に

抵抗を接続します。この抵抗を分流器といいます。

たとえば，最大目盛が 10A，内部抵抗が 2Ω の電流計で，30A の電流を測定する場合，電流計と並列に，1Ω の分流器を接続します。すると，電流計に流れる電流は，

$$\frac{1}{2+1} \times 30 = 10 \text{〔A〕}$$

となり，電流計の目盛は 10A を指します。この数値を 3 倍に読み替えれば，30A の電流を測定できたことになります。

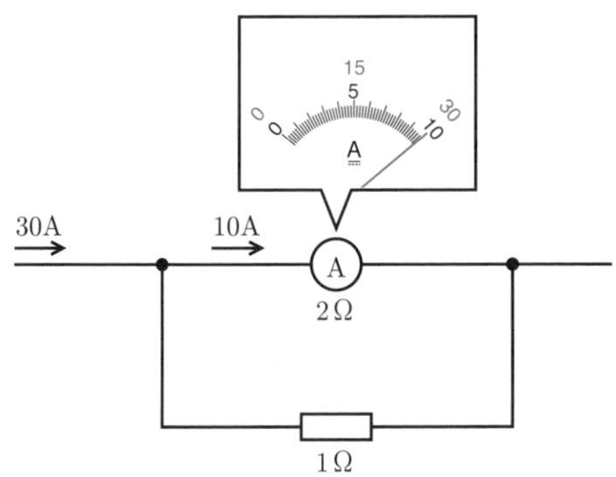

電流計の内部抵抗を r〔Ω〕とすると，最大目盛の n 倍の電流を測定するのに必要な分流器の抵抗値 R は，

$$\boldsymbol{R = \frac{r}{n-1}} \text{〔Ω〕}$$

となります。つまり，**最大目盛の n 倍の電流を測定するには，分流器の抵抗を内部抵抗の 1 ／ $(n-1)$ 倍にします。**

補足

倍率器の倍率

電圧計の内部抵抗を r，倍率器の抵抗を R とします。電圧計の最大目盛が V で，測定電圧がその n 倍のとき，電圧計の指針が V を指すには，

$$\frac{r}{R+r} \times nV = V$$

が成り立つように，倍率器を接続します。この式より，

$R = (n-1)r$

となるので，倍率器の抵抗 R を内部抵抗 r の $n-1$ 倍にすればよいことがわかります。

補足

分流器の倍率

電流計の内部抵抗を r，分流器の抵抗を R とします。電流計の最大目盛が I で，測定電流がその n 倍のとき，電流計の指針が I を指すには，

$$\frac{R}{R+r} \times nI = I$$

が成り立つように，分流器を接続します。この式より，

$R = r / (n-1)$

となるので，分流器の抵抗 R を内部抵抗 r の $n-1$ 分の 1 にすればよいことがわかります。

いろいろな電気計器

1 アーステスター（接地抵抗計）

接地極と大地との間の電気的な抵抗を**接地抵抗**といいます。アーステスターは接地抵抗を測定します。

接地抵抗の測定法には，**コールラウシュブリッジ法**や**電圧降下法**があります。

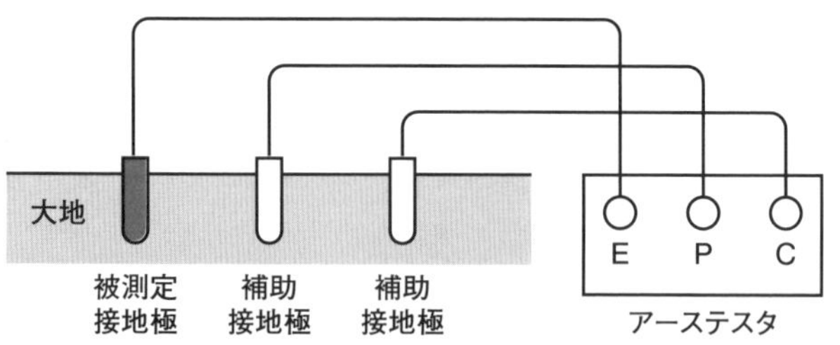

2 メガー（絶縁抵抗計）

配線や電気機器は，感電や漏電の危険がないように絶縁されていなければなりません。絶縁状態を検査するには，**メガー**（絶縁抵抗計）を用いて，**絶縁抵抗**を測定します。

電線と大地間の絶縁抵抗を測定

負荷

E L

MΩ

電線相互間の絶縁抵抗を測定

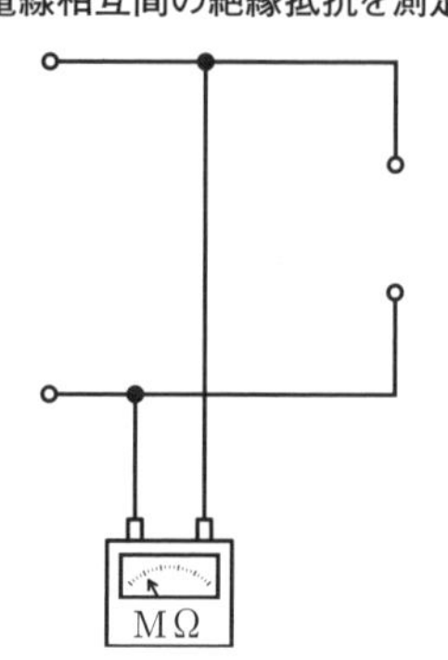

3 計器用変流器（CT）

計器用変流器は，測定したい電流が大き過ぎて通常の電流計では測定できない場合に，電流計に流れる電流を小さくします。

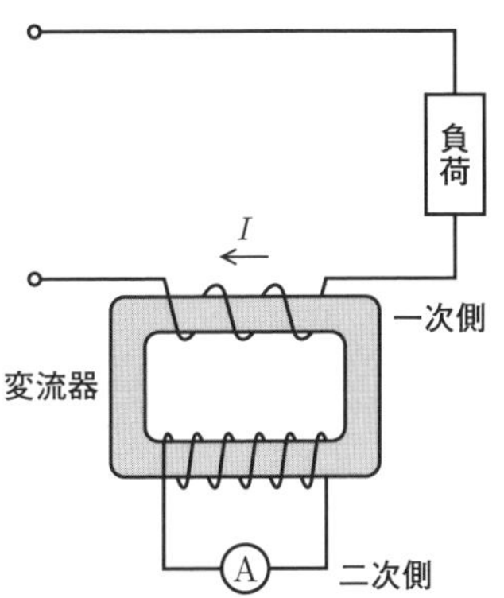

4 クランプメータ（差込み型CT付電流計）

クランプメータは，電線から生じる磁界の電磁誘導作用によって電流を測定する装置です。測定対象の回路に接続する必要がなく，通電したまま測定できるのが特徴です。

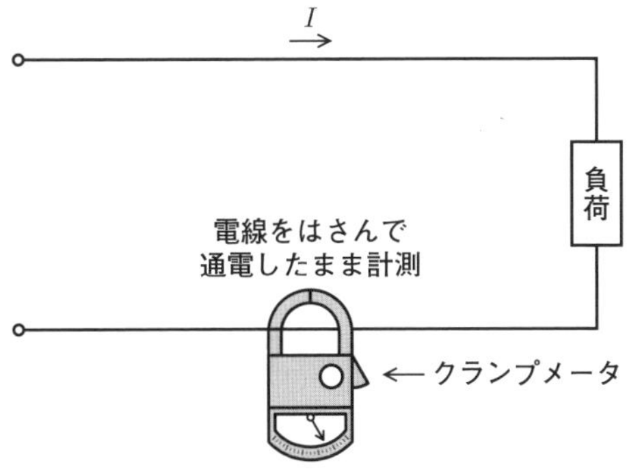

補足

コールラウシュブリッジ
ホイートストンブリッジ（14ページ）を改良したもので，交流電流を用いて抵抗値を測定するブリッジ回路。接地抵抗計の回路としてよく利用されています。

補足

メガー（絶縁抵抗計）は，本来電流の流れないものに高い電圧をかけ，わずかに流れる微少電流を測定します。旧式のメガーは手回し方式の発電機で発電して測定しましたが，現在は電池式のメガーが主流になっています。

指示電気計器

指示電気計器とは，電流や電圧などの測定したい数値を，目盛板上の指針などで表示する計器です。指示電気計器は，次の3つの装置から構成されます。

駆動装置…**測定量を駆動トルクに変換して指針などを動かす。**
制御装置…**駆動トルクに対する制御トルクで，指針を測定量に応じた位置に止める。**
制動装置…**指針をすばやく静止させる。**

指示電気計器は，大きく直流用，交流用，交流／直流両用の3種類に分類できます。おもな指示電気計器の種類と動作原理を理解しましょう。

直／交流	種類	記号	動作原理／用途
直流用	可動コイル形		永久磁石の間に置いた可動コイルに直流電流を流し，電磁力で可動コイルを動かす方式。 **【用途】電流計，電圧計** 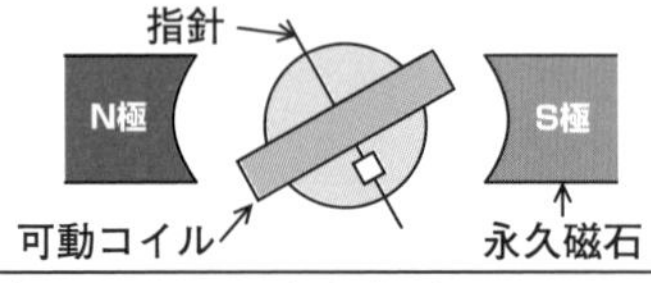 指針 N極 S極 可動コイル 永久磁石
交流用	可動鉄片形		固定コイルに電流を流して，固定鉄片と可動鉄片を磁化し，両者の反発力で可動鉄片を動かす方式。 **【用途】電流計，電圧計** 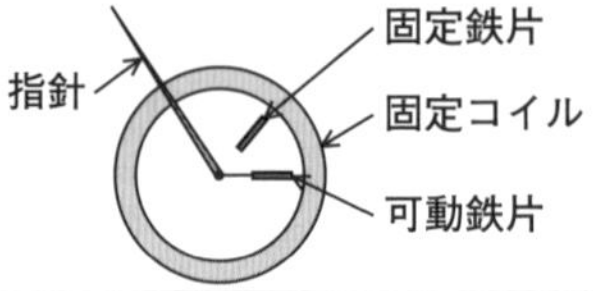 固定鉄片 指針 固定コイル 可動鉄片

直／交流	種類	記号	動作原理／用途
交流用	誘導形		電磁石に交流電流を流し，電磁力によって円板を回転させる方式。 **【用途】電力量計**
	整流形		整流器で交流を直流に変換し，その電圧や電流を可動コイル形の計器で指示する方式。 **【用途】電流計，電圧計**
	振動片形		振動片と交流電流との共振を利用する方式。 **【用途】周波数計**
交流／直流両用	電流力計形		固定コイルと可動コイルに電流を流し，コイル間に働く電磁力で可動コイルを動かす方式。 **【用途】電力計，電流計，電圧計**
	熱電形		熱電対に生じた起電力を可動コイル形の計器で指示する方式。 **【用途】電流計，電圧計**
	静電形		電極間に生じる静電力を利用する方式。 **【用途】電圧計（高電圧用）**

補足

熱電対
2種類の金属を接合し，温度差によって接点に起電力が生じるセンサ。

測定値と誤差

1 誤差

一般的に言って，電気計器の指針が示した測定値と，実際の値との間には**誤差**があります。

測定値を M，真の値を T とすると，誤差 ε（イプシロン）は次のように表せます。

$$誤差\ \varepsilon = M - T$$

また，真の値に対する誤差の割合をパーセンテージで表したものを，**百分率誤差**といいます。

$$百分率誤差\ \varepsilon_0 = \frac{\varepsilon}{T} \times 100 = \frac{M - T}{T} \times 100\ 〔\%〕$$

たとえば，真の値が20Aの電流を測定したところ，測定値が19.9Aだった場合の誤差 ε と百分率誤差 ε_0 は，それぞれ次のように求められます。

$$誤差\ \varepsilon = 19.9 - 20 = -0.1$$

$$百分率誤差\ \varepsilon_0 = \frac{-0.1}{20} \times 100$$

$$= -0.005 \times 100 = -0.5\ 〔\%〕$$

2 補正

誤差を真の値に正すことを**補正**（ほせい）といいます。測定値を M，真の値を T とすると，補正 α は，

$$補正\ \alpha = T - M = -\varepsilon$$

のように，誤差の符号を逆にしたものです。

また，測定値に対する補正の割合をパーセンテージで表したものを，百分率補正といいます。

$$百分率補正\ \alpha_0 = \frac{\alpha}{M} \times 100 = \frac{T-M}{M} \times 100 〔\%〕$$

例題 真値が11Aの電流を測定したところ，測定値は10Aであった。百分率補正は何〔%〕か。

解説 百分率補正の式に当てはめて計算します。

$$\alpha_0 = \frac{T-M}{M} \times 100 = \frac{11-10}{10} \times 100 = 10 〔\%〕$$

解答 10〔%〕

補足

電気指示計器の階級

電気指示計器は，精度によって0.2級，0.5級，1.0級，1.5級，2.5級の5階級に区分されます。

階級	許容誤差
0.2級	定格値の±0.2%以内
0.5級	定格値の±0.5%以内
1.0級	定格値の±1.0%以内
1.5級	定格値の±1.5%以内
2.5級	定格値の±2.5%以内

チャレンジ問題

[解説] 56ページ　[解答一覧] 57ページ

問1　難　中　易

負荷の電流と電圧を測定するために，電流計Ⓐと電圧計Ⓥを接続する接続方法として，正しいものは次のうちどれか。

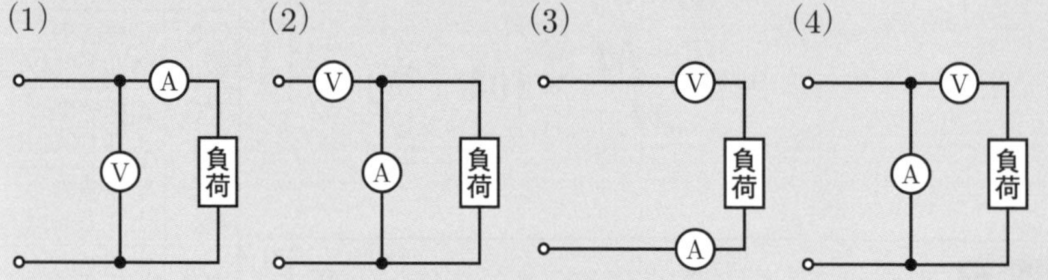

問2　難　中　易

最大目盛が3V，内部抵抗20kΩの直流電圧計を，最大30Vまで測定できるようにするために必要な倍率器の抵抗値〔kΩ〕として，正しいものは次のうちどれか。

(1) 180　(2) 193　(3) 200　(4) 212

問3　難　中　易

絶縁抵抗を測定するのに適した電気計器として，正しいものは次のうちどれか。

(1) 回路計

(2) アーステスタ

(3) 検電器

(4) メガー

問4　難　中　易

直流では作動しない指示電気計器は，次のうちどれか。

(1) 可動コイル形
(2) 可動鉄片形
(3) 電流力計形
(4) 熱電形

問5 難 中 易

可動コイル形の目盛に関する記述として，正しいものは次のうちどれか。

(1) すべての目盛が2乗目盛となる。
(2) すべての目盛が平等目盛となる。
(3) 電流計では平等目盛になるが，電圧計では不平等目盛となる。
(4) 最大値付近の目盛が平等目盛となる。

問6 難 中 易

指示電気計器の動作原理とその記号の組合せとして，正しいものは次のうちどれか。

(1) 可動コイル形 
(2) 電流力計形 
(3) 可動鉄片形 
(4) 誘導形 

問7 難 中 易

真値が100Vの電圧を測定したところ，測定値は98Vであった。このときの百分率誤差の値として，正しいものは次のうちどれか。

(1) ＋2.00％　(2) －2.00％　(3) ＋2.04％　(4) －2.04％

解説

問1 電圧計は負荷と並列に接続し，電流計は負荷と直列に接続します。

解答（1） **参照** 45ページ

問2 倍率器の公式 $R = (n - 1)r$〔Ω〕を覚えておけば簡単ですが，次のような回路図で考えても正解は導けます。

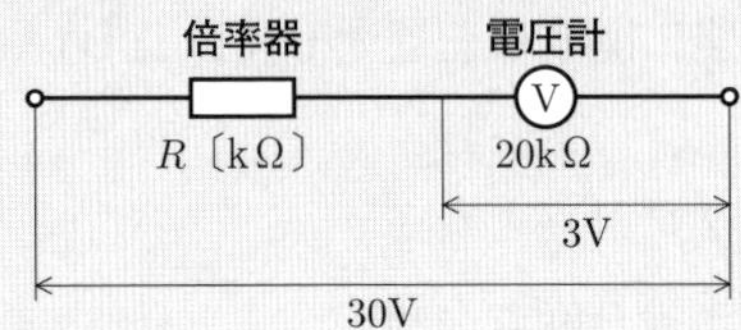

回路に電圧 30**V** の電圧が加えられたとき，電圧計にかかる分の電圧は，

$$\frac{20}{R+20} \times 30 \text{〔V〕}$$

で計算できます。これが 3V になればよいので，

$$\frac{20}{R+20} \times 30 = 3 \quad \therefore R = 180 \text{〔kΩ〕}$$

となります。

解答（1） **参照** 46ページ

問3

×（1）回路計（テスタ）は，回路の導通などを測定します。

×（2）アーステスタ（接地抵抗計）は，接地抵抗を測定します。

×（3）検電器は，電気工事や点検などの作業中に，作業部位が電気を帯びていないかどうかを調べる計測器です。

○（4）絶縁抵抗計はメガーともいいます。

解答（4） **参照** 48ページ

問4 交流回路のみで作動する計器を選びます。

×（1）可動コイル形は直流回路のみで作動します。

○（2）可動鉄片形は交流回路のみで作動します。

×（3）電流力計形は直流／交流両用です。

×（4）熱電形は直流／交流両用です。

解答（2）　参照 50 ページ

問5 可動コイル形の駆動トルクは電流に比例し，指針は電流の平均値を示します。したがって目盛はすべて均等な平等目盛となります。

解答（2）　参照 50 ページ

問6 正しくは次のようになります。

×（1）可動コイル形

×（2）電流力計形

○（3）可動鉄片形

×（4）誘導形

解答（3）　参照 50 ページ

問7 百分率誤差 ε_0 は，次のように求めます。

$$\varepsilon_0 = \frac{M-T}{T} \times 100 = \frac{98-100}{100} \times 100 = -2\ [\%]$$

解答（2）　参照 52 ページ

解答

問1	(1)	問3	(4)	問5	(2)	問7	(2)
問2	(1)	問4	(2)	問6	(3)		

3 電気材料・電気機器

まとめ＆丸暗記　この節の学習内容とまとめ

□ 導電材料　銀　銅　金　アルミニウム　鉄　※導電率の高い順

□ 絶縁材料の耐熱クラス

Y　A　E　B　F　H　※許容最高温度の低い順

□ 物質の抵抗　$R = \rho \dfrac{l}{A}$〔Ω〕

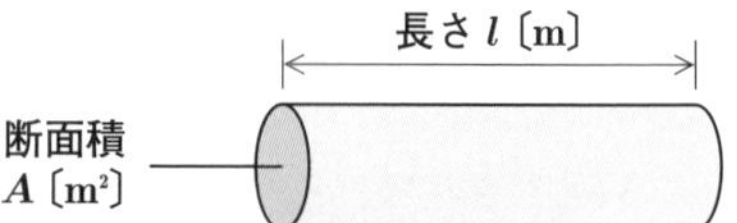

□ 変圧比　$a = \dfrac{E_1}{E_2} = \dfrac{N_1}{N_2} = \dfrac{I_2}{I_1}$

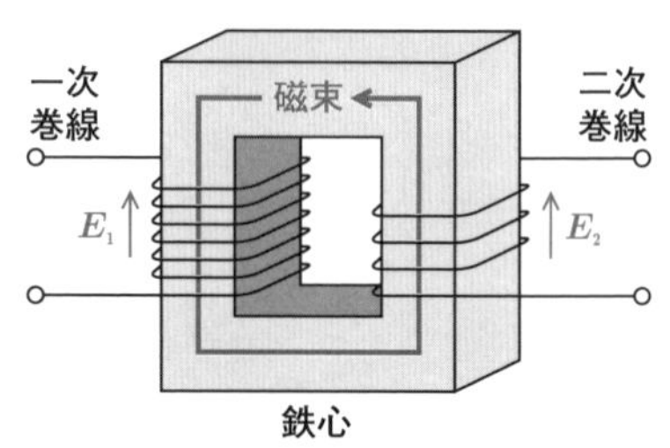

□ 変圧器の効率　$\eta = \dfrac{\text{出力}}{\text{出力}+\text{鉄損}+\text{銅損}+\text{漂遊負荷損}} \times 100$〔%〕

□ 鉛蓄電池

$$\underset{\text{正極}}{PbO_2} + \underset{\text{電解液}}{2H_2SO_4} + \underset{\text{負極}}{Pb} \underset{\text{充電}}{\overset{\text{放電}}{\rightleftarrows}} \underset{\text{正極}}{PbSO_4} + \underset{\text{電解液}}{2H_2O} + \underset{\text{負極}}{PbSO_4}$$

電気材料

導電材料

物質には，電気を通しやすいものと，ほとんど通さないものがあります。電気を通しやすい物質を**導体**といいます。

導体は，電線などの導電材料に利用されます。金属を導電率の高い順に並べると，次のようになります。

導電率
高い ←→ 低い
銀　銅　金　アルミニウム　鉄

このうち，資源量や加工のしやすさから，銅やアルミニウムがもっともよく利用されています。

2 絶縁材料

導体の反対に，電気をほとんど通さない物質を**絶縁体**（不導体）といいます。絶縁体は，電路などで電流を遮断する絶縁材料として利用されます。

絶縁材料となる物質は，電気を通さないほかに，**絶縁耐力**や**耐熱性**が高いことも重要です。

絶縁耐力は，どのくらい高い電圧まで絶縁状態を保てるかを表したものです。通常は電気を通さない物質でも，高い電圧をかけると絶縁が破れ，電気を通してしまうことがあるため，絶縁材料には，絶縁耐力の高い物質が適しています。

また，紙，木材，ゴムなどの絶縁材料は熱によって

補足

導電率
電気の伝わりやすさ。単位はジーメンス毎メートル〔S/m〕で，数値が高いほど電気を通しやすい。

補足

六ふっ化硫黄（SF_6）
無色・無臭・無毒の気体で，空気より絶縁耐力が高く，電気機器の絶縁媒体として利用されています。地球温暖化の原因と言われる温室効果ガスの一種。

劣化するため，高温では使用できません。JIS 規格は絶縁材料の耐熱性について，許容最高温度に応じて次のような**耐熱クラス**を定めています。

許容最高温度
低い ←→ 高い

耐熱クラス	Y	A	E	B	F	H

3 抵抗率

物質の抵抗は，電気が通る距離が長くなるほど大きくなり，また断面積が大きいほど小さくなる性質があります。このことを式で表すと，次のようになります。

覚える $$R = \rho \frac{l}{A} \text{〔Ω〕}$$

R：抵抗〔Ω〕 A：断面積〔m^2〕 l：長さ〔m〕

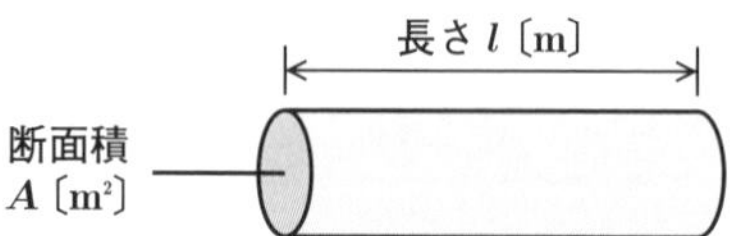

ρ（ロー）は，長さ 1m，断面積 1m^2 における物質の抵抗で，**抵抗率**といいます（単位は〔Ω・m〕）。

なお，導線のように断面が円形の場合，その半径を r〔m〕とすれば，断面積 $A = \pi r^2$〔m^2〕となります。したがって長さ l〔m〕，半径 r〔m〕の導線の抵抗は，次のように表せます。

$$R = \rho \frac{l}{\pi r^2} \text{〔Ω〕}$$

変圧器

1 変圧比と巻線比

変圧器は，**一次巻線**，**二次巻線**と呼ばれるコイルを図のように鉄心に巻きつけたものです。一次巻線に交流電圧を加えると，鉄心に磁束が生じて，二次巻線の中をつらぬきます。この磁束は交流から生じるので，向きが周期的に変化します。この電磁誘導によって，二次巻線に起電力が生じます。

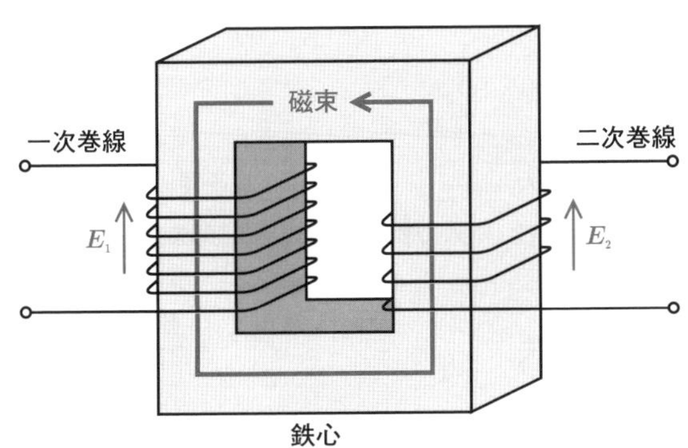

一次巻線の巻数を N_1，二次巻線の巻数を N_2 とすると，N_1 と N_2 の比（巻線比）は，一次巻線の電圧 E_1 と二次巻線に生じる起電力 E_2 の比に等しくなります。この比を**変圧比**といいます。

$$\text{変圧比 } a = \frac{E_1}{E_2} = \frac{N_1}{N_2}$$

また，一次巻線に流れる電流 I_1 と二次巻線に流れ

補足

磁束
磁界を形成する磁力線の束。単位はウェーバー〔Wb〕。

る電流 I_2 との比は，変圧比の逆数になります。すなわち，

$$\frac{I_1}{I_2}=\frac{E_2}{E_1}=\frac{N_2}{N_1}=\frac{1}{a}$$

が成り立ちます。

2 変圧器の効率

変圧器の一次側に入力する電力と，二次側が出力する電力は，本来は等しくなるはずです。

しかし，実際には変圧器の内部で消費されてしまう電力損失があり，出力は入力より少なくなってしまいます。この損失には以下の種類があります。

鉄損…鉄心の磁化にともなう損失
銅損…巻線の抵抗の発熱によって消費される損失
漂遊負荷損…漏れ磁束による損失

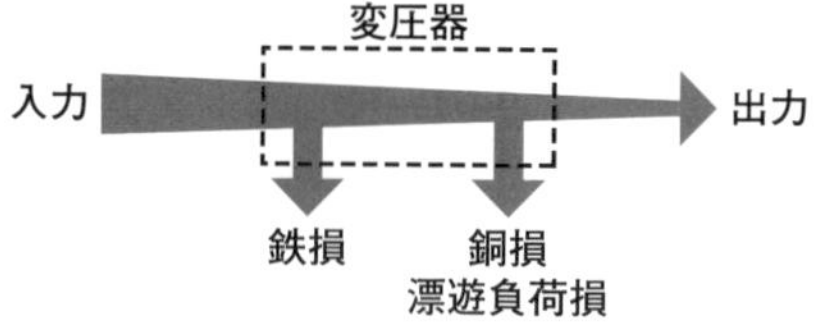

変圧器の入力に対する出力の割合を変圧器の効率といい，次のように求められます。

$$\text{効率}\ \eta = \frac{\text{出力}}{\text{入力}}\times 100$$

$$= \frac{\text{出力}}{\text{出力}+\text{鉄損}+\text{銅損}+\text{漂遊負荷損}}\times 100\ 〔\%〕$$

（η：イータ）

蓄電池

1 電池の仕組み

図のように，亜鉛板（Zn）と銅板（Cu）を希硫酸（H_2SO_4）に浸して，両者を電線でつなぎます。すると，亜鉛板からプラスの電荷をもった亜鉛イオン Zn^{2+} が溶け出し，亜鉛板に電子が残ります。この電子が電線を伝わって銅板側に集まり，溶液中の水素イオン H^+ と結合して水素 H_2 となります。

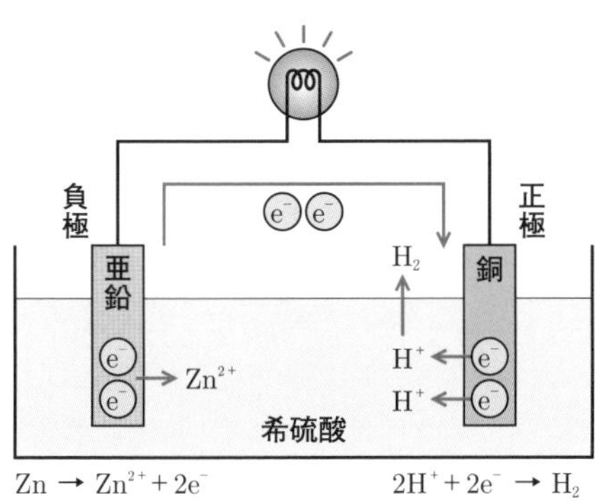

この結果，電線には銅板を正極，亜鉛板を負極とする電流が流れます。これは，ボルタの電池と呼ばれる電池の原理です。

2 鉛蓄電池

電池には，乾電池のように一度放電したら使えなくなってしまう一次電池と，充電することで何度も使用できる二次電池があります。

鉛蓄電池は，自動車のバッテリーなどに利用されて

補足

正極と負極

電池では，電位の高い側（陽極）を正極，低い側（陰極）を負極といいます。

いる二次電池の一種で，正極に**二酸化鉛**（PbO_2），負極に**鉛**（Pb），電解質に**希硫酸**（H_2SO_4）を用いたものです。

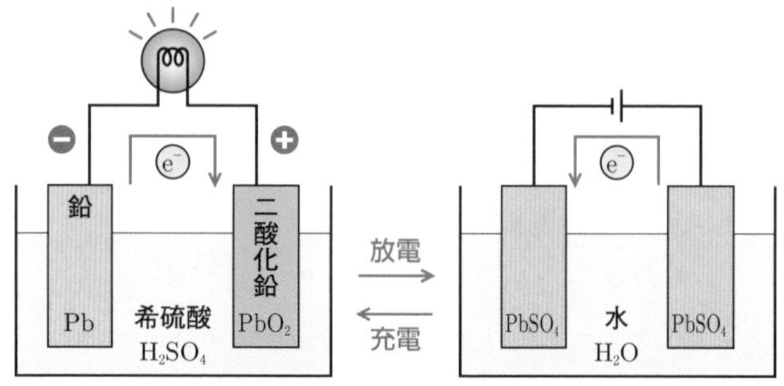

放電時には，電解液中の硫酸（H_2SO_4）が両極と反応し，負極は硫酸鉛（$PbSO_4$）に，正極は硫酸鉛（$PbSO_4$）と水（H_2O）になります。充電時にはその逆の反応が起こります。

$$\underset{\text{正極}}{PbO_2} + \underset{\text{電解液}}{2H_2SO_4} + \underset{\text{負極}}{Pb} \underset{\text{充電}}{\overset{\text{放電}}{\rightleftarrows}} \underset{\text{正極}}{PbSO_4} + \underset{\text{電解液}}{2H_2O} + \underset{\text{負極}}{PbSO_4}$$

チャレンジ問題

［解説］67ページ　［解答一覧］68ページ

問1　難　中　易

最もよく電気を通す導体は次のうちどれか。

(1) アルミニウム

(2) 鉄

(3) 銅

(4) 金

問2　難　中　易

導体の長さを l〔m〕，直径を D〔m〕，抵抗率を ρ としたとき，導体の抵抗 R〔Ω〕を表す式として，正しいものは次のうちどれか。

(1) $R = \rho \dfrac{4l}{D^2 \pi}$

(2) $R = \rho \dfrac{l}{D}$

(3) $R = \rho \dfrac{l}{4D^2}$

(4) $R = \dfrac{l}{\rho D^2}$

問3　難　中　易

電気絶縁の耐熱クラスを許容最高温度の高い順に並べたものとして，正しいものは次のうちどれか。

(1) B－H－Y－A

(2) H－B－A－Y

(3) B－A－Y－H

(4) Y − B − A − H

問4 難 中 易

一次巻線の巻数が 2,000，二次巻線の巻数が 100 の変圧器を用いて，二次端子から 150V の電圧を取り出す場合，一次端子に加える電圧として，正しいものは次のうちどれか。

(1) 1,500V

(2) 2,000V

(3) 3,000V

(4) 5,000V

問5 難 中 易

変圧器に関する記述として，次のうち誤っているものはどれか。

(1) 直流電圧を変圧することはできない。

(2) 変圧器の効率は，鉄損や銅損が小さいほど低下する。

(3) 変圧器に油を入れるのは，主に絶縁と冷却が目的である。

(4) 単相変圧器 2 台を使って，三相交流を変圧することができる。

問6 難 中 易

鉛蓄電池に用いられる正極，負極，電解液の組合せとして，正しいものは次のうちどれか。

	正極	負極	電解液
(1)	二酸化鉛	鉛	蒸留水
(2)	二酸化マンガン	鉛	希硫酸
(3)	二酸化鉛	亜鉛	蒸留水
(4)	二酸化鉛	鉛	希硫酸

解説

問1 導電率の高さは，(3) 銅→ (4) 金→ (1) アルミニウム→ (2) 鉄の順になります。

解答 (3)　参照 59 ページ

問2 導体の抵抗は，長さに比例し，断面積に反比例します。したがって，導体の断面積を A 〔m^2〕とすれば，

$$R = \rho \frac{l}{A}$$

断面積は $A = \pi\ (D/2)^2$ で求められるので，これを上の式に代入すると，

$$R = \rho \frac{l}{\pi \left(\frac{D}{2}\right)^2} = \rho \frac{l}{\frac{\pi D^2}{4}} = \rho \frac{4l}{\pi D^2}$$

となります。

解答 (1)　参照 60 ページ

問3 電気絶縁の耐熱クラスには，次のような種類があります。問題文では許容最高温度の高い順に並べたものを尋ねています。

耐熱クラス	許容最高温度
Y	90℃
A	105℃
E	120℃
B	130℃
F	155℃
H	180℃

解答 (2)　参照 60 ページ

問4 変圧器の一次巻線 N_1 と二次巻線 N_2 の比は，一次電圧 E_1 と二次電圧 E_2 の比に等しくなります。

$$\frac{N_1}{N_2}=\frac{E_1}{E_2}$$

一次巻線と二次巻線の比は，2000／100 = 20。したがって，一次電圧 E_1 は二次電圧 E_2 の 20 倍になります。

$$E_1 = E_2 \times \frac{N_1}{N_2} = 150 \times 20 = 3000 \text{〔V〕}$$

解答（3） **参照** 61 ページ

問5

○（1）変圧器では直流は変圧できません。

×（2）変圧器の効率は，$\dfrac{\text{出力}}{\text{出力}+\text{鉄損}+\text{銅損}+\text{漂遊負荷損}}$ で表されるため，鉄損や銅損が大きいほど低下します。

○（3）変圧器に入れる絶縁油には，冷却する目的もあります。

○（4）正しい記述です。街中でも，電柱に変圧器が 2 台並んでいるのを見かけることができます。

解答（2） **参照** 62 ページ

問6 鉛蓄電池は，正極に二酸化鉛（PbO_2），負極に鉛（Pb），電解液に希硫酸（H_2SO_4）を用いた二次電池です。

解答（4） **参照** 64 ページ

解答

問1 (3)	問3 (2)	問5 (2)
問2 (1)	問4 (3)	問6 (4)

第２章
消防関係法令

消防関係法令（各類に共通する部分）

まとめ＆丸暗記　この節の学習内容とまとめ

□ 特定防火対象物

- 劇場，映画館
- 公会堂，集会場
- キャバレー，カフェー，ナイトクラブ等
- 遊技場，ダンスホール
- 性風俗関連店舗
- カラオケボックス等
- 待合，料理店等
- 飲食店
- 百貨店，マーケット，その他の店舗，展示場
- 旅館，ホテル，宿泊所等
- 病院，診療所，助産所
- 自力避難困難者入所施設
- その他の社会福祉施設
- 幼稚園，特別支援学校
- 蒸気浴場，熱気浴場（サウナ）
- 特定用途部分を含む複合用途防火対象物
- 地下街
- 準地下街

□ 防火管理者が必要な防火対象物

①収容人員 10 人以上の自力避難困難者入所施設
②収容人員 30 人以上の特定防火対象物（①以外）
③収容人員 50 人以上の非特定防火対象物

□ 防炎防火対象物

①特定防火対象物　②高層建築物
③工事中の建築物　④テレビ，映画スタジオ

□ 防火対象物点検が必要な防火対象物

①収容人員 300 人以上の特定防火対象物（準地下街を除く）
②収容人員 30 人以上の特定 1 階段等防火対象物※
③収容人員 10 人以上の自力避難困難者入所施設を含む特定 1 階段等防火対象物※

※地下街・準地下街を除く

□ 消防用設備等

消防の用に供する設備	消火設備	消火器，簡易消火用具，屋内消火栓設備，スプリンクラー設備，水噴霧消火設備，泡消火設備，不活性ガス消火設備，ハロゲン化物消火設備，粉末消火設備，屋外消火栓設備，動力消防ポンプ設備
	警報設備	自動火災報知設備，ガス漏れ火災警報設備，漏電火災警報器，消防機関へ通報する火災報知設備，非常警報器具，非常警報設備
	避難設備	滑り台，避難はしご，救助袋，緩降機，避難橋，誘導灯，誘導標識
消防用水		防火水槽，貯水池等
消火活動上必要な施設		排煙設備，連結散水設備，連結送水管，非常コンセント設備，無線通信補助設備

□ 消防用設備等の設置後に届出（完了後 4 日以内）が必要な場合

①自力避難困難者入所施設
②延べ面積 300m² 以上の特定防火対象物（①以外）
③延べ面積 300m² 以上で，消防長または消防署長の指定を受けた非特定防火対象物
④特定 1 階段等防火対象物

□ 消防設備士等による点検が必要な場合

①延べ面積 1,000m² 以上の特定防火対象物
②延べ面積 1,000m² 以上で，消防長または消防署長の指定を受けた非特定防火対象物
③特定 1 階段等防火対象物
④不活性ガス消火設備を設置した防火対象物

□ 消防設備士免状の交付・書換え・再交付

交付	都道府県知事
書換え	免状を交付した都道府県知事，居住地または勤務地の都道府県知事
再交付	免状の交付または書換えをした都道府県知事

防火対象物

1 防火対象物とは

防火対象物とは，火災予防の対象となるもののことで，消防法では「山林または舟車（しゅうしゃ），船きょもしくはふ頭に繋留（けいりゅう）された船舶，建築物その他の工作物もしくはこれらに属する物」と定義されています。

防火対象物は，その用途によって次ページの表（消防法施行令別表第1）のように区分されています。大まかに言えば，一戸建て住宅以外のほとんどの建造物はこの表に含まれています。また，その中に収容されているものも防火対象物になります。

2 消防対象物との違い

防火対象物とよく似ていてまぎらわしいものに，消防対象物があります。

消防対象物は，消防法で「山林または舟車，船きょもしくはふ頭に繋留された船舶，建築物その他の工作物または物件」と定義されています。最後の「または物件」の部分だけが防火対象物と違っていることに注意しましょう。「物件」には一般の土地建物も含まれるので，防火対象物より広範囲のものが該当すると考えられます。

消防対象物

防火対象物	山林または舟車，船きょもしくはふ頭に繋留された船舶，建築物その他の工作物	もしくはこれらに属するもの

または物件

補足

舟車
ボート，はしけなどの舟や自動車のこと。

補足

船きょ
ドックのこと。

補足

無窓階
建築物の地上階のうち，避難上または消火活動上有効な開口部をもたない階のこと。窓が無い階という意味ではなく，窓があっても，それらの面積等が基準を満たさない場合は無窓階とみなされます。無窓階については，用語の定義に関する問題で出題されることがあります。

消防法施行令別表第1

※ ［網掛け］は特定防火対象物

項	用途
(1)	イ　劇場，映画館，演芸場または観覧場
	ロ　公会堂または集会場
(2)	イ　キャバレー，カフェー，ナイトクラブ等
	ロ　遊技場またはダンスホール
	ハ　性風俗関連特殊営業を営む店舗等
	ニ　カラオケボックス等
(3)	イ　待合，料理店等
	ロ　飲食店
(4)	百貨店，マーケットその他の物品販売業を営む店舗または展示場
(5)	イ　旅館，ホテル，宿泊所等
	ロ　寄宿舎，下宿または共同住宅
(6)	イ　病院・診療所・助産所（入院施設のあるものとないものに区分：次ページ「補足」参照）
	ロ　自力避難困難者入所施設（①要介護老人施設，②救護施設，③乳児院，④障害児入所施設，⑤障害者支援施設・短期入所等施設）
	ハ　ロ以外の社会福祉施設（①老人施設，②更生施設，③助産施設・保育所・認定こども園・児童施設，④児童発達支援センター・児童心理治療施設等，⑤身体障害者福祉センター・障害者支援施設・地域活動支援センター・福祉ホーム等）
	ニ　幼稚園または特別支援学校
(7)	小学校，中学校，義務教育学校，高等学校，中等教育学校，高等専門学校，大学，専修学校，各種学校その他これらに類するもの
(8)	図書館，博物館，美術館等
(9)	イ　蒸気浴場，熱気浴場（サウナ）等
	ロ　イ以外の公衆浴場
(10)	車両の停車場または船舶もしくは航空機の発着場
(11)	神社，寺院，教会等
(12)	イ　工場または作業場
	ロ　映画スタジオまたはテレビスタジオ
(13)	イ　自動車車庫または駐車場
	ロ　飛行機または回転翼航空機の格納庫
(14)	倉庫
(15)	前各項に該当しない事業場
(16)	イ　複合用途防火対象物（雑居ビル）のうち，その一部が特定防火対象物の用途に供されているもの
	ロ　イ以外の複合用途防火対象物
(16の2)	地下街
(16の3)	準地下街（次ページ「補足」参照）
(17)	重要文化財，史跡等に指定された建造物
(18)	延長50メートル以上のアーケード
(19)	市町村長の指定する山林
(20)	総務省令で定める舟車

3 特定防火対象物

防火対象物のうち，不特定多数の人が出入りする施設や，病院，幼稚園などのように避難（ひなん）が難しい人のいる施設については，特に厳重な防火管理が必要です。そのため，これらの施設は**特定防火対象物**に指定されています。具体的には，前ページの表（消防法施行令別表第1）のうち，色網のついている項目が特定防火対象物になります。

以下のように，特定防火対象物かどうかがまぎらわしいものもあるので注意しましょう。

特定防火対象物	非特定防火対象物
旅館，ホテル，宿泊所 病院，保育所，幼稚園 サウナ	寄宿舎，下宿，共同住宅 小学校，中学校，高校 図書館，美術館，博物館

旅館やホテルは不特定多数の人が出入りしますが，寄宿舎や下宿はそうではありません。また，幼稚園や保育所は特定防火対象物ですが，小学校以上は非特定防火対象物であることに注意しましょう。

4 複合用途防火対象物

前ページ表の (1) ～ (15) のうち，2つ以上の用途を含んでいる防火対象物を，**複合用途防火対象物**といいます。いわゆる「雑居ビル」のことです。

雑居ビルの中に，特定防火対象物となる用途（特定用途）の部分が含まれている場合は，その雑居ビル全体が特定防火対象物となります（前ページ表 (16) のイ）。

補足

病院・診療所・助産所
令別表第1(6)項イは，①特定診療科の病院，②特定診療科の有床診療所，③上記以外の病院・有床診療所・有床の助産所，④無床の診療所・助産所の４つに分類されており，①～③が入院施設あり，④が入院施設なしとなります。

補足

準地下街
地下道と，その地下道に連続して面した建築物の地階を合わせたもの（特定防火対象物の用途に供される部分が存するものに限る）。

補足

関係者
防火対象物や消防対象物の所有者，管理者または占有者を，まとめて関係者といいます。

補足

関係のある場所
防火対象物や消防対象物のある場所を，それらに関係のある場所といいます。

火災の予防

1 消防の組織

日本の消防行政は，国や都道府県ではなく，市町村がそれぞれ自分の地域について責任を負うしくみになっています。

市町村ごとに設置される消防機関には，**消防本部**と**消防団**があります。

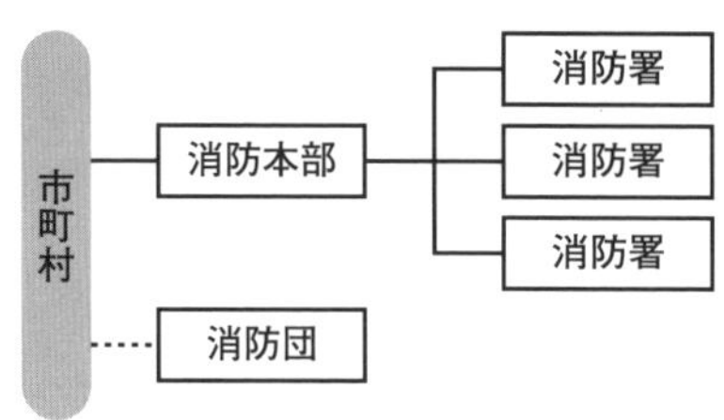

消防本部は市町村ごとに設置される行政組織で，管内にある複数（1つだけの場合もある）の**消防署**を統括します。

一方，消防団は一般市民の団員で構成される消防組織です。ほとんどの市町村には消防本部と消防団の両方が設置されていますが，消防本部のない市町村では，消防団がその地区の消防業務をになっています。

消防本部の長を**消防長**，消防署の長を**消防署長**といいます。また，消防本部や消防署で消防の任にあたる職員を**消防吏員**（りいん）といいます。消防吏員は全員が地方公務員です。

消防長（消防本部がない市町村では，市町村長），消防署長，消防吏員には，火災を予防するために，必要に応じて命令や立入検査を行う権限が与えられています。主なものを理解しておきましょう。

2 屋外における火災予防（消防法第３条）

消防長・消防署長・その他の消防吏員は，屋外で火災予防上危険であったり，消火活動に支障がある場合に，以下の命令を行うことができます。

- 火遊び，喫煙，たき火などの禁止・停止・制限・消火準備
- 残火，取灰（かまどから取り出した灰），火粉の始末
- 危険物の除去
- 放置された物件の整理，除去

なお，消防団長や消防団員にこれらを命じる権限はありません。

3 立入検査（消防法第4条）

消防長または消防署長は，火災予防のために必要があるときは，関係者に資料の提出や報告を求めたり，消防職員などに立入検査を行わせることができます。

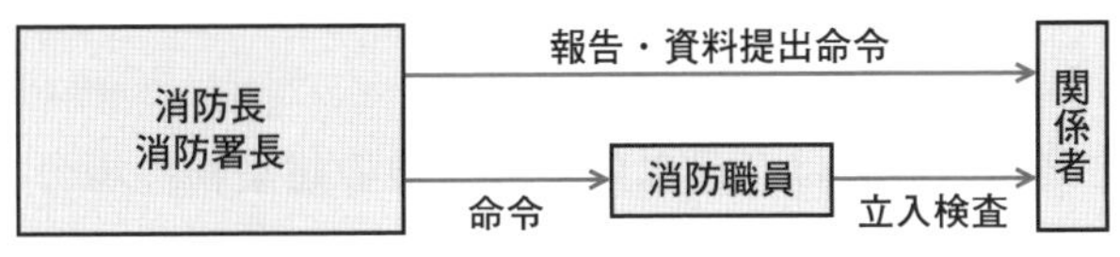

なお，立入検査はあらゆる仕事場・工場・その他の関係ある場所で行えます。ただし，個人の住居については承諾を得た場合や特に緊急の場合に限ります。

4 防火対象物に対する措置命令（消防法第5条）

消防長・消防署長または消防本部のない市町村の長は，防火対象物の位置・構造・設備や管理状況が火災予防上危険であったり，消火や避難の支障になる等の

補足

東京消防庁
東京消防庁は，東京23区を管轄する特殊な消防本部で，例外的に東京都の機関となっています。国の機関である消防庁とは別組織。

補足

消防本部と消防団
消防本部と消防団が両方ある市町村も多数あります。

補足

消防局
市町村によっては，消防本部を「消防局」と呼んでいる場合があります。

補足

消防団員による立入検査
消防本部のない市町村では，常勤の消防団員に立入検査をさせることができます。また，火災予防上特に必要があるときは，消防対象物及び期日を指定して，管轄区内の消防団員に立入検査をさせることができます。

場合には，権原のある関係者に対して，防火対象物の改修や移転，除去，工事の停止または中止などを命じることができます。

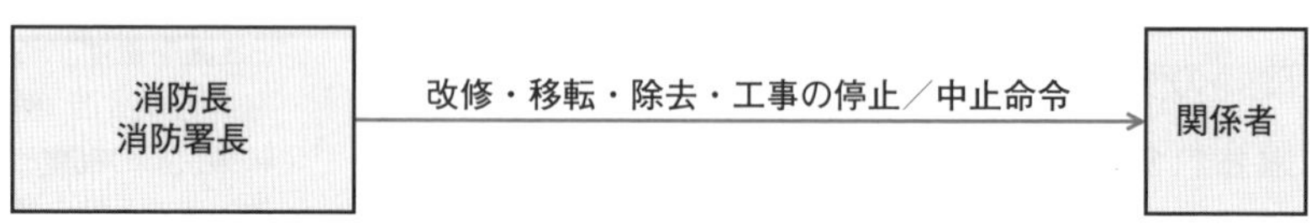

ただし，他の法令によって建築・増築・改築等の許可や認可を受け，その後事情の変更していない建築物等については例外となります。

5 消防の同意（消防法第７条）

建築物を新築・改築するときは，その建物が定められた基準に従っていることを特定行政庁（建築主事を置く市町村または都道府県）に確認してもらわなければなりません。この手続きを建築確認といいます。

実際の建築確認は，市町村長が任命する建築主事や，市町村長から委託された指定確認検査機関と呼ばれる民間機関が行っています。建築確認を求められた建築主事等は，その建築物が消防法上問題ないことについて，さらに所轄（しょかつ）の消防長または消防署長の同意を得なければなりません。これが消防同意という手続きです。

消防同意は，一般建築物の場合は３日以内，その他の建築物の場合は７日以内に，建築主事等に通知します。

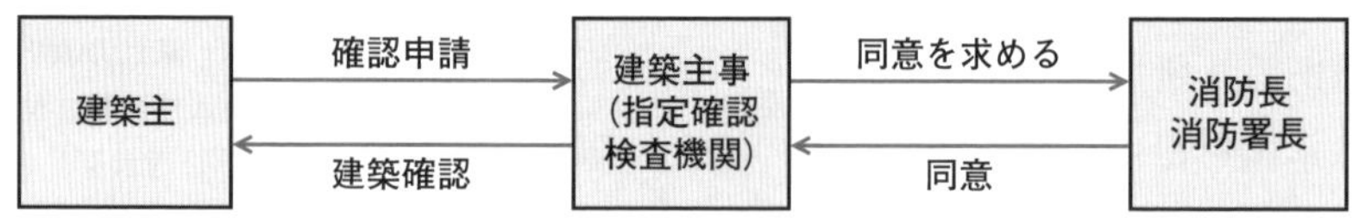

防火管理者

1 防火管理者とは（消防法第８条）

一定規模以上の防火対象物では，防火管理上必要な業務を行うために，防火管理者を選任しなければなりません。

防火管理者を選任するのは，その防火対象物の管理について権原（けんげん）をもつ者（＝管理権原者）です。具体的には，建物の所有者やテナントの事業主などが管理権原者となり，防火管理者を選任する義務が生じます。なお，管理権原者自身が防火管理者になってもかまいません。

管理権原者は，防火管理者を選任または解任したときは，その旨を遅滞（ちたい）なく，所轄消防長または消防署長に届け出なければなりません。

2 防火管理者を置かなければならない防火対象物

防火管理者の選任が必要なのは，多数の人が出入りしたり，勤務していたり，住んでいたりする防火対象物で，次のように定められています。

覚える 防火管理者の選任が必要な防火対象物

①自力避難困難者入所施設※1（令別表１（6）項ロの用途）	収容人員 10 人以上
②特定防火対象物（①以外）	収容人員 30 人以上
③非特定防火対象物	収容人員 50 人以上
④一定規模以上の新築工事中の建築物・建造中の旅客船	

※１自力避難困難者入所施設の用途を含む複合用途防火対象物についても同じ

補足

建築主事
建築確認を行うために市町村に設置される公務員。

補足

指定確認検査機関
建築確認を行う民間の機関

補足

権原
ある行為を正当に行うことができる法律上の根拠のこと。具体的には所有権や賃借権などが該当し，権限ではなく権原と書きます。

補足

遅滞なく
「すぐに」という意味。

補足

令別表第１（72 ページ）の防火対象物のうち，準地下街，アーケード，山林，舟車については，収容人員にかかわらず防火管理者は必要ありません。ただし，準地下街については統括防火管理者（78 ページ）を定めます。

なお，管理権原者が同じ防火対象物が同一敷地内に２つ以上ある場合は，それらを１つの防火対象物とみなして収容人員を合計します。

3 防火管理者の業務

防火管理者が行わなければならない業務には，次のものがあります。

- 消防計画の作成
- 消防計画に基づく消火，通報及び避難訓練の実施
- 消防用設備，消防用水または消火活動上必要な施設の点検及び整備
- 火気の使用・取扱いに関する監督
- 避難または防火上必要な構造及び設備の維持管理
- 収容人員の管理
- その他防火管理上必要な業務

4 統括防火管理者（消防法第８条の２）

雑居ビルや地下街のようにいくつものテナントがある防火対象物では，管理権原者も複数になります。それらのうち，以下のものについては，建物全体の防火管理業務を行う**統括防火管理者**を選任し，所轄消防長または消防署長に届け出ることが定められています。

覚える 統括防火管理者の選任が必要なもの

①高層建築物（高さ 31m を超える建築物）	
②自力避難困難者入所施設[※1]	地階を除く階数が３以上で，収容人員が10人以上のもの
③特定防火対象物（②以外）	地階を除く階数が３以上で，収容人員が30人以上のもの
④特定用途部分を含まない複合用途防火対象物	地階を除く階数が５以上で，収容人員が50人以上のもの
⑤地下街	消防長または消防署長が指定するもの
⑥準地下街	

※１ 自力避難困難者入所施設の用途を含む複合用途防火対象物についても同じ

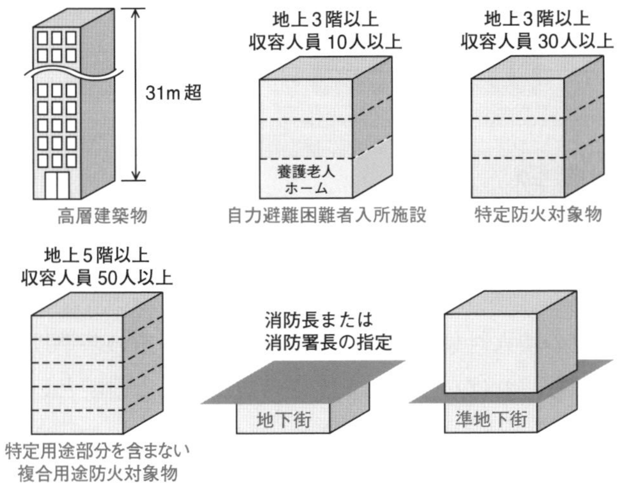

統括防火管理者は，防火対象物全体についての消防計画を作成し，それにもとづく消火訓練・避難訓練の実施，廊下・階段といった避難上必要な共用部分の管理などを行います。

5 防火対象物点検 （消防法第８条の２の２）

以下の防火対象物の管理権原者は，建物の防火管理が適切に行われているかについて，防火対象物点検資格者による定期的なチェックを受け，その結果を消防長・消防署長に報告しなければなりません。

防火対象物点検が必要な防火対象物は，以下に該当するものです

覚える 防火対象物点検が必要なもの

① 特定防火対象物（準地下街を除く）	収容人員 300 人以上
② 特定１階段等防火対象物※	収容人員 30 人以上
③ 地階または３階以上の階に自力避難困難者入居施設がある特定１階段等防火対象物※	収容人員 10 人以上

※地下街，準地下街を除く

補足

甲種防火管理者と乙種防火管理者

防火管理者の資格には甲種と乙種があり，次の防火対象物には，甲種防火管理者を選任しなければなりません。

・特定防火対象物（収容人員 30 人以上）で延べ面積が 300m² 以上

・非特定防火対象物（収容人員 50 人以上）で延べ面積が 500m² 以上

補足

高層建築物

高さが 31 メートルを超えるものを高層建築物というのは，以前の規制で建物に 100 尺（＝約 31 メートル）の高さ制限があったなごりです。

補足

特定１階段等防火対象物

地階または３階以上の階に特定用途部分があり，避難階（通常は１階）にいたる階段が屋内に１つしかない建物。

防炎規制

 防炎防火対象物（消防法第８条の３）

窓にかかっているカーテンや劇場のどん帳などは，火災発生時に燃えうつって延焼の原因になることがあります。

そのためこれらを特定の防火対象物で使用する場合は，一定の基準以上の防炎性能をもつものでなければなりません。この規制を**防炎規制**といいます。

防炎規制 ＝ **延焼の原因となるカーテンなどには，一定の防炎性能を備えたものを使用すること**

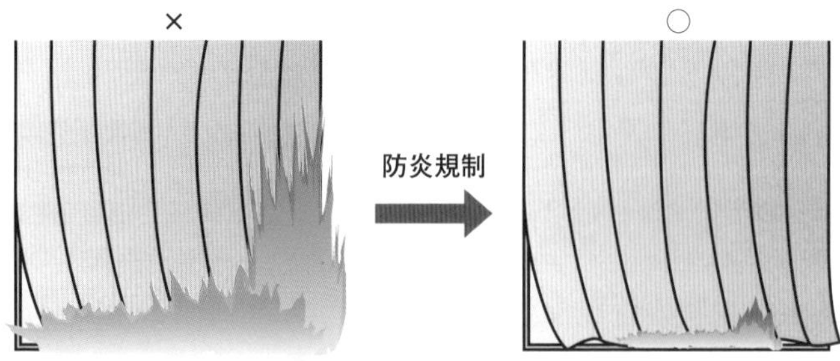

防炎規制を受ける防火対象物（＝防炎防火対象物）の種類は，以下のとおりです。

①特定防火対象物（地下街を除く）
②高層建築物（高さ 31m 超）
③工事中の建築物
④テレビスタジオ，映画スタジオ

工事中の建築物は特定防火対象物ではありませんが，工事用シートを使うので防炎規制を受けます。また，テレビや映画のスタジオは暗幕や舞台セットなどを大量に使うため，防炎防火対象物に加えられています。

2 防炎対象物品

防炎規制の対象となる物品には，以下の種類があります。

- カーテン
- 布製のブラインド
- 暗幕
- じゅうたん等
- 展示用の合板
- どん帳その他舞台において使用する幕
- 舞台において使用する大道具用の合板
- 工事用シート

これらの物品を防炎防火対象物で使用する場合には，基準以上の防炎性能が必要です。

危険物施設

 危険物とは

ここでいう**危険物**は，消防法で定められたものを指します。具体的にどんな物質が危険物になるかは，消防法の「別表第1」に掲げられています。

類別	性質	主な品名
第１類	酸化性固体	塩素酸塩類，過塩素酸塩類，無機過酸化物，亜塩素酸塩類，臭素酸塩類，硝酸塩類，よう素酸塩類，過マンガン酸塩類，重クロム酸塩類など
第２類	可燃性固体	硫化りん，赤りん，硫黄，鉄粉，金属粉，マグネシウム，引火性固体など
第３類	自然発火性物質及び禁水性物質	カリウム，ナトリウム，アルキルアルミニウム，アルキルリチウム，黄りん，アルカリ金属など
第４類	引火性液体	特殊引火物，第１石油類，アルコール類，第２石油類，第３石油類，第４石油類，動植物油類
第５類	自己反応性物質	有機過酸化物，硝酸エステル類，ニトロ化合物，ニトロソ化合物，アゾ化合物，ジアゾ化合物など
第６類	酸化性液体	過塩素酸，過酸化水素，硝酸など

表のように，危険物はその性質によって，第1類～第6類の6種類に区分されています。身近なものでは，ガソリンや灯油，軽油などが，第4類の危険物です。

また，消防法上の危険物はすべて常温で固体か液体です。気体はありません。たとえば，プロパンガスは消防法上の危険物ではありません。

2 製造所等

危険物には，その危険度に応じて**指定数量**が決められており，指定数量以上の危険物は，定められた危険物施設以外で貯蔵したり，取り扱うことができません。

たとえば，ガソリンの指定数量は200リットルなので，200リットル以上のガソリンを貯蔵するのは，原則として危険物施設でなければなりません。

危険物施設には，大きく製造所，貯蔵所，取扱所の3種類があります。法令では，これらをまとめて「製造所等」といいます。

危険物施設	内容
製造所	危険物を製造する施設
屋内貯蔵所	容器に入った危険物を屋内に貯蔵する倉庫
屋外貯蔵所	容器に入った危険物を屋外に貯蔵する施設
屋内タンク貯蔵所	屋内のタンクに危険物を貯蔵する施設
屋外タンク貯蔵所	屋外のタンクに危険物を貯蔵する施設
地下タンク貯蔵所	地下タンクに危険物を貯蔵する施設
簡易タンク貯蔵所	簡易タンクに危険物を貯蔵する施設
移動タンク貯蔵所	車両に固定したタンクに危険物を貯蔵する施設（タンクローリー）
給油取扱所	自動車等に給油をする取扱所（ガソリンスタンド）
販売取扱所	危険物を販売のために取り扱う店舗
移送取扱所	配管やポンプで危険物を移送する施設（パイプライン）
一般取扱所	給油·販売·移送以外の危険物取扱所（ボイラー施設，クリーニング工場など）

3 製造所等の設置・変更

危険物を扱う製造所等は，勝手に設置することはできません。

補足

仮貯蔵・仮取扱い
所轄消防長または消防署長の承認を得て，指定数量以上の危険物を，製造所等以外の場所で貯蔵または取り扱うこと。10日以内に限って認められています。

製造所等を新たに設置したり，既存の製造所等の一部を変更するときは，事前に**市町村長等**に申請して，**許可**を得なければなりません。

市町村長等というのは，市町村長，都道府県知事，総務大臣のいずれかです。このうちの誰に申請するかは，製造所等を設置する場所によって，以下のように決まります。

①消防本部及び消防署のある市町村の区域　→　市町村長
②消防本部及び消防署のない市町村の区域　→　都道府県知事
③移送取扱所が，２つ以上の市町村にまたがって設置される場合
→　都道府県知事
④移送取扱所が，２つ以上の都道府県にまたがって設置される場合
→　総務大臣

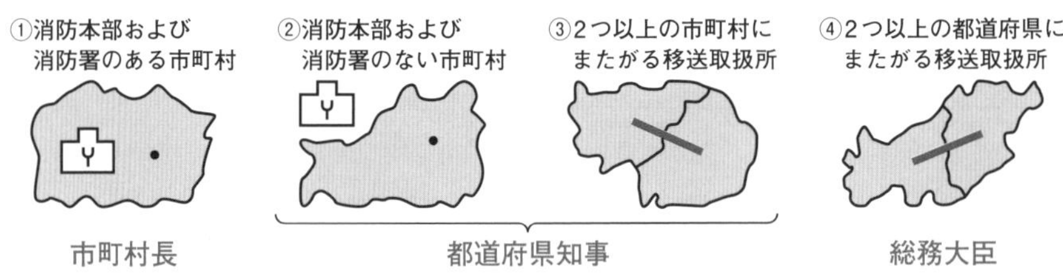

4 危険物取扱者

製造所等での危険物の取扱いは，**危険物取扱者**が行います。危険物取扱者の資格には甲種，乙種，丙種の３種類があります。

甲種危険物取扱者	すべての危険物を取り扱うことができる。
乙種危険物取扱者	第１類～第６類のうち，免状に指定された類の危険物のみ取り扱うことができる。
丙種危険物取扱者	第４類危険物の一部のみ取り扱うことができる。

危険物取扱者以外の人が，製造所等で危険物を取り扱う場合には，**甲種または乙種危険物取扱者の立会い**が必要です（丙種危険物取扱者の立会いは不可）。

消防用設備等の設置

1 消防用設備等の種類（消防法第17条第1項）

防火対象物には，火災が発生したときに対処できるように，以下のような設備を技術上の基準に従って設置・維持しなければなりません。これらの設備をまとめて**消防用設備等**といいます。

消防用設備等は，大きく「**消防の用に供する設備**」「**消防用水**」「**消火活動上必要な施設**」の3種類に分かれ，さらにそれぞれに次のような種類があります。

> **補足**
>
> **特殊消防用設備等**
> 現行の法令が想定していない技術によって，通常の消防用設備等と同等以上の性能をもつ消防用設備等で，総務大臣の認定を受けたもの。

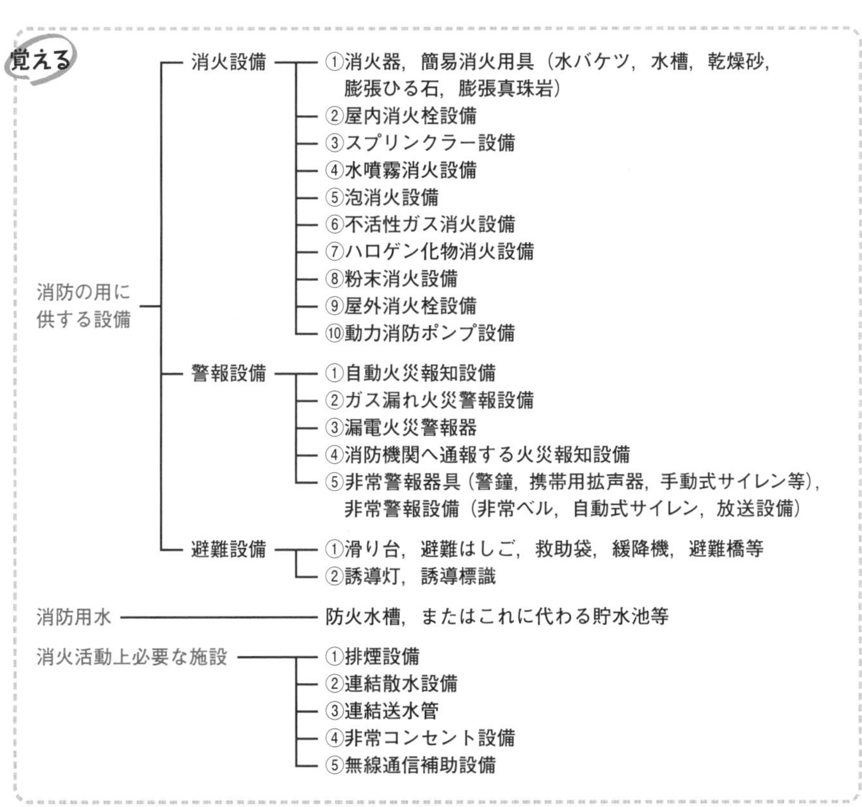

消防用設備等の設置義務があるのは，防火対象物（72ページ表(1)～(20)）の関係者です。消防用設備等の設置工事や整備を行うには，一部を除いて消防設備士の資格が必要になります。

2 消防用設備等の設置単位

消防用設備等は，原則として1棟の防火対象物全体を1単位として設置します。ただし，これには次のような例外があります。

①防火対象物が開口部のない耐火構造の床または壁で区画されている場合

この場合は，区画された各部分をそれぞれ別の防火対象物とみなして，技術上の基準を適用します。

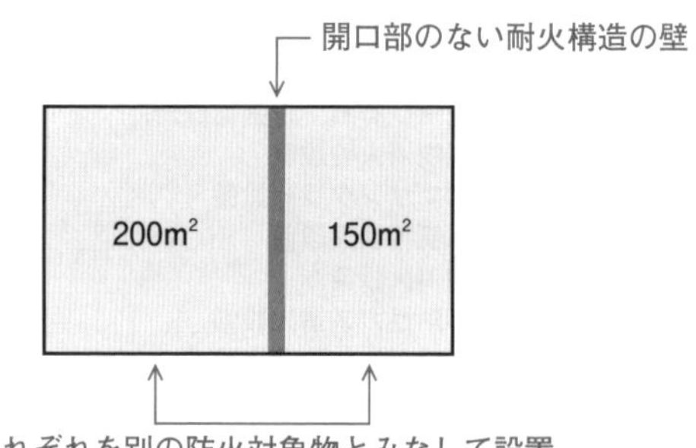

たとえば，延べ面積300m²以上の特定防火対象物には，原則として自動火災報知設備の設置が必要です。しかし上図のように耐火構造の壁で区画した場合は，各部分が300m²未満となるため，自動火災報知設備の設置は不要になります。

②複合用途防火対象物の場合

複合用途防火対象物の場合は，原則として同じ用途部分ごとに1つの防火対象物とみなします。

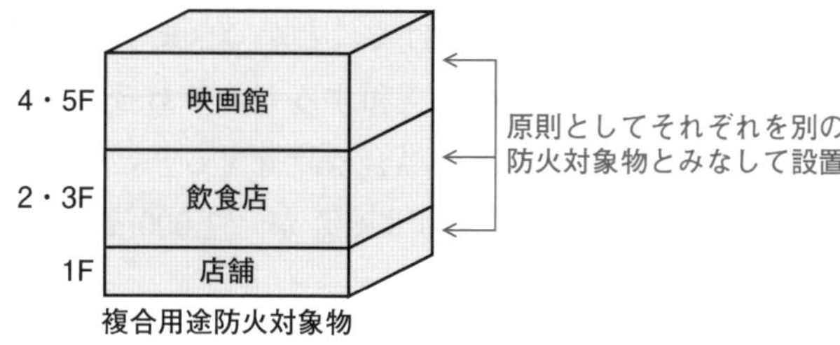

複合用途防火対象物

たとえば，上図のように1棟に映画館，飲食店，店舗が混在している場合は，映画館の部分で1つ，飲食店の部分で1つ，店舗の部分で1つの防火対象物とみなして，それぞれに消防用設備等を設置します。

③地下街

地下街は，テナントごとに複数の用途に使われていますが，全体として1つの防火対象物とみなします。

また，特定防火対象物の地階で，地下街と一体のものとして消防長または消防署長の指定を受けた場合には，特定の消防用設備等については地下街の一部とみなして設置します（スプリンクラー設備，自動火災報知設備，ガス漏れ火災警報設備，非常警報設備）。

④渡り廊下などで防火対象物を接続した場合

渡り廊下や地下連絡路などで2つの防火対象物を接続した場合は，原則としてあわせて1棟とみなされます。ただし，一定の防火措置を講じた場合には，それぞれ別の棟として基準を適用できます。

3 附加条例（消防法第17条第2項）

その地方または風土の特殊性によっては，通常の設置基準がうまく適用できない場合があります。その場

補足

開口部
扉や窓，換気口など。

補足

耐火構造
鉄筋コンクリート造やれんが造など。

補足

複合用途防火対象物の例外
以下の消防用設備等については，複合用途防火対象物であっても1棟全体を設置単位とします。

- スプリンクラー設備
- 自動火災報知設備
- ガス漏れ火災警報設備
- 漏電火災警報器
- 非常警報設備
- 避難器具
- 誘導灯

合には，**市町村条例**によって，異なる規定を設けることができます。

なお，条例による規定は，通常の設置基準を緩和するものであってはなりません。たとえば「延べ面積が500m²以上の場合は設置する」という基準を，条例で「300m²以上」とするのは問題ありませんが，「1,000m²以上」にすることはできません。

4 既存防火対象物に対する適用除外（消防法第17条の2の5）

法令の改正によって設置基準が変更になった場合でも，すでに建っている**防火対象物**については，改正前の基準法令に従えばよいことになっています。これは，法令が改正されるたびに設備を変更するのは大変だからです。

ただし，次のいずれかの場合については，既存の防火対象物であっても，現行の基準法令に従わなければなりません。

①特定防火対象物の場合

特定防火対象物については，法令の改正で設置基準が変われば，それに合わせて必要な設備も変更しなければなりません。

②一部の消防用設備等

次の消防用設備等については，常に改正後の基準法令に適合させる必要があります。

- 消火器及び簡易消火用具
- 自動火災報知設備
- 漏電火災警報器
- 不活性ガス消火設備（一部の基準に限る）
- ガス漏れ火災警報設備
- 非常警報器具及び非常警報設備
- 避難器具
- 誘導灯及び誘導標識

③基準法令に適合するに至った場合

関係者が自発的に改正後の基準法令に適合させるのは問題ありません。

④改正前の基準法令に適合していない場合

そもそも改正前の基準法令に違反していた場合は，改正前ではなく，改正後の基準法令に適合するように設置しなければなりません。

⑤改正後に大規模な増改築・修繕・模様替えをした場合

基準法令の改正後，**床面積1000m²以上，または延べ面積の2分の1以上**を増改築した場合には，増改築後の消防用設備等は改正後の基準法令に従って設置します。大規模な修繕や模様替えを行った場合にも同様です。

5 用途を変更した場合の適用除外（消防法第17条の3）

防火対象物の用途を変更して，新しい用途では基準法令に適合しなくなった場合でも，原則として古い用途での基準法令に適合していればいいことになっています。

ただし，次のいずれかの場合については，新しい用途での基準に適合させる必要があります（①～⑤の詳細は前項と同様です）。

①特定防火対象物に用途変更した場合
②一部の消防用設備等
③基準法令に適合するに至った場合
④用途変更前の基準法令に適合していなかった場合
⑤用途変更後に大規模な増改築・修繕・模様替えをした場合

補足

延べ面積
建物の各階の床面積を合計したもの。

消防用設備等の検査と点検

 設置したら検査が必要（消防法第17条の3の2）

消防用設備等（または特殊消防用設備等）を設置したときには，その旨を消防長または消防署長に届け出て，設置した設備等が技術上の基準に適合しているかどうかの検査を受けます。

◆届出・検査が必要な防火対象物

① 延べ面積にかかわらず検査が必要な場合
- カラオケボックス等
- 旅館・ホテル・宿泊所
- 病院・診療所・助産所（入院施設のあるものに限る）
- 自力避難困難者入所施設
- その他の社会福祉施設（宿泊施設のあるものに限る）
- 上記の用途部分を含む複合用途防火対象物・地下街・準地下街
- 特定1階段等防火対象物（次ページ「補足」参照）

② 延べ面積 300m^2 以上で検査が必要な場合
- ①以外の特定防火対象物
- 消防長または消防署長の指定を受けた非特定防火対象物

◆届出・検査が必要ない消防用設備等

簡易消火用具，非常警報器具を設置した場合は，届出は必要ありません。

その他の消防用設備等（85ページ）を設置した場合には届出が必要になります。

◆届け出る人・届出先

防火対象物の関係者（所有者，管理者または占有者）が，所轄消防長または消防署長に届け出ます。

◆届出期間

設置工事の完了から４日以内に届け出ます。

2 消防用設備等の点検と報告
（消防法第17条の3の3）

防火対象物に設置した消防用設備等（または特殊消防用設備等）は，定期的に点検を行い，機能などに問題がないかどうかを確認します。また，点検を行ったときは，その結果を消防長または消防署長に報告します。

◆消防用設備等の点検が必要な防火対象物

以下の防火対象物については，消防設備士または消防設備点検資格者が点検しなければなりません。

①延べ面積 1,000m² 以上の特定防火対象物
②延べ面積 1,000m² 以上で，消防長または消防署長の指定を受けた非特定防火対象物
③特定１階段等防火対象物
④全域放出方式の不活性ガス消火設備（二酸化炭素を放出するものに限る）が設置されているもの

上記以外の防火対象物については，防火対象物の関係者が点検を行います。

補足

特定１階段等防火対象物
特定防火対象物の用途部分が地階または３階以上の階にあり、その階から地上に出るための階段が、屋内階段１つしかない建物のこと。

◆点検の内容と期間

点検には，**機器点検**と**総合点検**の2種類があります。

点検の種類	点検期間	点検内容
機器点検	6か月ごと	非常電源の作動，外観から判別できる損傷の有無，機能等を確認する
総合点検	1年ごと	設備を作動させ，総合的な機能を確認する

◆点検結果の報告

防火対象物の関係者は，点検結果を維持台帳に記録し，消防長または消防署長に報告します。報告期間は以下のとおりです。

特定防火対象物	1年ごと
非特定防火対象物	3年ごと

3 消防用設備等の設置・維持命令（消防法第17条の4）

消防長または消防署長は，消防用設備等が技術上の基準に従って設置されていない場合や，設置されていてもきちんと維持されていない場合には，防火対象物の関係者で権原のある者に対して，設置または維持するため必要な措置（そち）を命じることができます。

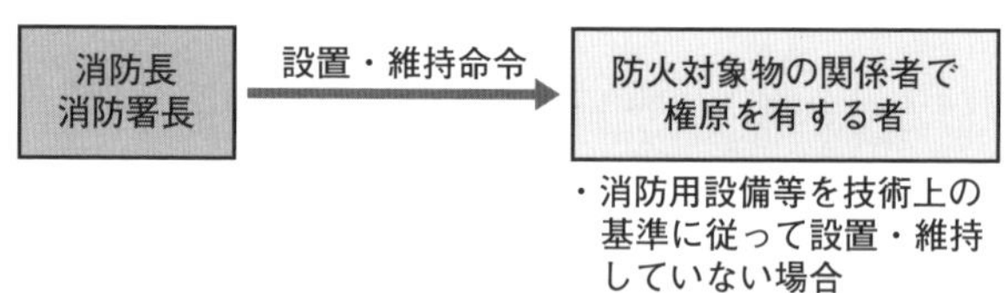

これらの措置命令に違反すると，罰則が科せられます。設置命令に違反した場合には1年以下の懲役または100万円以下の罰金。維持命令に違反した場合には30万円以下の罰金または拘留（こうりゅう）です。

消防設備士制度

1 消防設備士でなければできない業務（消防法第17条の5）

消防設備士は，防火対象物や危険物施設に消防用設備等や特殊消防用設備等の**設置工事**をしたり，**整備**をするための資格です。これらの業務は，消防設備士の免状がなければ行ってはいけません。

◆消防設備士の業務対象設備

消防設備士でなければ工事や整備ができない設備は，以下のとおりです。

資格		区分	工事整備対象設備
甲種（設置工事・整備）		特類	特殊消防用設備等
甲種（設置工事・整備）	乙種（整備のみ）	第1類	屋内消火栓設備，屋外消火栓設備，スプリンクラー設備，水噴霧消火設備
甲種（設置工事・整備）	乙種（整備のみ）	第2類	泡消火設備
甲種（設置工事・整備）	乙種（整備のみ）	第3類	不活性ガス消火設備，ハロゲン化物消火設備，粉末消火設備
甲種（設置工事・整備）	乙種（整備のみ）	第4類	自動火災報知設備，ガス漏れ火災警報設備，消防機関へ通報する火災報知設備
甲種（設置工事・整備）	乙種（整備のみ）	第5類	金属製避難はしご（固定式のみ），救助袋，緩降機
	乙種（整備のみ）	第6類	消火器
	乙種（整備のみ）	第7類	漏電火災警報器

上記のうち，消防設備士でなければ設置ができないのは，特類と第1類〜第5類の消防用設備等です。これらの設置には，甲種消防設備士の免状が必要になり

ます。

また，第６類の消火器と第７類の漏電火災警報器については，設置は消防設備士でなくても行えますが，整備には乙種消防設備士の免状が必要です。

上記以外の消防用設備等（85 ページ参照）の工事・整備については，消防設備士の免状は必要ありません。

◆消防設備士でなくてもできる業務

以下の業務については，消防設備士でなくても行うことができます。

①軽微な整備
②スプリンクラー設備の電源，水源，配管部分，その他設備の電源部分
③任意に設置した消防用設備等の工事・整備

2 消防設備士の免状

消防設備士の免状には，甲種と乙種の２種類があります。

甲種消防設備士	工事と整備の両方ができる資格で，対象設備によって特類および第１類〜第５類の６種類に分類されます。
乙種消防設備士	整備のみできる資格で，対象設備によって第１類〜第７類の７種類に分類されます。

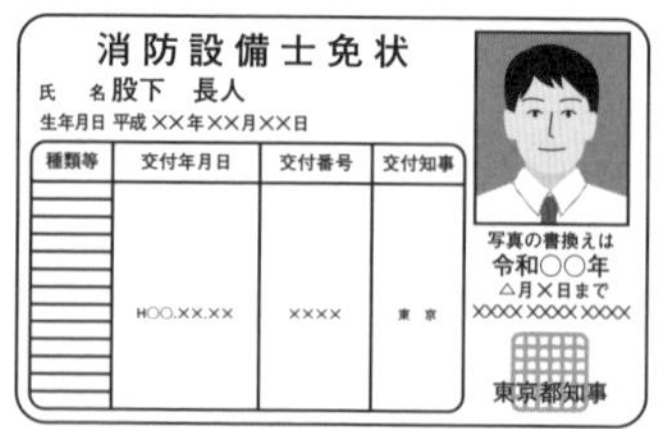

消防設備士免状の交付・書換え・再交付などの手続きは，次のようになります。

3 免状の交付・書換え・再交付

◆免状の交付

消防設備士の免状は，消防設備士試験の合格者に対して，**都道府県知事が交付**します。

◆免状の書換え

免状の記載事項（氏名，本籍など）に変更が生じたとき，または免状に貼付（ちょうふ）されている写真が撮影後10年を経過したときは，必要な書類とともに，**免状を交付した都道府県知事か，居住地または勤務地の都道府県知事**に，免状の書換えを申請します。

◆免状の再交付

免状を亡失・滅失・汚損または破損した場合は，その**免状を交付または書換えした都道府県知事**に，免状の再交付を申請できます。

亡失によって再交付を受けた後，亡失した免状を発見した場合は，その免状を**10日以内**に再交付を受けた都道府県知事に提出しなければなりません。

◆免状の不交付

都道府県知事は，消防設備士試験に合格した者でも，次のいずれかの場合には免状を交付しないことができます。

・免状の返納を命じられてから**1年**を経過しない者。
・消防法令に違反して罰金以上の刑に処された者で，その執行が終わり，または執行を受けることがなくなった日から起算して**2年**を経過しない者。

補足

消防設備士でなくても工事や整備ができる消防用設備等

動力消防ポンプ装置
簡易消火用具
非常警報器具・非常警報設備
滑り台，避難橋
誘導灯，誘導標識
消防用水
無線通信補助設備
非常コンセント設備
排煙設備
連結散水設備
連結送水管
消火器（整備は不可）
漏電火災警報器（整備は不可）

◆免状の返納

都道県知事は，消防設備士が法令の規定に違反した場合に，**免状の返納**を命じることができます。

4 消防設備士の義務等

◆消防設備士の責務

消防設備士は，その責務を誠実に行い，工事整備対象設備等の質の向上に努めなければならないとされています。

◆免状の携帯義務

消防設備士は，その業務に従事するときは，消防設備士免状を携帯しなければなりません。

◆着工届出義務

甲種消防設備士は，設置工事に着手する**10日前**までに，**着工届**を消防長または消防署長に届け出なければなりません。

着工届は防火対象物の関係者ではなく，工事を行う消防設備士の義務であることに注意しましょう。

◆講習の受講

すべての消防設備士は，技術の進展や基準法令の改正に対応するために，都道府県知事が行う**講習**を受講しなけなければなりません。

講習は免状の交付を受けた日以後における最初の4月1日から**2年以内**，または最後に受講した日以後における最初の4月1日から**5年以内**ごとに受講します。受講しなかった場合は免状の返納を命じられることがあります。

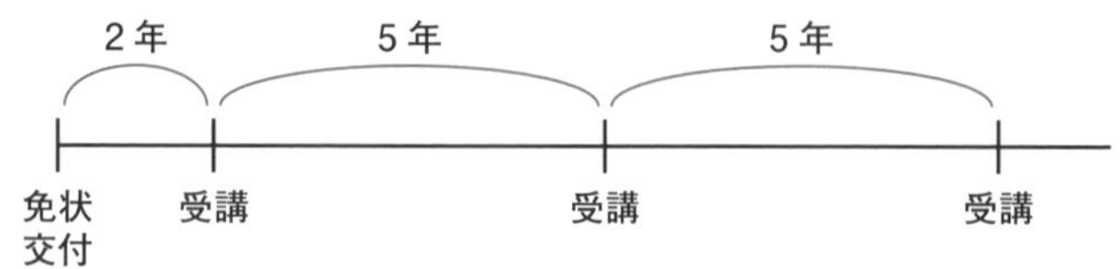

検定制度

1 検定制度とは

検定制度は，一部の消防用機械器具について，その形状や構造，材質，成分，性能などが，定められた技術上の規格に適合しているかどうかを試験する制度です。この試験を受けて合格していない機械器具は，販売や陳列，工事などに使用することができません。

検定は，**型式承認**と**型式適合検定**の２段階で行われます。

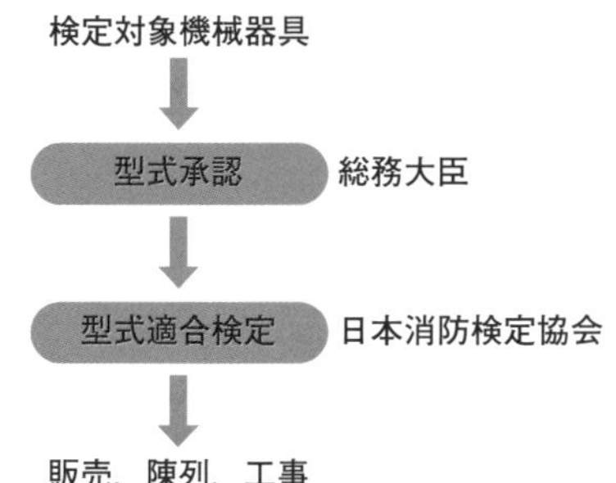

①型式承認

型式承認は，対象となる機械器具の型式にかかわる形状等が，総務省令で定める技術上の規格に適合していることを書類審査して承認することです。型式承認は**総務大臣**が行います。

②型式適合検定

型式適合検定は，対象となる機械器具の個々の形状等が，型式承認で承認されたものと同一かどうかを検定します。

補足

講習を受ける期間
たとえば，2024年4月2日に免状の交付を受けた場合は，2025年4月1日～2027年3月31日までに最初の講習を受けます。また，2024年4月2日に講習を受けた場合は，2025年4月1日～2030年3月31日までに次の講習を受けます。

型式適合検定は**日本消防検定協会**が行い，検定に合格したものには**検定合格ラベル**（検定合格の証）を表示できます。このラベルを表示していないものは，販売や陳列，工事などに使用できません。

検定合格ラベルの例

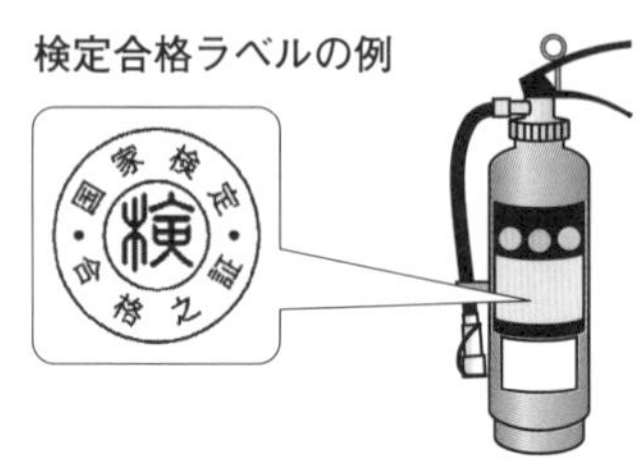

2 検定対象機械器具

検定の対象となる機械器具は，以下の 12 品目です。

- **消火器**
- **消火器用消火薬剤**（二酸化炭素を除く）
- **泡消火薬剤**（水溶性液体用のものを除く）
- **感知器・発信機**（火災報知設備）
- **中継器**（火災報知設備またはガス漏れ火災警報設備）
- **受信機**（火災報知設備またはガス漏れ火災警報設備）
- **住宅用防災警報器**
- **閉鎖型スプリンクラーヘッド**
- **流水検知装置**
- **一斉開放弁**（大口径のものを除く）
- **金属製避難はしご**
- **緩降機**

チャレンジ問題

［解説］110 ページ　［解答一覧］121 ページ

問1　難　中　易

消防法に規定する用語について，誤っているものは次のうちどれか。

(1) 防火対象物とは，山林または舟車，船きょ，もしくはふ頭に繋留された船舶，建築物その他の工作物または物件をいう。
(2) 複合用途防火対象物とは，防火対象物で政令で定める2以上の用途に供されるものをいう。
(3) 関係者とは，防火対象物または消防対象物の所有者，管理者もしくは占有者をいう。
(4) 舟車には，車両も含まれる。

問2　難　中　易

消防法令における無窓階の定義として，正しいものは次のうちどれか。

(1) 採光上または排煙上有効な開口部を有しない階
(2) 床が地盤面下にある階で，地上に直通する有効な開口部を有しないもの
(3) 避難上または消火活動上有効な開口部を有しない階
(4) 直接地上へ通じる出入口のない階

問3　難　中　易

消防法令上，特定防火対象物のみからなる組合せは，次のうちどれか。

(1) 幼稚園，保育園，小学校
(2) 図書館，美術館，博物館
(3) テレビスタジオ，劇場，映画館
(4) サウナ，カラオケボックス，地下街

問4 難 中 **易**

消防法令でいう特定防火対象物にならないものは，次のうちどれか。

(1) 飲食店

(2) 重要文化財

(3) 公会堂

(4) デパート

問5 難 中 **易**

屋外において火災の予防に危険であると認められる行為を行っている者に対し，火災予防上必要な措置を命ずることができない者は次のうちどれか。

(1) 消防吏員

(2) 消防署長

(3) 消防本部を置かない市町村の長

(4) 消防団長

問6 難 中 **易**

屋外における火災の予防または消防活動の障害除去のための措置命令(法第3条) として，誤っているものは次のうちどれか。

(1) 放置された物件の改修または移転

(2) 危険物の除去その他の処理

(3) 火遊び，喫煙，たき火等の禁止，停止もしくは制限

(4) 残火，取灰または火粉の始末

問7 難 **中** 易

消防法に関する記述として，正しいものは次のうちどれか。

(1) 市町村長は，火災予防のために必要があるときは，関係者に対して資料の提出を命じることができる。

(2) 消防長または消防署長は，火災予防のために必要があるときは，

消防職員に命じて制限なくあらゆる場所に立ち入って検査させることができる。

(3) 立入検査を行うときは，事前に関係者に通告しなければならない。

(4) 火災予防のため特に必要があるときは，消防団員（消防本部を置かない市町村においては，非常勤の消防団員）に立入検査をさせることができる。

問8 難 中 易

消防法第7条に規定する消防同意に関する記述として，正しいものは次のうちどれか。

(1) 建築物を新築しようとする者は，建築確認を申請する前に消防同意を得なければならない。

(2) 消防同意は，建築主事または指定確認検査機関が行う。

(3) 建築主事等は，消防同意を得なければ確認をすることができない。

(4) 消防同意の期間は，一般建築物については3日以内，その他の建築物については10日以内である。

問9 難 中 易

防火管理者を選任しなくてもよい防火対象物は次のうちどれか。

(1) 収容人員が40人のレストラン

(2) 収容人員が80人の美術館

(3) 延長50メートル以上のアーケードで，消防長または消防署長が指定するもの

(4) 同一の敷地内にあり，所有者が同じ収容人員40人の工場と，収容人員30人の事務所

問10 難 中 易

防火管理者の業務として，誤っているものは次のうちどれか。

(1) 消防計画の作成

(2) 危険物の取扱作業に関する保安の監督
(3) 消防計画に基づく消火，通報及び避難訓練の実施
(4) 消防用設備等の点検及び整備

•問 11• 難 中 易

防火対象物点検資格者による点検が必要な防火対象物は，次のうちどれか。ただし，避難階は1階とし，階段はすべて避難階に直通するものとする。

(1) 屋内階段が1である地階を除く階数が2の複合用途防火対象物（1階が展示場，2階が飲食店）で，収容人員が100人のもの。
(2) 屋内階段が2である地階を除く階数が5の共同住宅で，収容人員が400人のもの。
(3) 屋内階段が1である地階を除く階数が2の複合用途防火対象物（地下1階が飲食店，1階と2階が物品販売店舗）で，収容人員が50人のもの。
(4) 屋内階段が2である地階を除く階数が3のホテルで，収容人員が100人のもの。

•問 12• 難 中 易

消防法第8条の3に規定する防炎規制の対象とならない防火対象物は，次のうちどれか。
(1) 複合用途防火対象物の中にある一般事務所
(2) テレビスタジオ
(3) 工事中の図書館
(4) 高さ31mを超える高層マンション

•問 13• 難 中 易

危険物の製造所等を設置しようとする者が設置許可を申請する申請先として，正しいものは次のうちどれか。

(1) 消防本部及び消防署を置く市町村の区域内に設置する場合は，消防長または消防署長

(2) 消防本部及び消防署のない市町村の区域内に設置する場合は，市町村長

(3) 2以上の市町村の区域にわたって移送取扱所を設置する場合は，都道府県知事

(4) 2以上の都道府県の区域にわたって移送取扱所を設置する場合は，当該区域内のいずれかを管轄する都道府県知事

•問 14•

難 中 **易**

危険物の製造所等における危険物の取扱いについて，誤っているものは次のうちどれか。

(1) 危険物取扱者以外の者は，危険物取扱者の立会いがなければ，たとえ指定数量以下の危険物であっても取り扱うことはできない。

(2) 甲種危険物取扱者は，すべての危険物について自ら取り扱うことができる。

(3) 甲種または乙種危険物取扱者の立会いがあれば，危険物取扱者以外の者でもすべての危険物を取り扱うことができる。

(4) 丙種危険物取扱者は，たとえ免状に指定された種類の危険物の取扱いであっても立ち会うことはできない。

•問 15•

難 中 **易**

消防法第17条に規定する消防用設備等に関する記述として，正しいものは次のうちどれか。

(1) 消防の用に供する設備には，消火設備，警報設備，消防用水の3種類がある。

(2) 誘導灯及び誘導標識は，警報設備である。

(3) 水バケツや水槽は，消防用水である。

(4) 動力消防ポンプ設備は，消火設備である。

•問 16• 難 中 **易**

消防法施行令に定める「消火活動上必要な施設」に該当しないものは，次のうちどれか。

(1) 携帯用拡声器

(2) 連結送水管

(3) 非常コンセント設備

(4) 無線通信補助設備

•問 17• 難 中 **易**

消防法第 17 条に定める消防用設備等を設置し，維持しなければならない義務を負う者は，次のうちどれか。

(1) 製造所等の危険物保安監督者

(2) 管理権原者が選任する防火管理者

(3) 防火対象物の管理者

(4) 設置工事及び整備を行う消防設備士

•問 18• 難 中 **易**

消防法第 17 条第 1 項により，消防用設備等を設置しなければならない防火対象物として，正しいものは次のうちどれか。

(1) 延べ面積 300m^2 以上の一戸建て住宅

(2) 一般事務所

(3) 市町村長の指定のない山林

(4) 延長 40m の商店街のアーケード

•問 19• 難 中 **易**

1 棟の建物内であっても，別の防火対象物とみなして消防用設備等の設置基準を適用する場合は，次のうちどれか。

(1) 床を耐火構造とし，出入口以外の開口部を有しない壁で区画する場合

(2) 開口部のない耐火構造の床または壁で区画する場合
(3) 耐火構造の床または壁で区画し，両者を接続する部分に随時開けることのできる自動閉鎖の特定防火設備を設ける場合
(4) 耐火構造または準耐火構造の床もしくは壁で区画する場合

問20 難 中 易

気候または風土の特殊性に応じて，政令で定める技術上の基準と異なる規定を設けることができるのは，次のうちどれか。

(1) 消防長または消防署長の定める基準
(2) 都道府県知事が定める告示基準
(3) 市町村の条例
(4) 都道府県の条例

問21 難 中 易

既存の防火対象物に対する消防用設備等の技術上の基準の適用について，誤っているものは次のうちどれか。

(1) 既存の防火対象物の過半を改築した場合は，現行の基準が適用される。
(2) 倉庫を飲食店に用途変更した場合は，現行の基準が適用される。
(3) 自動火災報知設備については，既存防火対象物であっても現行の基準が適用される。
(4) 床面積 1,000m^2 以上の図書館には，常に現行の基準が適用される。

問22 難 中 易

既存防火対象物に設置されている消防用設備等のうち，技術上の基準が改正された場合は，原則としてすべての防火対象物が現行の基準を適用しなければならないものは次のうちどれか。

(1) スプリンクラー設備
(2) 消火器

(3) 排煙設備

(4) 非常コンセント設備

•問 23• 難 中 易

消防用設備等または特殊消防用設備等の設置工事が完了した場合に，検査を受けなくてもよい防火対象物は次のうちどれか。

(1) 延べ面積 300m^2 の映画館

(2) 消防長等の指定を受けた，延べ面積 300m^2 の博物館

(3) 延べ面積 200m^2 の飲食店

(4) 延べ面積 200m^2 の特別養護老人ホーム

•問 24• 難 中 易

消防用設備等または特殊消防用設備等の設置の届出及び検査に関する記述のうち，正しいものは次のうちどれか。

(1) 設置工事の完了後 4 日以内に届け出なければならない。

(2) 設置工事を施工した消防設備士が届け出る。

(3) 特定防火対象物は，延べ面積に関係なく検査を受けなければならない。

(4) 設置した消防用設備等の種類に関係なく検査を受けなければならない。

•問 25• 難 中 易

消防用設備等の定期点検を消防設備士または消防設備点検資格者にさせなければならない防火対象物は次のうちどれか。ただし，消防長または消防署長の指定を受けたものを除く。

(1) 延べ面積 1,000m^2 の映画館

(2) 延べ面積 800m^2 の病院

(3) 延べ面積 1,200m^2 の小学校

(4) 延べ面積 900m^2 の倉庫

•問 26• 難 中 易

消防用設備等または特殊消防用設備等の定期点検及び報告に関する記述で，正しいものは次のうちどれか。

(1) 機器点検は1年に1回以上，総合点検は3年に1回以上実施する。
(2) 延べ面積が1,000m² 未満の防火対象物では，定期点検を行う必要はない。
(3) 点検の結果は，点検後遅滞なく消防長または消防署長に報告しなければならない。
(4) 点検結果の報告先は，消防本部を置かない市町村にあっては，当該市町村長である。

•問 27• 難 中 易

防火対象物の消防用設備等が，技術上の基準に従って設置されていない場合に発令される措置命令について，必要な措置を命ずる者と，命ぜられる者の組合せとして正しいものは次のうちどれか。

	命ずる者	命ぜられる者
(1)	消防長または消防署長	工事・点検を行う消防設備士
(2)	市町村長	工事・点検を行う消防設備士
(3)	消防長または消防署長	防火対象物の関係者で権原を有する者
(4)	都道府県知事	防火対象物の関係者で権原を有する者

•問 28• 難 中 易

消防法令で設置義務のある消防用設備等のうち，消防設備士でなければ行ってはならない工事として，正しいものは次のうちどれか。

(1) 映画館に非常コンセント設備を設置する工事
(2) 飲食店に消火器を設置する工事
(3) 工場に粉末消火設備を設置する工事
(4) 病院に漏電火災警報器を設置する工事

問 29

難 | 中 | **易**

消防設備士の業務に関する記述について，正しいものは次のうちどれか。

(1) 自動火災報知設備の電源部分の工事には，甲種または乙種の消防設備士免状が必要である。

(2) 乙種消防設備士が業務に従事するときは，消防設備士免状を携帯しなくてもよい。

(3) 乙種消防設備士は，都道府県知事が行う講習を受講しなくてもよい。

(4) 消防設備士は，その責務を誠実に行い，工事整備対象設備等の質の向上に努めなければならない。

問 30

難 | 中 | **易**

消防設備士免状に関する記述として，消防法令上誤っているものは次のうちどれか。

(1) 免状の記載事項に変更が生じた場合は，免状を交付した都道府県知事，または居住地もしくは勤務地を管轄する都道府県知事に書換えを申請する。

(2) 亡失により免状の再交付を受けた後，亡失した免状を発見した場合は，その免状を 10 日以内に再交付を受けた都道府県知事に提出しなければならない。

(3) 消防長または消防署長は，消防設備士が法令に違反したときには免状の返納を命じることができる。

(4) 消防設備士免状は，交付を受けた都道府県以外に，全国の都道府県で有効である。

•問 31•

難 中 **易**

消防用設備等の着工届に関する記述ついて，正しいものは次のうちどれか。

(1) 乙種消防設備士には，着工届を行う義務はない。
(2) 着工届は，施行する場所を管轄する都道府県知事に対して行う。
(3) 着工届の届出期間は，工事を完了した日から 4 日以内である。
(4) 着工届を怠ると，防火対象物の関係者にも罰則がある。

•問 32•

難 中 **易**

消防の用に供する機械器具等の検定に関する記述のうち，正しいものは次のうちどれか。

(1) 型式承認は，日本消防検定協会が行う。
(2) 検定対象機械器具等であっても，海外から輸入されたものについては，型式適合検定を省略できる。
(3) 型式承認を受けていても，型式適合検定に合格しなければ，検定対象機械器具等を販売することはできない。
(4) 型式適合検定では，検定対象機械器具等の型式に係る形状等が技術上の基準に適合しているかどうかを書類審査する。

•問 33•

難 中 **易**

次に掲げる消防の用に供する機械器具等のうち，消防法第 21 条の 2 に規定する検定の対象とされていないものはどれか。

(1) 住宅用防災警報器
(2) 非常警報設備のうち非常ベル
(3) 金属製避難はしご
(4) 火災報知設備の受信機

解説

問1　防火対象物と消防対象物の違いに注意します。

防火対象物…山林または舟車，船きょ，もしくはふ頭に繫留された船舶，建築物もしくはこれらに属するもの

消防対象物…山林または舟車，船きょ，もしくはふ頭に繫留された船舶，建築物または物件

（1）は防火対象物ではなく，消防対象物の定義です。

解答（1）　参照 71 ページ

問2　無窓階とは，建築物の地上階のうち，「避難上または消火活動上有効な開口部を有しない階」をいいます。窓がないという意味ではなく，窓はあっても，その開口部が一定の基準を満たしていなければ無窓階とみなされ，防火上の基準がより厳しくなります。

解答（3）　参照 71 ページ

問3　特定防火対象物には，防火対象物のうち，特に不特定多数の人が出入りするものや，避難の困難なものが指定されます。

× （1）幼稚園と保育園は特定防火対象物ですが，小学校は非特定防火対象物です。

× （2）図書館，美術館，博物館は，いずれも非特定防火対象物です。

× （3）劇場と映画館は特定防火対象物ですが，テレビスタジオは非特定防火対象物です。

○ （4）サウナ（熱気浴場），カラオケボックス，地下街は，いずれも特定防火対象物です。

解答（4）　参照 72 ページ

問4　重要文化財は特定防火対象物ではありません。

解答（2）　参照 72 ページ

問5 消防長（消防本部のない市町村の場合は市町村長），消防署長その他の消防吏員は，屋外において火災の予防に危険であると認める行為者等に対し，火災予防上必要な措置（火遊び，喫煙，たき火の禁止等）を命ずることができます（消防法第３条第１項）。命令権者には，消防団長や消防団員は含まれていません。

解答（4） **参照** 74ページ

問6 屋外において火災予防や消防活動に支障がある場合に，消防長等が命ずることができる措置命令には，次のものがあります（消防法第３条第１項）。

①火遊び，喫煙，たき火，火を使用する設備の使用等の禁止，停止，制限またはこれらの行為を行う場合の消火準備

②残火，取灰または火粉の始末

③危険物等の除去その他の処理

④放置された物件の整理または除去

放置された物件の改修などを命ずることはできません。

解答（1） **参照** 75ページ

問7 消防長等は，火災予防のために必要があるときは，関係者に対して資料の提出や報告を求めたり，消防職員に命じて立入検査を行わせることができます（消防法第４条）。

×（1）消防本部のない市町村であれば，市町村長でも資料の提出を命じることができますが，そうでなければ消防長または消防署長に権限があります。

×（2）個人の住居を立入検査できるのは，承諾を得た場合か，火災発生のおそれが大きく特に緊急の必要がある場合に限られます。

×（3）立入検査には，原則として事前通告や時間的制限は必要ありません。

○（4）立入検査を行うのは，原則として消防職員（消防本部のない市町村では常勤の消防団員でも可）です。ただし，火災予防のため特に必要があるときは，消防対象物及び期日または期間を指定して，管轄区域内の消防団員に立入検査をさせることができます（消防法第４条の２）。

解答（4） **参照** 75 ページ

問８ 消防同意とは，建築確認の際に，その建築物の計画が防火に関する法令に違反していないことについて，消防長または消防署長が同意する手続きです。

×（1）消防同意を得るのは建築主ではなく，建築主事等です。

×（2）消防同意を行うのは，消防長（消防本部がない市町村では市町村長）または消防署長です。

○（3）正しい記述です。

×（4）消防同意の期間は，一般建築物については３日以内，その他の建築物については７日以内です。

解答（3） **参照** 76 ページ

問９ 防火管理者の選任が必要なのは，①収容人員 10 人以上の自力避難困難者入所施設，②収容人員 30 人以上の特定防火対象物，③収容人員 50 人以上の非特定防火対象物です。

○（1）レストランは特定防火対象物なので，収容人員 30 人以上なら防火管理者が必要です。

○（2）美術館は非特定防火対象物なので，収容人員が 50 人以上なら防火管理者が必要です。

×（3）アーケードには防火管理者の選任は不要です。

○（4）同一敷地内にあり所有者も同じ建物が複数ある場合は，両方の収容人員を合計します。工場と事務所はどちらも非特定防火対象物なので，収容人員の合計が 50 人以上なら，防火管理者が必要です。

解答（3） **参照** 77 ページ

問 10 防火管理者が行う業務には，以下のものがあります（消防法第 8 条第 1 項）。

- **消防計画の作成**
- **消防計画に基づく消火，通報及び避難訓練の実施**
- **消防用設備等の点検及び整備**
- **火気の使用，取扱いに関する監督**
- **避難または防火上必要な構造及び設備の維持管理**
- **収容人員の管理**
- **その他防火管理上必要な業務**

（2）の「危険物の取扱作業に関する保安の監督」は，危険物保安監督者の業務です。

解答（2） **参照** 78 ページ

問 11

×（1）特定 1 階段等防火対象物には該当せず，収容人員が 300 人に満たないので点検の対象外です。

×（2）特定防火対象物ではないので点検の対象外です。

○（3）特定 1 階段等防火対象物に該当し，収容人員が 30 人以上なので，点検が必要です。

×（4）特定 1 階段等防火対象物には該当せず，収容人員が 300 人に満たないので点検の対象外です。

解答（3） **参照** 79 ページ

問 12 防炎規制の対象になるのは，①高層建築物，②特定防火対象物，③テレビスタジオ，映画スタジオ，④工事中の建築物その他の工作物です。

×（1）一般事務所は特定防火対象物ではないので，防炎規制の対象外です。

○（2）テレビスタジオは防炎規制の対象になります。

○（3）工事中の建築物は，用途に関係なく防炎規制の対象になります。

○（4）高さ 31m を超える建築物は，用途に関係なく防災規制の対象になります。

解答（1）　参照 80 ページ

問 13　製造所等の設置許可の申請先は，市町村長，都道府県知事，総務大臣のいずれかです。

×（1）消防本部及び消防署を置く市町村の区域内に設置する場合は，市町村長に許可を申請します。

×（2）消防本部及び消防署のない市町村の区域内に設置する場合は，都道府県知事に許可を申請します。

○（3）2 以上の市町村の区域にわたって移送取扱所を設置する場合は，都道府県知事に許可を申請します。

×（4）2 以上の都道府県の区域にわたって移送取扱所を設置する場合は，総務大臣に許可を申請します。

解答（3）　参照 84 ページ

問 14　製造所等で危険物を取り扱うには，原則として危険物取扱者の資格が必要です。ただし，危険物取扱者の立会いがあれば，無資格者でも危険物を取り扱うことができます（丙種危険物取扱者の立会いは不可）。

○（1）製造所等において，無資格者が危険物を取り扱う場合は，たとえ指定数量以下であっても危険物取扱者の立会いが必要です。

○（2）甲種危険物取扱者は，すべての類の危険物を取り扱うことができます。

×（3）乙種危険物取扱者は，免状に指定した類の危険物についてのみ，立ち会うことができます。

○（4）丙種危険物取扱者は，いかなる種類の危険物でも，取扱いの立会いはできません。

解答（3）　参照 84 ページ

問 15

× (1) 消防の用に供する設備は，消火設備，警報設備，避難設備の 3 種類です。

× (2) 誘導灯及び誘導標識は，避難設備です。

× (3) 水バケツや水槽は，消火設備です。

○ (4) 正しい記述です。

解答 (4)　参照 85 ページ

問 16 「消火活動上必要な施設」は，①排煙設備，②連結散水設備，③連結送水管，④非常コンセント設備，⑤無線通信補助設備の 5 種類です。携帯用拡声器は警報設備のひとつです。

解答 (1)　参照 85 ページ

問 17 防火対象物に消防設備等を設置し，維持しなければならないのは，その防火対象物の関係者（所有者，管理者または占有者）です。なお，関係者が防火管理者を兼ねる場合は，防火管理者でも義務を負う場合があります。

解答 (3)　参照 92 ページ

問 18 消防法第 17 条第 1 項の消防用設備等を設置し，維持しなければならない防火対象物とは，消防法施行令別表第 1 に掲げる（1）～（20）の防火対象物です（72 ページ参照）。

× (1) 一戸建て住宅は延べ面積には関係なく，防火対象物に含まれません。

○ (2) 一般の事務所は設置，維持の対象になります。

× (3) 市町村長の指定のある山林が対象となります。

× (4) アーケードは延長 50m 以上が対象となります。

解答 (2)　参照 72 ページ

問 19 消防用設備等を設置する際は，原則として 1 棟の建物を 1 つの防火対象物とみなして設置基準を適用します。ただし，建物内を開口部のない耐火構造の床または壁で区画した場合は，それぞれの区画を 1 つの防火対象物とみなすことができます（消防法施行令第 8 条）。

解答（2） **参照** 86 ページ

問 20 市町村は，その地方の気候または風土の特殊性により，政令で定める技術上の基準だけでは防火の目的を達成するのが難しいと認める場合には，条例によって基準と異なる規定を設けることができます（消防法第 17 条第 2 項）。このような条例を附加条例といいます。

附加条例は，政令による技術上の基準を緩和するものであってはなりません。

解答（3） **参照** 88 ページ

問 21 基準法令が改正されても，既存の防火対象物は，原則として従前の技術上の基準に従えばよいとされています（消防法第 17 条の 2 の 5）。ただし，これにはいくつかの例外があります。

○（1）既存防火対象物の床面積 1,000m^2 以上，または延べ面積の 2 分の 1 以上を増改築した場合は，新たに現行の基準が適用されます。

○（2）既存防火対象物の用途を，特定防火対象物に変更した場合は，新たに現行の基準が適用されます。

○（3）消火器，自動火災報知設備，漏電火災警報器等，一部の消防用設備等については，常に現行の基準が適用されます。

×（4）特定防火対象物には，常に現行の基準が適用されます。ただし，図書館は特定防火対象物ではないので，この場合は従前の基準でかまいません。

解答（4） **参照** 88 ページ

問22 既存防火対象物であっても現行の基準を適用しなければならない消防設備等は，消火器及び簡易消火用具，不活性ガス消火設備，避難器具，自動火災報知設備，ガス漏れ火災警報設備，漏電火災警報器，非常警報器具及び非常警報設備，誘導灯及び誘導標識です（消防法施行令第34条）。

したがって（2）の消火器が正解です。

解答（2） **参照** 88ページ

問23

×（1）延べ面積300m^{2}以上の特定防火対象物では，検査が必要です。

×（2）延べ面積300m^{2}以上の非特定防火対象物で，消防長または消防署長の指定を受けたものは，検査が必要です。

○（3）飲食店は特定防火対象物ですが，延べ面積が300m^{2}未満なので検査は不要です。

×（4）自力避難困難者入所施設では，延べ面積にかかわらず検査が必要です。

解答（3） **参照** 90ページ

問24

○（1）正しい記述です。設置工事の完了後4日以内に，消防長または消防署長に届け出ます。

×（2）届出を行うのは，防火対象物の関係者です。

×（3）特定防火対象物（自力避難困難者入所施設等を除く）は，延べ面積300m^{2}以上の場合に検査が必要です。

×（4）簡易消火用具および非常警報器具を設置した場合は，検査は必要ありません。

解答（1） **参照** 90ページ

問 25 消防用設備等の定期点検を，消防設備士または消防設備点検資格者に行わせなければならないものは次のとおりです。

①延べ面積 1,000m² 以上の特定防火対象物

②延べ面積 1,000m² 以上の非特定防火対象物で，消防長または消防署長の指定を受けたもの

③特定 1 階段等防火対象物

（1）～（4）のうち，特定防火対象物は（1）と（2）ですが，（2）は延べ面積が 1,000m² 未満なので，（1）が正解となります。

解答（1） **参照** 91 ページ

問 26

×（1）機器点検は 6 か月に 1 回以上，総合点検は 1 年に 1 回以上実施します。

×（2）延べ面積が 1,000m² 未満の防火対象物では，防火対象物の関係者が定期点検を行う必要があります。

×（3）点検結果の報告は，特定防火対象物では 1 年に 1 回，非特定防火対象物では 3 年に 1 回です。

○（4）正しい記述です。

解答（4） **参照** 91 ページ

問 27 消防用設備等の設置･維持命令（消防法第 17 条の 4）は，消防長（消防本部を置かない市町村では市町村長）または消防署長が，防火対象物の関係者で権原を有する者に対して発令します。

なお，設置命令に違反した場合は 1 年以下の懲役または 100 万円以下の罰金，維持命令に違反した場合は 30 万円以下の罰金または拘留が科せられます。

解答（3） **参照** 92 ページ

問28 消防設備士でなければ設置工事できない消防用設備等は，次のとおりです。

必要免状	工事対象設備
甲種特類	特殊消防用設備等
甲種第１類	屋内消火栓設備，屋外消火栓設備，スプリンクラー設備，水噴霧消火設備
甲種第２類	泡消火設備
甲種第３類	不活性ガス消火設備，ハロゲン化物消火設備，粉末消火設備
甲種第４類	自動火災報知設備，ガス漏れ火災警報設備，消防機関へ通報する火災報知設備
甲種第５類	金属製避難はしご（固定式のみ），救助袋，緩降機

以上から，(3) 粉末消火設備の設置工事には，甲種第３類消防設備士の免状が必要です。

なお，第６類の消火器と第７類の漏電火災警報器（93ページ）には乙種の免状しかないので，整備には免状が必要ですが，設置工事については免状がなくても行えます。

解答 (3)　**参照** 93ページ

問29

× (1) 設備の電源・水源・配管部分の工事，その他軽微な整備には，消防設備士免状は必要ありません。

× (2) 乙種消防設備士にも免状の携帯義務があります。

× (3) 乙種消防設備士にも５年に１回（免状が交付されてから２年以内）の受講義務があります。

○ (4) 正しい記述です。

解答 (4)　**参照** 94，96ページ

問30 免状の返納を命じることができるのは都道府県知事です。

解答 (3)　**参照** 95，96ページ

問31

○（1）着工届は，設置工事を行う甲種消防設備士が行います。乙種消防設備士は整備のみを行うので，着工届の義務はありません。

×（2）着工届けの届出先は，消防長（消防本部のない市町村は市町村長）または消防署長です。

×（3）届出は，工事に着工する10日前までに行います。

×（4）着工届の義務は消防設備士が負うので，怠った場合でも防火対象物の関係者に罰則はありません。

解答（1）　**参照** 96ページ

問32

×（1）型式承認は総務大臣，型式適合検定は日本消防検定協会が行います。

×（2）海外から輸入されたものについても，型式適合検定を受ける必要があります。

○（3）正しい記述です。

×（4）型式承認についての説明です。

解答（3）　**参照** 97ページ

問33　検定対象機械器具等には，以下の12品目です。非常警報設備は検定対象ではありません。

①消火器

②消火器用消火薬剤（二酸化炭素を除く）

③泡消火薬剤（水溶性液体用のものを除く）

④火災報知設備の感知器または発信機

⑤火災報知設備またはガス漏れ火災警報設備に使用する中継機

⑥火災報知設備またはガス漏れ火災警報設備に使用する受信機

⑦住宅用防災警報器

⑧閉鎖型スプリンクラーヘッド

⑨流水検知装置

⑩一斉開放弁（大口径のものを除く）

⑪金属製避難はしご

⑫緩降機

解答（2）　参照 98 ページ

解答

問1	(1)	問10	(2)	問19	(2)	問28	(3)
問2	(3)	問11	(3)	問20	(3)	問29	(4)
問3	(4)	問12	(1)	問21	(4)	問30	(3)
問4	(2)	問13	(3)	問22	(2)	問31	(1)
問5	(4)	問14	(3)	問23	(3)	問32	(3)
問6	(1)	問15	(4)	問24	(1)	問33	(2)
問7	(4)	問16	(1)	問25	(1)		
問8	(3)	問17	(3)	問26	(4)		
問9	(3)	問18	(2)	問27	(3)		

消防関係法令（第４類に関する部分）

まとめ＆丸暗記　この節の学習内容とまとめ

□ 自動火災報知設備を設置する主な防火対象物

全部の階に設置	カラオケボックス，旅館・ホテル等，病院・診療所・助産所（入院可），自力避難困難者入所施設，社会福祉施設（宿泊可），格納庫，重要文化財	すべて
	蒸気浴場，熱気浴場	延べ面積 200m² 以上
	神社，事務所	延べ面積 1000m² 以上
	準地下街	延べ面積 500m² 以上 特定用途 300m² 以上
	その他の特定防火対象物	延べ面積 300m² 以上
	その他の非特定防火対象物	延べ面積 500m² 以上
部分的に設置	キャバレー，飲食店等の地階または無窓階	床面積 100m² 以上
	すべての防火対象物の地階，無窓階，３階以上	床面積 300m² 以上
	11 階以上の階	すべて
	駐車場のある地階または２階以上	駐車場 200m² 以上
	道路として使われている部分	屋上 600m² 以上 その他 400m² 以上
	通信機器室	床面積 500m² 以上

□ 自動火災報知設備を省略できる場合がある設備

・スプリンクラー設備　・水噴霧消火設備　・泡消火設備

□ ガス漏れ火災警報設備を設置しなければならない防火対象物

①延べ面積 1,000m² 以上の地下街
②延べ面積 1,000m² 以上で，特定用途部分の床面積が合計 500m² 以上の準地下街
③床面積の合計が 1,000m² 以上の特定防火対象物の地階
④特定用途部分を含む複合防火対象物の地階で，床面積の合計が 1,000m² 以上で，特定用途部分の床面積が合計 500m² 以上のもの
⑤内部に温泉の採取のための設備（総務省令で定めたもの）が設置されている建築物または工作物

自動火災報知設備の設置

1 自動火災報知設備を設置する防火対象物

自動火災報知設備は，火災を自動で感知して，建物内にいる人に知らせる設備です。

自動火災報知設備を設置する必要があるかどうかは，基本的には防火対象物の種類と延べ面積によって決まりますが，例外や細かい規則がたくさんあるため，次ページの表のような複雑なものになっています。

①延べ面積による設置基準

原則として，次の防火対象物には，建物全体に自動火災報知設備を設置しなければなりません。

・特定防火対象物　　：延べ面積 300m^2 以上
・非特定防火対象物※1：延べ面積 500m^2 以上

ただし，次のような例外があります。

防火対象物の種類	面積
カラオケボックス，旅館・ホテル等，病院・診療所・助産所（入院施設のあるもの），自力避難困難者入所施設，社会福祉施設（宿泊施設のあるもの），格納庫，重要文化財	面積に関係なくすべてに設置
蒸気浴場，熱気浴場	延べ面積 200m^2 以上
準地下街	延べ面積 500m^2 以上，かつ，特定用途部分 300m^2 以上
神社，事務所	延べ面積 1000m^2 以上
特定用途部分を含む複合用途防火対象物	全体の延べ面積が 300m^2 以上
特定用途部分を含まない複合用途防火対象物	各用途部分が基準以上になる場合に設置

補足

自動火災報知設備を設置しなければならない防火対象物についての規定は，消防法施行令第21条第1項にあります。

※1
アーケード，山林，舟車を除く。

項	防火対象物の種類			自動火災報知設備の設置基準							
				①延べ面積	②地階・無窓階・3階以上の階	③11階以上の階	④駐車場のある階	⑤道路として使われている部分	⑥通信機器室	⑦特定1階段等防火対象物	⑧指定可燃物
(1)	イ	劇場，映画館，演芸場または観覧場		300m^2 以上	床面積 300m^2 以上	11階以上の階すべてに設置	地階または2階以上に床面積200m^{2}以上の駐車場がある階に設置	防火対象物のうち，道路として使われている部分で，その部分の床面積が屋上の場合は600m^{2}以上，それ以外の階の場合は400m^{2}以上の場合に設置	床面積500m^{2}以上の通信機器室に設置	特定用途部分が避難階以外にあり，そこから避難階または地上に直通する屋内の階段が1つしかないもの	危政令別表第4で定める数量の500倍以上の指定可燃物を貯蔵または取り扱う建築物に設置
	ロ	公会堂または集会場									
(2)	イ	キャバレー，カフェー，ナイトクラブ等		300m^2 以上	地階・無窓階の床面積 100m^2 以上						
	ロ	遊技場またはダンスホール									
	ハ	性風俗関連特殊営業を営む店舗等									
	ニ	カラオケボックス，マンガ喫茶等		すべて							
(3)	イ	待合，料理店等		300m^2 以上							
	ロ	飲食店									
(4)		百貨店，マーケットその他の店舗または展示場		300m^2 以上	床面積 300m^2 以上						
(5)	イ	旅館，ホテル，宿泊所等		すべて							
	ロ	寄宿舎，下宿または共同住宅		500m^2 以上							
(6)	イ	病院・診療所・助産所（入院施設あり）		すべて							
		無床診療所・無床助産所（入院施設なし）		300m^2 以上							
	ロ	自力避難困難者入所施設		すべて							
	ハ	ロ以外の社会福祉施設	宿泊あり	すべて							
			宿泊なし	300m^2 以上							
	ニ	幼稚園または特別支援学校		300m^2 以上							
(7)		小学校，中学校，高等学校，大学，専修学校等		500m^2 以上							
(8)		図書館，博物館，美術館等		500m^2 以上							
(9)	イ	蒸気浴場，熱気浴場（サウナ）等		200m^2 以上							
	ロ	イ以外の公衆浴場		500m^2 以上							
(10)		車両の停車場または船舶もしくは航空機の発着場		500m^2 以上							
(11)		神社，寺院，教会等		1000m^{2}以上							
(12)	イ	工場または作業場		500m^2 以上							
	ロ	映画スタジオまたはテレビスタジオ									
(13)	イ	自動車車庫または駐車場		500m^2 以上							
	ロ	飛行機または回転翼航空機の格納庫		すべて							
(14)		倉庫		500m^2 以上							
(15)		前各項に該当しない事業場		1000m^{2}以上							
(16)	イ	特定用途部分を含む複合用途防火対象物		300m^2 以上	※4						
	ロ	イ以外の複合用途防火対象物		※1	床面積 300m^2 以上						
(16の2)		地下街		300m^2 以上 ※2							
(16の3)		準地下街		※3							
(17)		重要文化財，史跡等に指定された建造物		すべて							

※1　各用途部分の床面積が，それぞれの基準値以上の場合に設置する。　※ ▭ は特定防火対象物

※2　延べ面積が300m^2 未満でも，(2) 項ニ，(5) 項イ，(6) 項ロ，(6) 項イ（入院あり）・ハ（宿泊あり）の用途部分には設置が必要。

※3　延べ面積が500m^2 以上で，特定用途部分が300m^2 以上の場合に設置する。

※4　地階または無窓階に，(2) または (3) 項の用途部分が床面積100m^2 以上存在する場合に設置する。

令別表1（6）項イの病院・診療所・助産所については，入院施設があるもの（病院・有床診療所・有床助産所）は面積に関係なく自動火災報知設備の設置が必要です。入院施設がないもの（無床診療所・無床助産所）は延べ面積300m²以上の場合に設置します。

（6）項ハの社会福祉施設についても，宿泊施設があるものについては面積に関係なく，宿泊施設がないものは延べ面積300m²以上の場合に自動火災報知設備の設置が義務付けられています。

②地階・無窓階・3階以上

上記に加えて，以下の防火対象物は部分的に自動火災報知設備の設置義務があります。

防火対象物	設置する部分
地下街	カラオケボックス等，旅館・ホテル等，自力避難困難者入所施設，病院（入院あり），社会福祉施設（宿泊あり）の用途部分
キャバレー，遊技場，料理店，飲食店等（(2)項イ～ハ，(3)項）	床面積**100m²以上の地階**または**無窓階**
複合用途防火対象物	キャバレー，遊技場，料理店，飲食店等（(2)項，(3)項）の用途部分が存在する，床面積**100m²以上の地階**または**無窓階**
すべての防火対象物	床面積**300m²以上の地階・無窓階・3階以上**の階

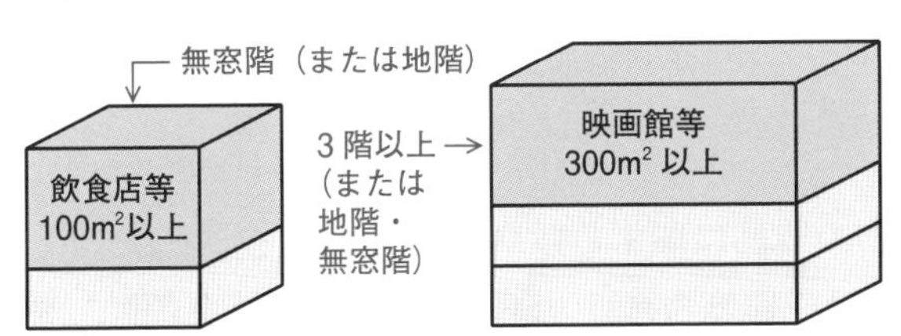

補足

無窓階
建築物の地上階のうち，避難上または消火活動上有効な開口部をもたない階のこと。窓が無い階という意味ではなく，窓があっても，それらの面積等が基準を満たさない場合は無窓階とみなされます。

③ 11 階以上の階

防火対象物の 11 階以上の階には，床面積に関係なく自動火災報知設備を設置します。

④駐車場のある地階または 2 階以上の階

地階または 2 階以上の階に，床面積 200m² 以上の駐車場のある場合には，その階に自動火災報知設備を設置します。

⑤道路として使われている部分

防火対象物の一部が道路になっていて，その部分の床面積が屋上なら 600m² 以上，屋上以外なら 400m² 以上ある場合には，その部分に自動火災報知設備を設置します。

⑥通信機器室

防火対象物内にある床面積 500m² 以上の通信機器室には，自動火災報知設備を設置します。

⑦特定 1 階段等防火対象物

特定防火対象物の用途部分（特定用途部分）が地階または 3 階以上の階にあり，その階から直接地上に出られる階段が屋内に 1 つしかない防火対象物には，各階に自動火災報知設備を設置します。

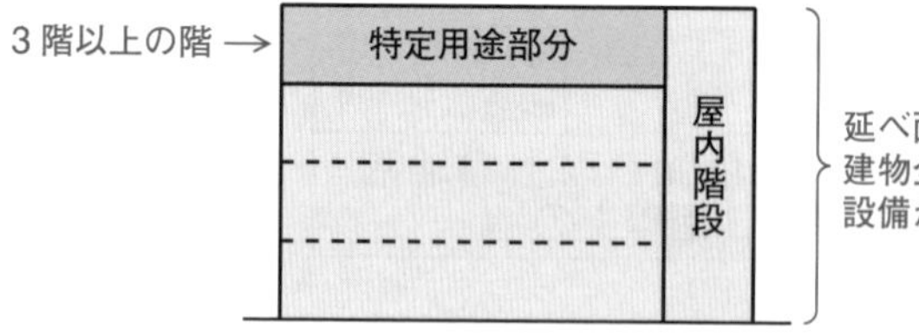

⑧指定可燃物

指定可燃物を，危険物の規制に関する政令別表第 4 で定める数量の 500 倍以上貯蔵，または取り扱う建築物には，自動火災報知設備を設置します。

2 自動火災報知設備を省略できる場合

以下のいずれかの設備を，定められた技術上の基準に従って設置したときは，その有効範囲の部分に限って，自動火災報知設備の設置を省略することができます。

①スプリンクラー設備（閉鎖型スプリンクラーヘッドを用いたもの。以下同じ）
②水噴霧消火設備
③泡消火設備

ただし，省略できるのは非特定防火対象物に限ります。

3 自動火災報知設備を設置する危険物施設

指定数量の10倍以上の危険物を貯蔵または取り扱う危険物施設には，以下の５種類のうち，いずれかの警報設備を設置することが義務づけられています。

①自動火災報知設備
②消防機関に報知ができる電話
③非常ベル装置
④拡声装置
⑤警鐘

このうち，自動火災報知設備の必要な危険物施設は，以下のとおりです。

補足

指定可燃物
危険物には指定されていないが，火災になると拡大が速かったり，消火が困難になるもの。わら，木毛，紙くずなど。「危険物の規制に関する政令」別表第４に，品名と数量が指定されています。

製造所または一般取扱所	①取り扱う危険物が指定数量の **100 倍以上**で屋内にあるもの（※ 1） ②延べ面積 500m² 以上 ③一般取扱所以外の部分がある建築物（※ 1） ※1　高引火点危険物のみを 100℃未満で取り扱う場合を除く。
屋内貯蔵所	①貯蔵する危険物の指定数量が **100 倍以上**のもの（高引火点危険物のみを貯蔵する場合を除く） ②貯蔵倉庫の延べ面積 **150m² 超** ③軒高 6m 以上の平家建て など
屋外タンク貯蔵所	岩盤タンクにかかわるもの
屋内タンク貯蔵所	タンク専用室を平家建て以外の建築物に設けるもので，液体の危険物を貯蔵するもの
給油取扱所	①三方に壁がある屋内給油取扱所 ②上部に上階のある屋内給油取扱所

このほかの危険物施設については，残り 4 種類の警報設備の中から，1 種類以上を設置します。

ガス漏れ火災警報設備の設置

1 ガス漏れ火災警報設備を設置する防火対象物

ガス漏れ火災警報設備は，ガス漏れを検知して警報を出す設備です。ガス漏れ火災警報設備を設置しなければならない防火対象物は，次のとおりです。

①**地下街**：延べ面積 1,000m² 以上
②**準地下街**：延べ面積 1,000m² 以上で，特定用途部分の床面積が合計 500m² 以上
③**特定防火対象物の地階**：床面積の合計が 1,000m² 以上
④**特定用途部分を含む複合用途防火対象物の地階**：床面積の合計が 1,000m² 以上で，特定用途部分の床面積が合計 500m² 以上
⑤**内部に温泉の採取のための設備（総務省令で定めたもの）が設置されている建築物または工作物**

ただし，上記の防火対象物でも，都市ガスなどの燃料用ガスを使用していない場合は，設置を省略できます（可燃性ガスが自然発生するおそれがあるとして指定されている場合を除く）。

補足

ガス漏れ火災警報設備を設置しなければならない防火対象物の規定は，消防法施行令第21条の2第1項にあります。

チャレンジ問題

［解説］133 ページ　［解答一覧］136 ページ

・問 1・　難　中　易

自動火災報知設備の設置が必要な防火対象物として，正しいものは次のうちどれか。

(1)　延べ面積 200m^2 の飲食店

(2)　延べ面積 300m^2 のアパート

(3)　延べ面積 400m^2 のキャバレー

(4)　延べ面積 600m^2 の一般事務所

・問 2・　難　中　易

延べ面積に関係なく自動火災報知設備を設置しなければならない防火対象物は次のうちどれか。

(1)　重要文化財に指定されている建築物

(2)　サウナ風呂

(3)　幼稚園

(4)　共同住宅

・問 3・　難　中　易

自動火災報知設備を設置する必要がない防火対象物は次のうちどれか。

(1)　延べ面積 400m^2 の映画館

(2)　延べ面積 900m^2 の神社

(3)　延べ面積 200m^2 の蒸気風呂

(4)　延べ面積 500m^2 の格納庫

問4 難 **中** 易

自動火災報知設備を設置する必要がない防火対象物またはその部分は次のうちどれか。

(1) 非特定防火対象物の地階にある床面積 200m² の駐車場
(2) 延べ面積 480m² の共同住宅にある，床面積 30m² の 12 階
(3) 延べ面積 290m² の複合用途防火対象物の無窓階にある，床面積 100m² の飲食店
(4) 延べ面積 480m²，地上 3 階建ての美術館の 3 階で，床面積が 120m² のもの

問5 難 中 **易**

総務省令で定める閉鎖型スプリンクラーヘッドを備えたスプリンクラー設備を設置した場合でも，自動火災報知設備の設置を省略することができない防火対象物は次のうちどれか。

(1) 美術館
(2) 一般事務所
(3) 映画館
(4) テレビスタジオ

問6 難 中 **易**

自動火災報知設備を設置する必要がないものは次のうちどれか。ただし，地階，無窓階，3 階以上の階はないものとする。

(1) 床面積 700m² の通信機器室
(2) 床面積 600m² の道路部分
(3) 床面積 300m² の地下街
(4) 延長 50m のアーケード

問7　難 **中** 易

次に掲げる危険物を貯蔵または取り扱う施設のうち，自動火災報知設備を設置しなくてもよいものはどれか。

(1)　指定数量の150倍の危険物を取り扱う屋内貯蔵所
(2)　延べ面積200m^{2}の屋内貯蔵所
(3)　指定数量の100倍の危険物を取り扱う地下タンク貯蔵所
(4)　指定数量の150倍の危険物を取り扱う屋内製造所

問8　難 中 **易**

次に掲げる防火対象物のうち，ガス漏れ火災警報設備を設置しなくてもよいものはどれか。

(1)　延べ面積1,200m^{2}の地下街
(2)　マンションの地下駐車場で，床面積が1,000m^{2}のもの
(3)　デパートの地階で，床面積が1,000m^{2}のもの
(4)　複合用途防火対象物の地階で，床面積の合計1,000m^{2}のうち，飲食店の用途に供される部分の合計が600m^{2}のもの

問9　難 中 **易**

次に掲げる防火対象物のうち，ガス漏れ火災警報設備を設置しなければならないものはどれか。

(1)　延べ面積900m^{2}の地下商店街
(2)　複合用途防火対象物の地階で，床面積の合計が1,000m^2，特定用途に供される部分の床面積の合計が400m^{2}のもの
(3)　床面積が1,000m^{2}の映画館の1階
(4)　床面積の合計1,200m^{2}の準地下街で，特定用途に供される部分の床面積の合計が600m^{2}のもの

解説

問1 自動火災報知設備は，原則として延べ面積300m² 以上の特定防火対象物か，延べ面積500m² 以上の非特定防火対象物に設置します。ただし，例外もいくつかあります。

× (1) 飲食店は特定防火対象物なので，300m² 以上が設置対象になります。

× (2) アパートは非特定防火対象物なので，500m² 以上が設置対象になります。

○ (3) キャバレーは特定防火対象物なので，300m² 以上が設置対象になります。

× (4) 一般事務所は非特定防火対象物ですが，例外として1,000m² 以上が設置対象になります。

解答 (3) **参照** 123ページ

問2 延べ面積に関係なく自動火災報知設備を設置しなければならない防火対象物は，次のとおりです。

①カラオケボックス，マンガ喫茶等
②旅館，ホテル，宿泊所
③入院施設のある病院・診療所・助産所
④自力避難困難者入所施設
⑤宿泊施設のある社会福祉施設
⑥飛行機等の格納庫
⑦重要文化財

解答 (1) **参照** 123ページ

問3

○ (1) 映画館（特定防火対象物）は300m² 以上が設置対象です。

× (2) 神社は例外として1,000m² 以上が設置対象です。

○ (3) 蒸気風呂は例外として200m² 以上が設置対象です。

○ (4) 格納庫は面積に関係なく設置対象になります。

解答 (2) **参照** 123ページ

問4　地階・無窓階，3 階以上の階には，次の場合に自動火災報知設備の設置が必要です。

①地階または無窓階に，床面積 100m² 以上のキャバレー，遊技場，カラオケボックス，料理店，飲食店等がある場合

②①以外の防火対象物の地階・無窓階・3 階以上の階で，床面積が 300m² 以上の場合

③ 11 階以上の階すべて

④駐車場（床面積 200m² 以上）のある地階または 2 階以上の階

○（1）地階または 2 階以上の階に床面積 200m² 以上の駐車場がある場合は，自動火災報知設備を設置します。

○（2）11 階以上の階には，床面積に関係なく設置義務があります。

○（3）特定用途部分を含む複合用途防火対象物は，延べ面積が 300m² 以上なら全部の階に自動火災報知設備が必要です。この場合は延べ面積が 290m² なので設置対象外ですが，無窓階に 100m² 以上の飲食店があるため，この階には自動火災報知設備を設置します。

×（4）美術館は非特定防火対象物なので，延べ面積が 500m² 以上なら全部の階に自動火災報知設備が必要です。この場合は延べ面積が 480m² なので設置対象外になります。また，地階・無窓階・3 階以上の階には，床面積が 300m² 以上なら自動火災報知設備を設置しますが，この場合は床面積 120m² なので，やはり設置対象外になります。

解答（4）　参照 124，125 ページ

問5　閉鎖型スプリンクラーヘッドを備えたスプリンクラー設備，泡消火設備，水噴霧消火設備のいずれかを設置した場合は，その有効範囲内の部分については，自動火災報知設備の設置を省略することができます。ただし，特定防火対象物はこの規定から除外されます。

選択肢のうち，特定防火対象物は（3）の映画館です。

解答（3）　参照 127 ページ

問6

○（1）床面積 500m² 以上の通信機器室には設置義務があります。

○（2）床面積 600m² 以上（屋上以外の場合は 400m² 以上）の道路部分には設置義務があります。

○（3）地下街は延べ面積 300m² 以上の場合に設置義務があります。

×（4）アーケードには設置義務はありません。

解答（4） **参照** 123 ～ 126 ページ

問7 自動火災報知設備の設置義務がある危険物施設は，以下のとおりです。

製造所・一般取扱所	①指定数量の100 倍以上 ②延べ面積 500m² 以上 ③一般取扱所以外の部分がある建築物
屋内貯蔵所	①指定数量が100 倍以上 ②貯蔵倉庫の延べ面積 150m² 超 ③軒高 6m 以上の平家建て
屋外タンク貯蔵所	岩盤タンクにかかわるもの
屋内タンク貯蔵所	タンク専用室を平家建て以外の建築物に設けるもので，液体の危険物を貯蔵するもの
給油取扱所	①三方に壁がある屋内給油取扱所 ②上部に上階のある屋内給油取扱所

○（1）指定数量の100 倍以上を貯蔵する屋内貯蔵所には設置義務があります。

○（2）延べ面積が150m² を超える屋内貯蔵所には設置義務があります。

×（3）地下タンク貯蔵所には自動火災報知設備の設置義務はありません。

○（4）指定数量の100 倍以上を貯蔵する製造所には設置義務があります。

解答（3） **参照** 128 ページ

問8

○（1）延べ面積 1,000m² 以上の地下街には設置義務があります。

×（2）非特定用途防火対象物の地階には設置義務はありません。

○ (3) 延べ面積 1,000m^2 以上の特定防火対象物の地階には設置義務があります。

○ (4) 複合用途防火対象物の地階は，床面積の合計が 1,000m^2 以上，特定用途部分の合計が 500m^2 以上の場合に設置義務があります。

解答 (2)　参照 129 ページ

問 9

× (1) 延べ面積 1,000m^2 以上が設置対象となります。

× (2) 複合用途防火対象物の地階は，床面積の合計が 1,000m^2 以上，特定用途に供される部分の床面積の合計が 500m^2 以上が設置対象です。

× (3) 原則として地階以外は設置対象になりません。

○ (4) 準地下街は，床面積の合計が 1,000m^2 以上，特定用途に供される部分の床面積の合計が 500m^2 以上が設置対象です。

解答 (4)　参照 129 ページ

解答

問 1	(3)	問 4	(4)	問 7	(3)
問 2	(1)	問 5	(3)	問 8	(2)
問 3	(2)	問 6	(4)	問 9	(4)

第3章
自動火災報知設備

1 自動火災報知設備の構造と機能

まとめ＆丸暗記 この節の学習内容とまとめ

□ 受信機

P型受信機…火災信号もしくは火災表示信号を，**共通の信号**として受信するもの。

R型受信機…火災信号，火災表示信号もしくは火災情報信号を，**固有の信号**として受信するもの。

機能	P型1級	P型2級	P型3級
火災表示試験装置	◎	◎	◎
主音響装置	◎（85dB以上）	◎（85dB以上）	◎（70dB以上）
火災表示状態の保持機能	◎	◎	×
地区音響装置	◎（90dB以上）	○（90dB以上）	×
地区表示灯	○	○	×
火災灯	○	×	×
導通試験装置	○	×	×
電話連絡装置（確認応答装置）	○	×	×
予備電源装置	◎	○	×

◎：必要　○：1回線のみの場合は不要　×：不要

□ 感知器

熱感知器
- 差動式スポット型感知器
  - 空気の膨張を利用したもの
  - 温度検知素子によるもの
- 差動式分布型感知器
  - 空気管式
  - 熱電対式
  - 熱半導体式
- 定温式スポット型感知器
  - バイメタルによるもの
  - 温度検知素子によるもの
  - 金属の膨張係数の差を利用したもの
- 定温式感知線型感知器
- 熱複合式スポット型感知器
- 補償式スポット型感知器
- 熱アナログ式スポット型感知器

煙感知器
- イオン化式スポット型感知器
- 光電式スポット型感知器
- 光電式分離型感知器
- 煙複合式スポット型感知器
- イオン化アナログ式スポット型感知器
- 光電アナログ式スポット型感知器
- 光電アナログ式分離型感知器

炎感知器
- 紫外線式スポット型感知器
- 赤外線式スポット型感知器
- 紫外線赤外線併用式スポット型感知器
- 炎複合式スポット型感知器

□ 発信機

確認ランプ　電話ジャック（銘板の背後にある）

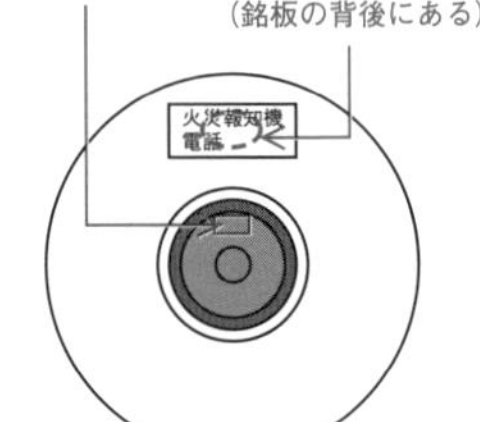

P型1級発信機

P型2級発信機

自動火災報知設備の構成

自動火災報知設備とは，火災の発生を感知して，火災を知らせる非常ベルやサイレンを鳴らす設備です。

自動火災報知設備は，次のような部分で構成されます。

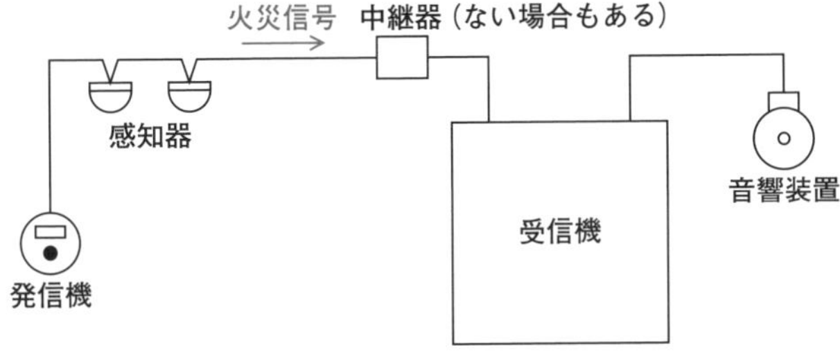

1 受信機

受信機は，感知器から火災発生の信号を受け取り，火災を知らせる信号を音響装置に送ります。自動火災報知設備の中枢部分で，ふつうは建物の管理事務所や守衛室などに設置されています。

2 感知器

感知器は，火災を感知するセンサーです。何によって火災を感知するかによって，熱感知器，煙感知器，炎感知器などの種類があります。

3 音響装置

建物内の人に火災を知らせる非常ベルやサイレンで

補足

自動火災報知設備の図記号

図記号	名称
（図記号）	受信機
（図記号）	定温式スポット型感知器
（図記号）	差動式スポット型感知器
S	煙感知器
（図記号）	炎感知器
P	P型発信機
（図記号）	表示灯
（図記号）	中継器
B	地区音響装置

受信機と発信機は「機」，感知器と中継器は「器」と表記します。受信機と発信機は字面が似ているので読み間違えないよう注意しましょう。

す。受信機に内蔵されている**主音響装置**と，建物の各階に設置される**地区音響装置**があります。

4 発信機

人間が火災を発見したときは，押しボタンを押して手動で火災を知らせることができるようになっています。この押しボタン付きの装置が**発信機**です。

5 表示灯

発信機のある場所を示すために，発信機のそばにある赤いランプです。

6 中継器

感知器と受信機の間で，火災信号をいったん中継する装置です。中継器は必ず設置されるものではなく，設備によっては設置しない場合もあります。

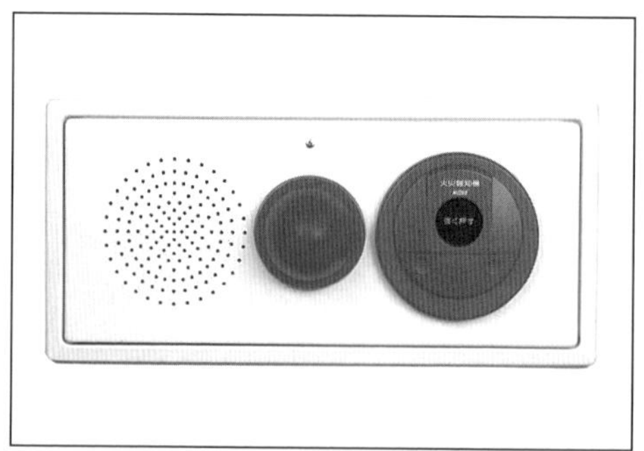

発信機，表示灯，地区音響装置を収めた機器収容箱。
ビルの各階などに設置されている。

受信機

1 受信機の種類

受信機には，P型，R型，G型などの種類があります。

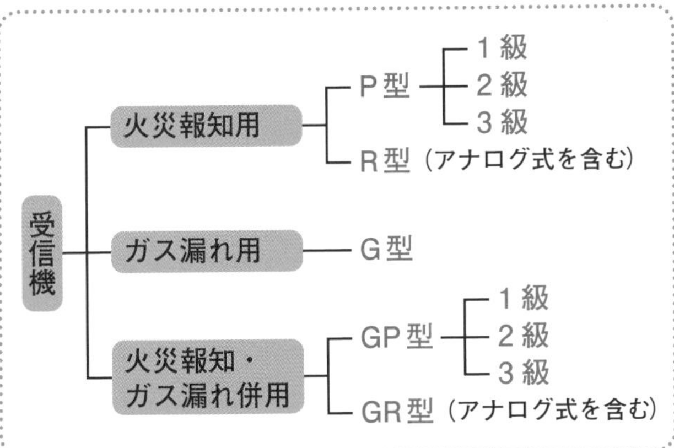

このうちG型は，ガス漏れ火災警報設備用の受信機です。また，GP型とGR型はガス漏れと火災報知の併用タイプで，GP型はG型プラスP型，GR型はG型プラスR型になります。

したがって，自動火災報知設備用の受信機としては，大きくP型とR型の2種類があることになります。

また，P型受信機は，接続できる回線の数によって，1級から3級までの3種類に分かれます。

種別	接続できる回線数
P型1級	制限なし
P型2級	5回線以下
P型3級	1回線

補足

アナログ式受信機
アナログ式感知器（火災が発生したかどうかだけでなく，温度や煙の状態といった情報を発信できる）からの情報を受信するもの。

補足

M型受信機
M型発信機から発せられた火災信号を受信し，火災の発生を消防機関に報知するもの。現在では使われていません。

補足

無線式受信機
火災信号などを無線によって受信するもの。

2 P型とR型の違い

P型受信機とR型受信機には，次のような違いがあります。

① P型受信機

火災信号もしくは火災表示信号を，**共通の信号**として受信するもの

② R型受信機

火災信号，火災表示信号もしくは**火災情報信号**を，**固有の信号**として受信するもの

共通の信号というのは，各回線から受け取る信号がどれも同一の信号である，という意味です。どこの感知器が反応したか，といった情報は信号自体には含まれません。そのため，P型受信機のパネルには回線の数だけ地区表示灯がついています。信号を受信すると，その回線とつながっている地区表示灯が点灯し，火災の発生場所を知らせます。

一方，**固有の信号**というのは，回線ごとに信号が異なっている，という意味です。この場合は，火災の発生場所を信号そのものから判断できます。そのため，R型受信機のパネルには回線ごとの表示灯はなく，1つの表示パネルに，火災の発生場所が表示されます。

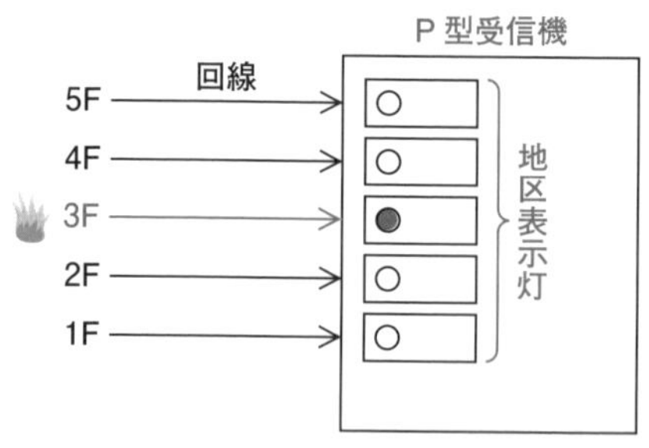

回線ごとに表示灯があり，信号を発信した回線を知らせる。

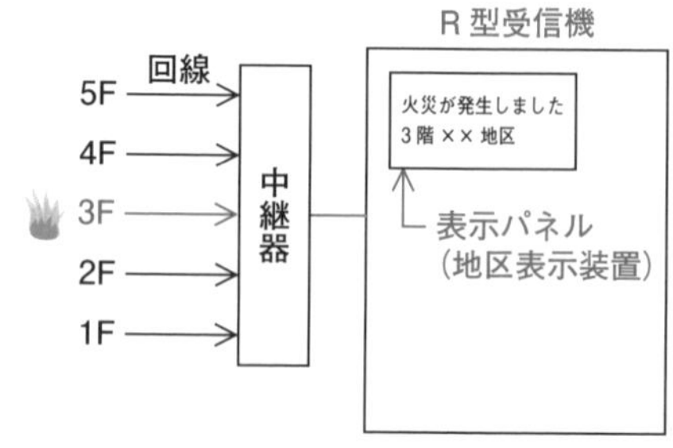

感知器本体や中継器にアドレスを割り当て，火災が発生するとアドレスとともに信号を送る。受信機はアドレスから火災の場所を特定する。

3 受信機を構成する部品

受信機に備えられている主な部品の構造や機能について説明します。

P型1級受信機の例

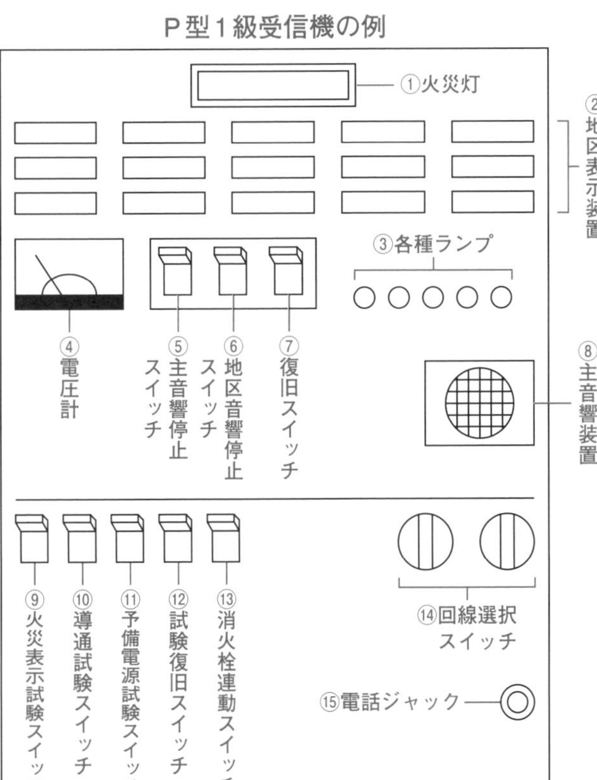

①火災灯

受信機の正面にある赤色のランプで，火災が発生したことを知らせます。

②地区表示装置（地区表示灯）

火災の発生した警戒区域を表示する装置です。P型受信機の場合は，回線ごとの地区表示灯が並んでいます。

補足

火災信号
感知器や発信機が，火災が発生したことを知らせる信号。

補足

火災情報信号
アナログ式の感知器が発信する，火災によって生じる熱や煙の程度に関する信号。

補足

火災表示信号
火災情報信号の内容から，火災が発生したと判断されたときに中継器が発信する信号。

補足

警戒区域
火災の発生場所を特定するために区分けされた区域のこと（193ページ参照）。

③各種ランプ

交流電源灯	主電源が入っているときに点灯します。
発信機灯	発信機の押しボタンが押されると点滅します。
スイッチ注意灯	各スイッチが所定の状態にないときに点滅します。
電話灯	発信機から電話の呼び出しがあると点滅します。
消火栓灯	消火栓が作動すると点灯します。

④電圧計

電源の電圧が正常な状態かどうかを確認します。

⑤主音響停止スイッチ

⑥地区音響停止スイッチ

主音響装置や地区音響装置を停止するスイッチです。

⑦復旧スイッチ

受信機を火災発生を知らせる状態から，通常の監視状態に戻すスイッチです。

⑧主音響装置

火災の発生を音で知らせる装置です。

⑨火災表示試験スイッチ

⑩導通試験スイッチ

⑪予備電源試験スイッチ

⑫試験復旧スイッチ

受信機が正常に作動するかどうかを確認する各種の試験を行うスイッチです。

⑬消火栓連動スイッチ

発信機と連動して，消火栓ポンプが起動するようにするスイッチです。ふだんは連動するようにしておき，点検や訓練のときは非連動にします。

⑭回線選択スイッチ

試験で回線を選択するときに用います。

⑮電話ジャック

電話機を接続して発信機と連絡します。

4 火災が発生したときの受信機の動作

受信機が火災信号を受信すると，まず火災灯と主音響装置によって，火災の発生を管理担当者に知らせ，地区表示灯には火災の発生区域が表示されます。また，建物内の人に火災発生を知らせるため，建物内の各所に設置された**地区音響装置**（非常ベルなど）を鳴らします。以上の動作をまとめて**火災表示**といいます。

信号を受信してから火災表示までの時間は，**5秒以内**(地区音響装置の鳴動を除く)でなければなりません。

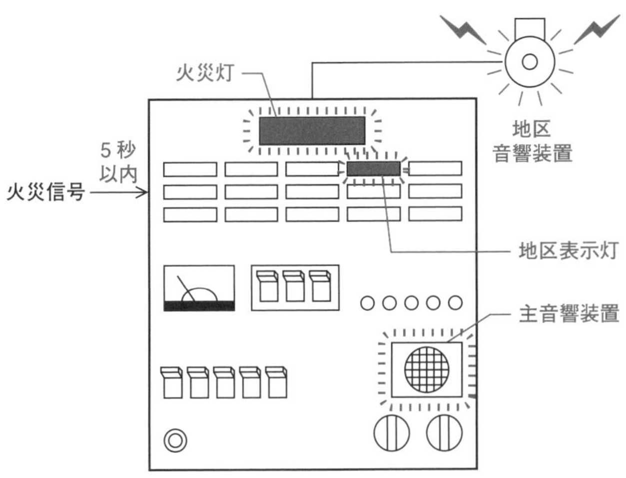

なお，感知器の誤作動などによる非火災報を防止する機能をもつ次のような受信機もあります。

①蓄積式受信機

非火災報を防ぐため，感知器からの信号が一定時間継続して発信されているのを確認してから，火災表示を行う機能を備えた受信機です。信号の蓄積時間は，**5秒を超え60秒以下**です。また，発信機から信号が

補足

受信機の付属装置
必要に応じて，次のような付属装置を設置します。

副受信機：受信機の火災表示と同時に，地区表示灯が点灯してブザー（副音響装置）が鳴る装置。宿直室などに設置します。
消火栓：発信機の押しボタンと連動して作動します。
非常放送設備：非常放送を開始すると，地区音響装置は自動的に止まります。

発信された場合は，蓄積機能を自動的に解除してすぐ火災表示を行います。

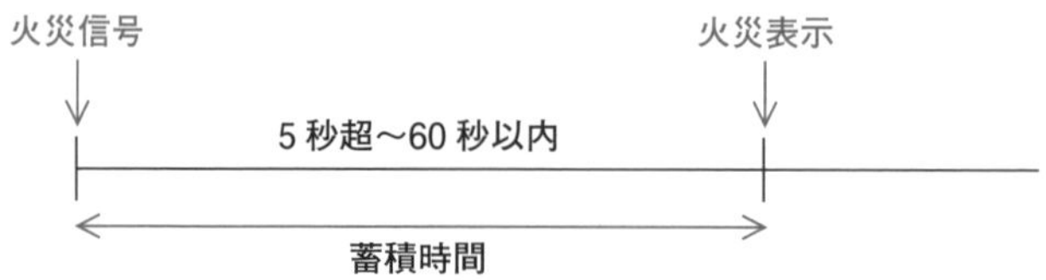

②二信号式受信機

同じ区域から２つの信号を受信して，はじめて確定的な火災表示を行う受信機です。第1信号を受け取ると，主音響装置（または副音響装置）で火災発生を知らせ，発生した地区を地区表示灯で示します。その後第２信号を受け取ると，火災灯を点灯し，主音響装置と地区音響装置を鳴らします。

ただし，発信機から信号が発信された場合は，二信号機能を自動的に解除して，すぐ火災表示を行います。

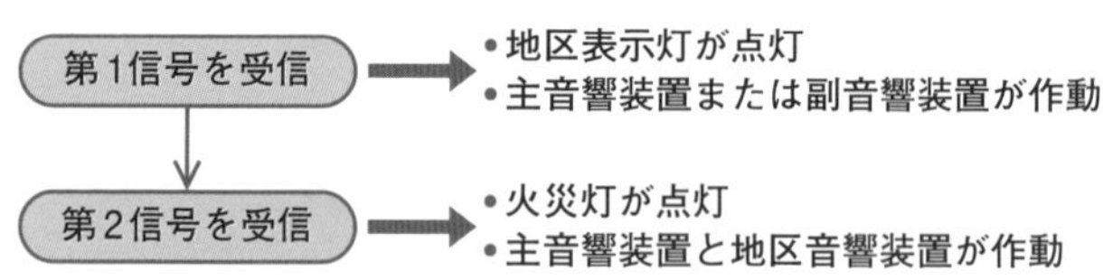

5 各受信機に共通する構造と機能

各タイプの受信機に共通する構造・機能について，主なものをまとめておきます。

- 確実に作動し、取扱いや保守点検・付属部品の取替えが容易にできること。
- 耐久性があること。
- 水滴が侵入しにくいこと。
- ほこりまたは湿気により機能に異常を生じないこと。
- 腐食により機能に異常を生じるおそれのある部分には，防食のための措置を講じること。

・不燃性または難燃性の外箱で覆うこと。
・定格電圧が 60V を超える受信機の金属製外箱には，**接地端子**を設けること。
・主電源の**両極**を同時に開閉できる電源スイッチを受信機の内部に設けること（P 型３級，G 型（1 回線）を除く）。
・予備電源を設けること（P 型２級（１回線），P 型３級，G 型受信機を除く）。
・主電源を監視する装置（交流電源灯など）を**受信機の前面**に設けること。
・試験装置は**受信機の前面**で容易に操作できるようにすること。
・復旧スイッチや音響停止スイッチは**専用のもの**とすること。
・定位置に自動的に復旧しないスイッチが**定位置にないとき**は，音響装置または**点滅する注意灯**（スイッチ注意灯）が作動すること。
・蓄積時間を調整する装置は，受信機の**内部**に設けること。
・受信機は，電源の電圧が次の範囲内で変動した場合でも，機能に異常を生じないものであること。

主電源	定格電圧の 90%以上 110%以下
予備電源	定格電圧の 85%以上 110%以下

6 受信機各部の構造と機能

①表示灯の構造・機能

火災灯や地区表示灯などの表示灯については，次のような基準があります。

・定格の 130%の電圧を連続 20 時間加えても，断線や光束の変化を生じないこと。
・2 個以上の電球を**並列**に接続すること。ただし，放電灯または発光ダイオードの場合は 1 個でもよい。
・周囲が 300 ルックスの明るさのとき，3m 離れた地点で点灯していることが識別できること。

補足

交流電源灯
受信機の主電源が入っていることを示すランプ。正常時は点灯しています。

補足

スイッチ注意灯
スイッチが定位置にないときに点滅して注意をうながすランプ。正常時は消灯しています。

②主音響装置の構造・機能

主音響装置には次のような基準があります。

- 1m 離れた地点で 85dB（デシベル）以上（P 型 3 級受信機では 70dB 以上）の音圧があること。
- 定格電圧の 90%（予備電源がある場合は予備電源の定格の 85%）の電圧で音響を発すること。
- 定格電圧で連続 8 時間鳴動しても，構造や機能に異常を生じないこと。

③地区音響装置の構造・機能

火災の発生を各地区に知らせるための地区音響装置（ベル，ブザー，スピーカーなど）は，公称音圧を 90dB 以上（音声の場合は 92dB 以上）とします。

④火災表示状態の保持機能

火災灯や地区表示灯の点灯，主音響装置，地区音響装置の鳴動は，人間が手動で復旧しない限り，自動的には復旧しないようにします。

⑤予備電源装置の構造・機能

受信機には，原則として**予備電源装置**を設けます。予備電源装置については，次のような基準があります。

- 密閉型蓄電池であること。
- 停電時には主電源から予備電源に，復旧したときは予備電源から主電源に**自動的**に切り替える装置を設けること。
- 口出し線は色分けし，誤接続防止のための措置を講ずること。
- P 型と R 型受信機の予備電源装置は，監視状態を 60 分継続した後，2 回線分の火災表示の作動と，すべての地区音響装置を鳴動させる電流を 10 分間流せる容量以上とすること。

⑥電圧計の構造・機能

電圧計の最大目盛は，使用回路の定格電圧の 140% 以上 200%以下とします。

⑦電話連絡装置（確認応答装置）の構造・機能

電話連絡装置は発信機と連絡をとるためのもので，次のような機能を備えたものとします。

- **P型1級発信機**に対しては，受信した旨の信号を発信機に送信（発信機の確認応答ランプが点灯）でき，かつ，発信機との間で電話連絡できること。
- T型発信機（非常電話）に対しては，2つ以上の発信機から同時に電話がかかってきたときに通話相手を任意に選択でき，かつ，その通話内容がほかの発信機にも流れるようにすること。

P型1級発信機とP型1級受信機には電話ジャックがあり，ここに受話器を接続して，互いに電話連絡をとります（P型2級発信機やP型2級受信機には，電話ジャックはありません）。

7 P型1級受信機

P型1級受信機は，接続する回線数に制限のないP型受信機です。

P型1級受信機が備えなければならない主な機能には，以下のものがあります。

補足

T型発信機
受話器をとると火災信号が発信されるタイプの発信機。現在はほとんど使われていません。

◯**火災灯**
◯**地区表示灯**
◎**主音響装置**（1m 離れた位置で 85dB 以上）
◎**地区音響装置**（公称音圧 90dB 以上）
◎**火災表示状態の保持機能**
◎**火災表示試験装置**（火災表示が正常に作動するかどうかを試験）
◯**導通試験装置**（受信機から終端器までの回路の導通を試験）
◎**予備電源装置**
◯**電話連絡装置**（確認応答装置）　※◯は接続回線が 1 のときは省略可

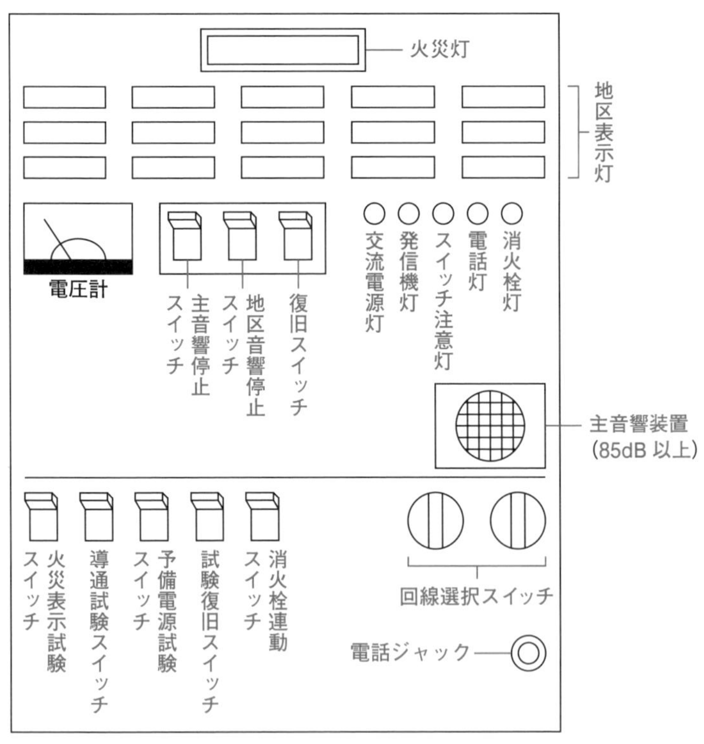

なお，火災灯，地区表示灯，導通試験装置，電話連絡装置については，接続する回線が１回線のみのＰ型１級受信機では省略できます。

8 Ｐ型２級受信機

Ｐ型２級受信機は，接続する回線が５回線以下のＰ型受信機です。

Ｐ型２級受信機が備えなければならない主な機能には，以下のものがあります。

◯地区表示灯
◎主音響装置（1m 離れた位置で 85dB 以上）
◯地区音響装置（公称音圧 90dB 以上）
◎火災表示状態の保持機能
◎火災表示試験装置
◯予備電源装置　※◯は接続回線が１回線のときは省略可

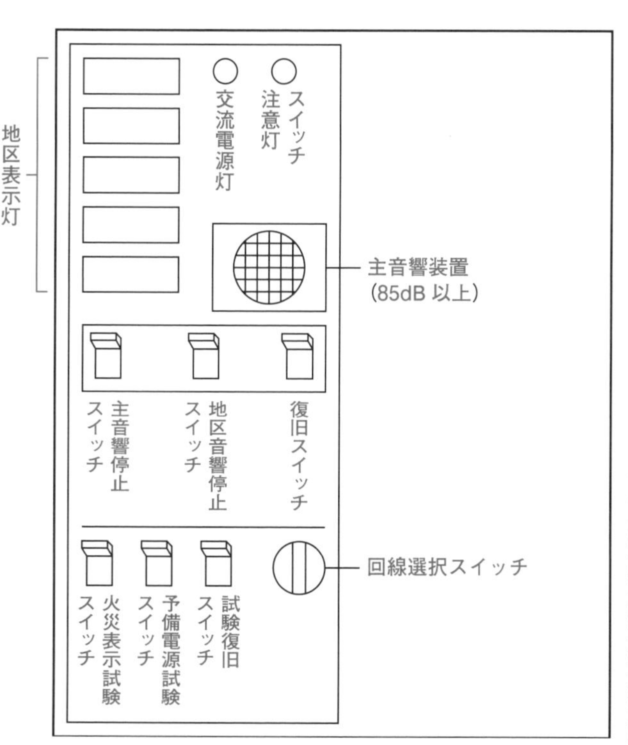

補足

終端器
回路の末端にある感知器に取り付けられる終端抵抗。回路の断線を検出するために用います。

補足

Ｐ型１級受信機にあって，Ｐ型２級受信機では省略できるスイッチやランプは，次の５つです。
・火災灯
・発信機灯
・電話灯
・電話ジャック
・導通試験スイッチ

なお，接続する回線が1回線のみのP型2級受信機では，地区表示灯，地区音響装置，予備電源装置を省略できます。

9 P型3級受信機

P型3級受信機は，接続する回線が1回線のみのP型受信機です。

P型3級受信機が最低限備えなければならない機能は，以下の2つだけです。

◎**主音響装置**（1m離れた位置で**70dB以上**）
◎**火災表示試験装置**

主音響装置の音圧は，1m離れた位置で**70dB以上**となります。

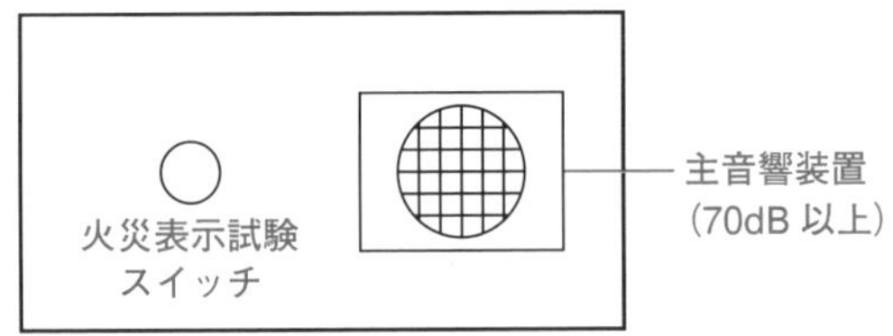

10 R型受信機

R型受信機は，火災信号を**固有の信号**として受信する受信機です。感知器本体や中継器にアドレスが設定されており，火災が発生すると，アドレスとともに信号を送ります。受信機は，信号に含まれるアドレスから火災の場所を特定します。

R型受信機に必要な機能は，P型1級受信機とほとんど同じです。R型受信機に特有の機能には，次の2つがあります。

①断線を検出する試験機能

受信機から終端器までの外部配線の断線を検出する機能。

②短絡を検出する試験機能

受信機から中継器までの短絡を検出する機能。

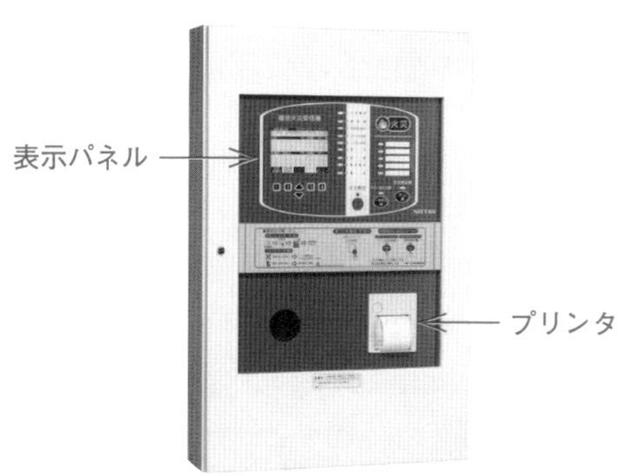

R 型受信機

11 アナログ式受信機

アナログ式受信機は，アナログ式の感知器が検出した熱や煙の値を，アナログ信号で受け取る受信機です。これにより，火災ではなくても，感知器が特定の値を検出したときに注意表示を行うことができるようになっています。

アナログ式受信機はR型受信機の一種ですが，通常のR型受信機の機能に加えて，次の機能が必要です。

①注意表示

注意灯を点灯し，注意音響装置を鳴らして異常を知らせます。同時に，地区表示装置に発生した地区を表示します。

②注意表示試験装置

注意表示が正常に作動していることを試験する装置。

補足

P型受信機では火災が発生した地区しか特定できませんが，R型受信機では火災信号を出した感知器も特定できます。ホテルや病院などで，火災が発生した部屋まで特定したい場合には，R型受信機が使われます。

③感度設定装置

感知器の値がどのくらいになったら注意表示を行い，どのくらいになったら火災表示を行うかを設定する装置です。熱アナログ式感知器の場合は温度，煙アナログ式感知器の場合は減光率によって設定します。

12 受信機の機能比較

受信機の種類ごとに，必要な機能をまとめておきましょう（R 型受信機はＰ型１級と同様です）。

機能	Ｐ型１級	Ｐ型２級	Ｐ型３級
火災表示試験装置	◎	◎	◎
主音響装置	◎ （85dB以上）	◎ （85dB以上）	◎ （70dB以上）
火災表示状態の保持機能	◎	◎	×
地区音響装置	◎ （90dB以上）	○ （90dB以上）	×
地区表示灯	○	○	×
火災灯	○	×	×
導通試験装置	○	×	×
電話連絡装置（確認応答装置）	○	×	×
予備電源装置	◎	○	×

◎：必要　○：１回線のみの場合は不要　×：不要

チャレンジ問題

［解説］160 ページ　［解答一覧］163 ページ

問1

難　中　易

次の文中の（　）内に当てはまる機器の名称として，正しいものの組合せは次のうちどれか。

「火災信号もしくは（　　）を共通の信号として，または設備作動信号を共通もしくは固有の信号として受信し，火災の発生を防火対象物の関係者に報知するものを（　　）という。」

(1) 火災表示信号，P 型受信機
(2) 火災情報信号，P 型受信機
(3) 火災表示信号，R 型受信機
(4) 火災情報信号，R 型受信機

問2

難　中　易

受信機の構造について，誤っているものは次のうちどれか。

(1) 水滴が侵入しにくいこと。
(2) 定格電圧が 60V を超える受信機の金属製外箱には，接地端子を設けること。
(3) 主電源を監視する装置を受信機の前面に設けること。
(4) 音響停止スイッチは，自動的に定位置に復旧するものであること。

問3

難　中　易

受信機の音響装置について，正しいものは次のうちどれか。

(1) P 型受信機の主音響装置の音圧は，無響室で音響装置の中心から前方 1m 離れた地点で測定した値が 85dB 以上であること。
(2) 定格電圧で連続 8 時間鳴動した場合，構造または機能に異常を生じないこと。

(3) 予備電源が設けられている受信機では，予備電源の定格電圧の90％の電圧で音響を発すること。
(4) P型3級受信機には，主音響装置を設けなくてもよい。

問4 難 中 易

受信機に用いる部品の構造及び機能について，正しいものは次のうちどれか。

(1) 表示灯に白熱電球を用いる場合は，2個以上を並列に接続しなければならないが，発光ダイオードを用いる場合はこの限りでない。
(2) 表示灯は，周囲の明るさが300ルックスの状態において，前方1m離れた地点で点灯していることを明確に識別できること。
(3) 予備電源を設ける場合は，主電源が停止したときは自動的に予備電源に切り替え，主電源が復旧したときは手動で主電源に切り替える装置を設けること。
(4) 電圧計の最大目盛は，使用される回路の定格電圧の90％以上140％以下であること。

問5 難 中 易

次の文中の（ ）内に入る数値として，正しいものの組合せは次のうちどれか。

「受信機は，主電源の電圧が定格電圧の（ A ）％以上（ B ）％以下の範囲内で変動した場合，及び予備電源の電圧が定格電圧の（ C ）％以上（ D ）％以下の範囲内で変動した場合に，機能に異常を生じないものでなければならない。」

	A	B	C	D
(1)	85	100	70	100
(2)	90	110	90	100
(3)	90	110	85	110
(4)	140	200	110	200

問６ 難 中 易

接続する回線の数が１のＰ型１級受信機に必要な機能として，誤っているものは次のうちどれか。

(1) 火災表示の作動を容易に確認することができる試験装置
(2) 主電源の両極を同時に開閉することができる電源スイッチ
(3) 主電源が停止したときに自動的に切り替わる予備電源
(4) 受信機から終端器に至る信号回路の導通試験装置

問７ 難 中 易

Ｐ型２級受信機（接続する回線の数が１のものを除く）に必要な機能として，正しいものは次のうちどれか。

(1) 受信機から終端器に至る信号回路の導通試験装置
(2) 発信機が作動したことが確認できる発信機灯
(3) 手動で復旧しない限り，火災表示の表示状態を保持する機能
(4) 火災信号を受信したときに点灯する赤色の火災灯

問８ 難 中 易

Ｐ型３級受信機に関する記述として，次のうち誤っているものはどれか。

(1) 接続できる回線数は１回線である。
(2) 火災表示試験装置は設けなくてもよい。
(3) 主音響装置の音圧は，無響室で当該音響装置の中心から前方 1m 離れた地点において 70dB 以上とする。
(4) 地区表示装置は設けなくてもよい。

問９ 難 中 易

Ｒ型受信機（アナログ式受信機を除く）の機能について，規格省令上誤っているものは次のうちどれか。

(1) 受信機から終端器に至る外部配線の断線を検出できる装置による

試験機能を有すること。

(2) 受信機から中継器に至る外部配線の短絡を検出できる装置による試験機能を有すること。

(3) 火災表示の作動を容易に確認することができる装置による試験機能を有すること。

(4) 注意表示の作動を容易に確認することができる装置による試験機能を有すること。

•問 10• 難 中 易

受信機の機能について，次のうち誤っているものはどれか。

(1) P型受信機及びR型受信機（アナログ式受信機を除く）は，火災信号の受信開始から5秒以内に火災表示を行うこと。

(2) アナログ式のR型受信機は，火災情報信号（注意表示をする程度に達したものに限る）の受信開始から5秒以内に注意表示を行うこと。

(3) 蓄積式受信機の蓄積時間は，5秒を超え60秒以内であること。

(4) 蓄積式受信機では，感知器からの火災信号を検出したときは蓄積機能を自動的に解除すること。

•問 11• 難 中 易

P型1級受信機が非火災報を受信したとき，これを復旧させる操作として最も適切なものは次のうちどれか。

(1) 一定時間が経過すると自動的に復旧する。

(2) 受信機の主電源を切る。

(3) 火災復旧スイッチを操作する。

(4) 作動した感知器または発信機を操作する。

•問 12• 難 中 易

蓄積機能付きのP型2級受信機（1回線のものを除く）が，火災信

号を蓄積中に保留する機能として，誤っているものは次のうちどれか。

(1) 蓄積機能の自動解除

(2) 地区表示灯の点灯

(3) 主音響装置の鳴動

(4) 地区音響装置の鳴動

解説

問1 火災信号もしくは火災表示信号を**共通の信号**として受信する受信機は，P型受信機です。

また，火災信号，火災表示信号もしくは火災情報信号を**固有の信号**として受信する受信機を，R型受信機といいます。

なお，P型受信機もR型受信機も，設備作動信号（消火設備が発信する作動信号）については，固有の信号として受信します。

解答（1） **参照** 142ページ

問2 主音響停止スイッチと地区音響停止スイッチは，それぞれ主音響装置と地区音響装置の鳴動を停止するスイッチです。どちらのスイッチも，音響を止めるときは「停止」側に倒しますが，自動的には定位置に戻りません。

そのまま停止状態にしておくと，火災になったとき音響装置が鳴らないので，監視状態に復旧するときは，必ず定位置に戻しておかなければなりません。

戻し忘れを防ぐため，自動的に復旧しないスイッチが定位置にないときは，音響装置が鳴るか注意灯（スイッチ注意灯）が点滅して，スイッチが正常の状態ではないことを知らせることになっています。

主音響停止　地区音響停止　スイッチ注意灯

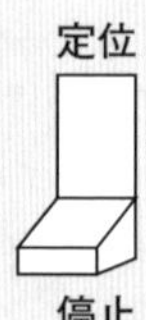

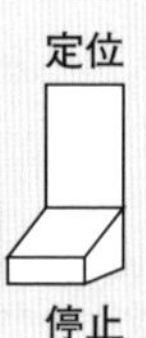

その他の自動火災報知設備の受信機に共通する主な構造や機能については，146ページを参照してください。

解答（4） **参照** 147ページ

問3

×（1）P型受信機の主音響装置の音圧は，P型1級とP型2級は85dB

以上，Ｐ型３級は 70dB 以上となっています。

○（2）正しい記述です。

×（3）予備電源の設けられている受信機では予備電源の定格電圧の 85% の電圧，その他の受信機では主電源の定格電圧の 90%の電圧で音響を発することとなっています。

×（4）主音響装置はすべての受信機に設ける必要があります。

解答（2）　参照 148 ページ

問４

○（1）正しい記述です。 表示灯に白熱電球を用いる場合は，２個以上を並列に接続しますが，放電灯または発光ダイオードを用いる場合は，１個でもかまいません。

×（2）表示灯は，前方 3m 離れた地点から点灯していることを識別できなければなりません。

×（3）主電源から予備電源だけでなく，予備電源から主電源にも自動で切り替わるようにします。

×（4）電圧計の最大目盛は，定格電圧の 140%以上 200%以下です。

解答（1）　参照 147 ページ

問５　受信機は，電源の電圧が以下の範囲内で変動した場合でも，機能に異常を生じないものでなければなりません。

主電源	定格電圧の 90%以上 110%以下
予備電源	定格電圧の 85%以上 110%以下

解答（3）　参照 147 ページ

問６　Ｐ型１級受信機は，接続する回線が１回線のみの場合には，以下の装置を省略できます。

・火災灯

・地区表示灯

・導通試験装置
・電話連絡装置

（1）火災表示試験装置と（2）電源スイッチは，すべての受信機で必要です。また，（3）予備電源はＰ型１級受信機では省略できません。

解答（4）　参照 150ページ

問７

×（1）導通試験装置は，Ｐ型２級受信機とＰ型３級受信機には必要ありません。
×（2）発信機が作動したことを確認する表示灯は，Ｐ型１級受信機（多回線）が備える機能です。
○（3）火災表示の保持機能は，Ｐ型３級を除く受信機で必要です。
×（4）火災灯は，Ｐ型２級受信機とＰ型３級受信機には必要ありません。

解答（3）　参照 152ページ

問８　Ｐ型３級受信機は，接続できる回線が１回線のみの小型受信機です。もともと１回線しかないので，火災の発生場所を表示する地区表示灯は設ける必要がありません。ただし，主音響装置（音圧70dB以上）と火災表示試験装置は省略することができません。

解答（2）　参照 152ページ

問９　Ｒ型受信機には，（3）火災表示試験機能に加えて，（1）断線を検出する試験機能および（2）短絡を検出する試験機能が必要です。

（4）注意表示試験機能は，アナログ式受信機だけが備える必要のある機能です。

解答（4）　参照 154ページ

問10　蓄積式受信機の蓄積機能は，感知器の誤作動による非火災報を防ぐため，火災信号を一定時間（５秒を超え60秒以内）継続して受信してから，火災表示を行う機能です。

ただし，発信機（177 ページ）からの火災信号は，人間が火災を発見したときに発信されるものですから，蓄積機能を解除して，すぐ（5 秒以内）に火災表示を行います。したがって，(4)「感知器からの火災信号」は，「発信機からの火災信号」の誤りです。

解答 (4)　**参照** 145 ページ

問 11 火災表示を取り消し，通常の監視状態に戻すには，受信機の復旧スイッチ（火災復旧スイッチ）を手動で操作します。自動的には復旧しませんし，主電源を切ってはいけません。また，感知器や発信機には火災表示を停止する機能はありません。

解答 (3)　**参照** 148 ページ

問 12 蓄積機能は，非火災報を防止するため，火災信号が一定時間継続して検出されるまで，火災表示を保留する機能です。したがって，蓄積中は (2) 地区表示灯の点灯や (3) 主音響装置の鳴動，(4) 地区音響装置の鳴動は保留されます。

ただし，発信機が押されたときは蓄積機能は自動的に解除されます。この機能は蓄積中であっても有効なので，(1) は誤りです。

解答 (1)　**参照** 145 ページ

解答

問1 (1)	問4 (1)	問7 (3)	問10 (4)
問2 (4)	問5 (3)	問8 (2)	問11 (3)
問3 (2)	問6 (4)	問9 (4)	問12 (1)

熱感知器

感知器には，大きく**熱感知器**，**煙感知器**，**炎感知器**があります。

このうちの熱感知器は，火災によって生じる熱を感知して，火災の発生を知らせる感知器です。

熱感知器には，次のような種類があります。

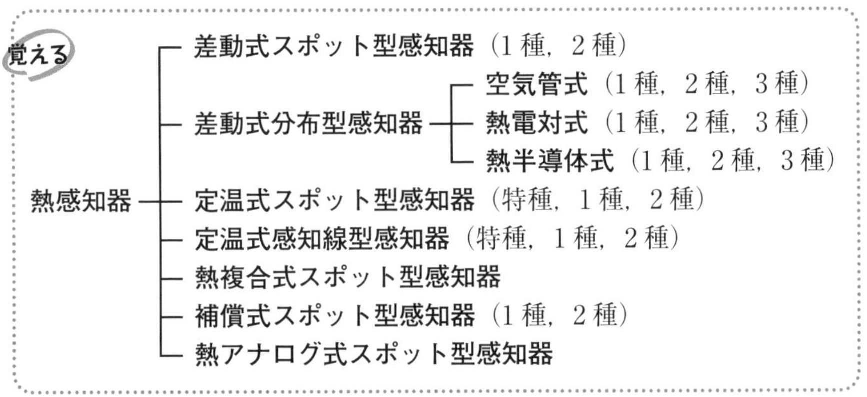

①感度について

熱感知器には，感度によって1種，2種，3種といった種類があります。種類によって1種と2種しかなかったり，特種，1種，2種に分かれている場合もありますが，一般には感度の良い順に，特種→1種→2種→3種の順になります。

②差動式と定温式

熱感知器は，**差動式**と**定温式**とに大きく分かれます。

差動式は，感知器の**周囲の温度の上昇率が，一定の値以上になると作動**するタイプの感知器です。

これに対し定温式は，**周囲の温度があらかじめ決めておいた一定の値以上になると作動**します。

差動式：温度の変化を検知
定温式：一定の温度を検知

1 差動式スポット型感知器

差動式にはスポット型と分布型があります。このうちスポット型は，感知器の周囲のある一局所だけの熱の変化を感知するタイプです。

差動式スポット型感知器には，次のような仕組みがあります。

①空気の膨張を利用したもの

火災が発生すると，その熱によって空気室の空気が膨張し，ダイヤフラム（隔膜）を押し上げます。すると，接点が接触して受信機に火災信号が送られます。

暖房などによるゆるやかな温度上昇の場合は，膨張した空気がリーク孔から逃げるため，誤作動を防ぐことができます。

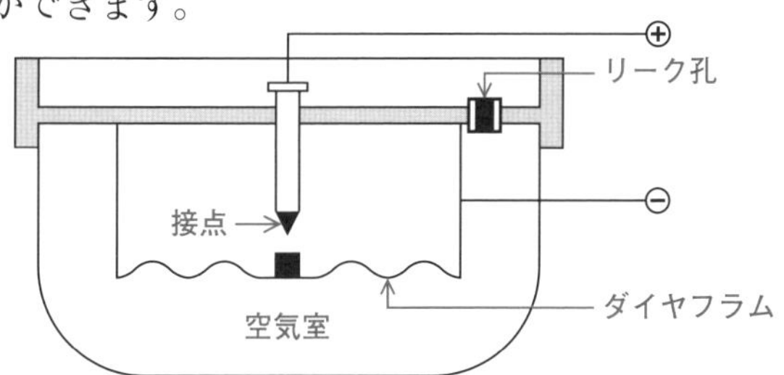

補足

差動式スポット型感知器の例

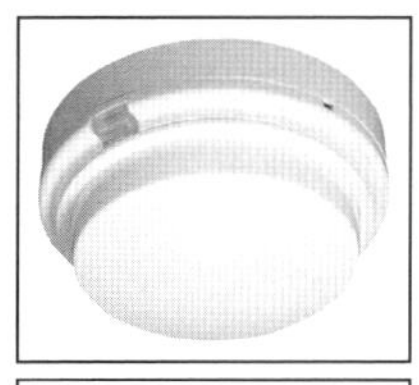

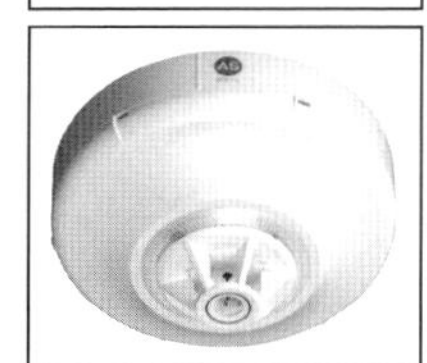

②温度検知素子（サーミスタ）を利用したもの

温度変化に応じて電気抵抗が変化する半導体素子（サーミスタ）によって温度変化を検出し，これを電子回路が分析して作動する感知器です。

補足

サーミスタ
温度の変化に応じて電気抵抗が大きく変化する素子。

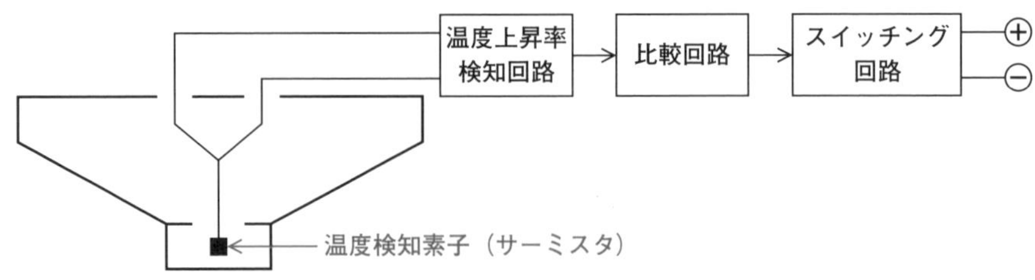

2 差動式分布型感知器

差動式分布型感知器は，温度上昇を**広範囲**の熱の変化から感知する熱感知器です。差動式分布型感知器には，次のような仕組みがあります。

①空気管式

天井に銅製のパイプ(空気管)を巡らせ，温度変化を広範囲に検出します。火災によって室温が上昇すると，空気管内の空気が膨張し，ダイヤフラムが膨らんで接点が閉じる仕組みです。

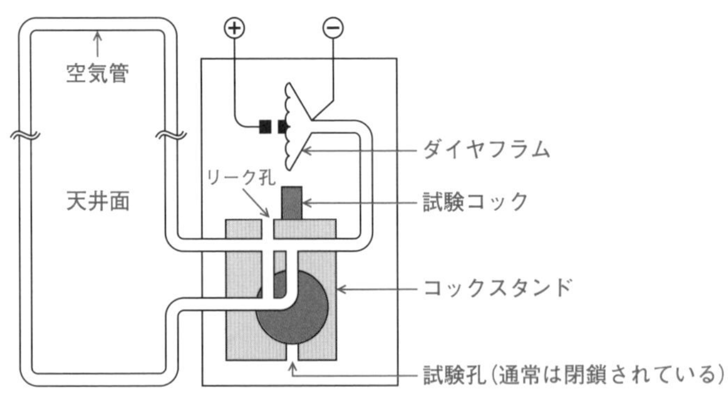

空気管式の差動式分布型感知器は，次のような基準に従います。

- リーク抵抗及び接点水高を容易に試験することができること。
- 空気管の漏れ及びつまりを容易に試験することができ，かつ，試験後試験装置を定位置に復する操作を忘れないための措置を講ずること。
- 空気管は，1本（継ぎ目のないものをいう）の長さが20m以上で，内径及び肉厚が均一であり，その機能に有害な影響をおよぼすおそれのある傷，割れ，ねじれ，腐食等を生じないこと。
・空気管の肉厚は 0.3mm 以上であること。
・空気管の外径は 1.94mm 以上であること。

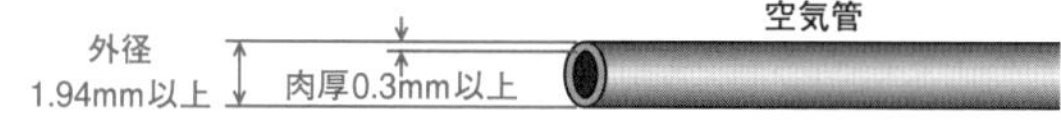

②熱電対式

熱電対は，異なる種類の金属を接合したもので，接点の温度差によって起電力が生じる現象（ゼーベック効果）を利用して温度を検出します。この熱電対を天井に分布させ，温度変化を広範囲に検出します。

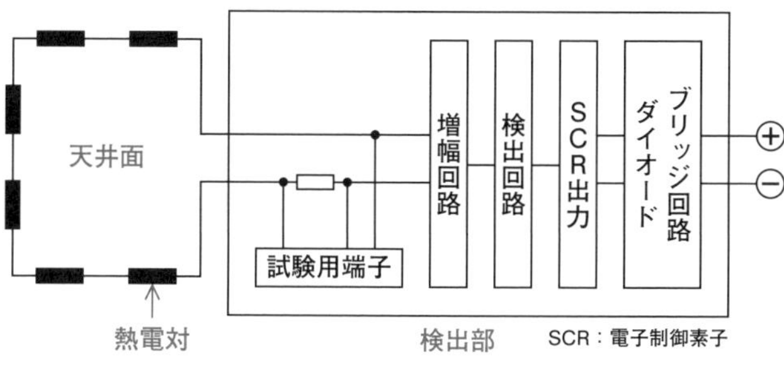

③熱半導体式

熱半導体素子の入った感熱部を天井に分布させ，急激な温度上昇によって熱半導体素子に生じる起電力で火災を感知します。

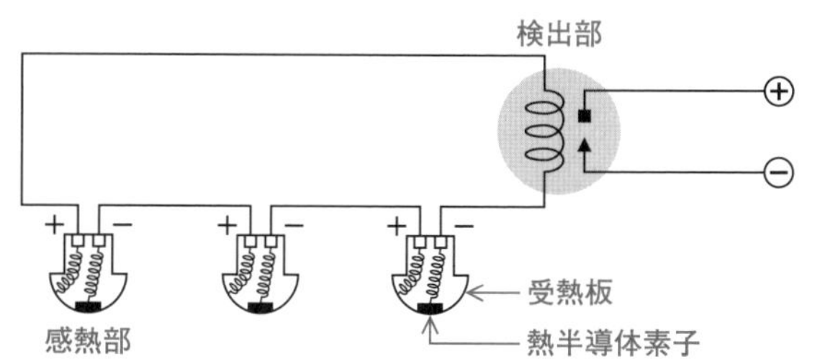

補足

試験コック
コックスタンドの試験コックは，感知器の点検を行うときに操作します。試験コックを回すと内部の配管が切り替わり，試験孔に試験用の機器を接続できるようになります。

補足

リーク抵抗
リーク孔から漏れる空気の抵抗。リーク抵抗が大きいと空気管から空気が逃げにくくなるため，空気管の圧力が上がりやすくなり，感知器の作動時間が短くなります。

補足

接点水高
接点の間隔を水位で表したもの。接点水高が大きいほど接点の間隔が広く，作動に時間がかかります。

3 定温式スポット型感知器

定温式は，周囲の温度が一定の温度以上になると作動する感知器です。作動温度は60℃～150℃の間で，80℃までは5℃刻み，80℃より上は10℃刻みとなります。スポット型感知器は，温度を一局所で検出します。

定温式スポット型感知器の構造には，以下のような種類があります。

①バイメタルによるもの

バイメタルとは，熱膨張率が異なる2枚の金属板を張り合わせたもので，温度の変化によって形が曲がる性質があります。火災によって温度が上昇すると，円形バイメタルのたわみが図のように反転し，接点が押し上げられて接触します。

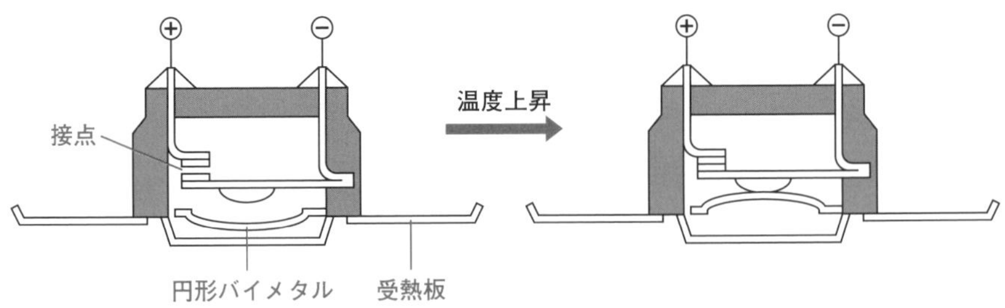

②温度検知素子によるもの

温度検知素子（サーミスタ）によって検知した温度を，電子回路で分析し，一定温度以上になると作動します。

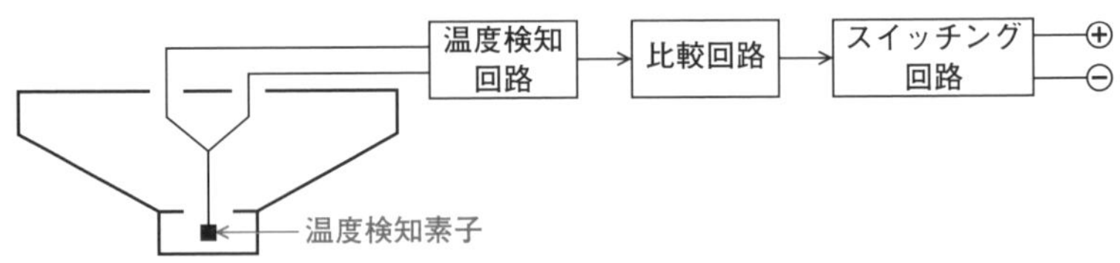

③金属の膨張係数の差を利用したもの

膨張係数の大きい金属を外筒にし，その内部に膨張係数の小さい金属板を図のように組み込みます。火災によって温度が上昇すると外筒が伸びて，内側の接点が接触する仕組みです。

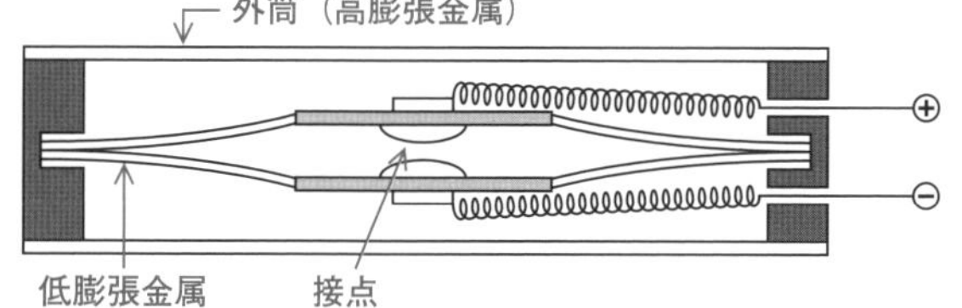

4 定温式感知線型感知器

定温式感知線型感知器は，温度が一定の温度以上になると作動するもので，電線を張りめぐらせたような形の感知器です。

絶縁物で被覆された２本のピアノ線をよりあわせたもので，火災が発生すると被覆が溶けてピアノ線同士が接触し，作動する仕組みになっています。そのため一度作動すると，再利用することができません。

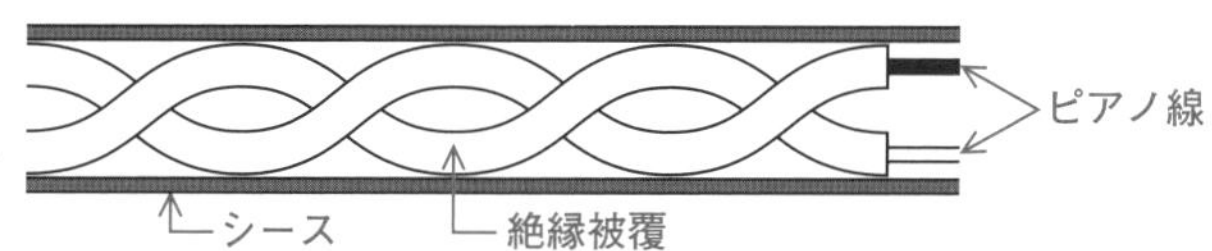

5 熱複合式スポット型感知器

熱複合式スポット型感知器は，差動式スポット型感知器と定温式スポット型感知器の機能を組み合わせたものです。感度の異なる複数の感知器によって，火災信号を何段階かに分けて発信します。

6 補償式スポット型感知器

補償式スポット型感知器は，差動式スポット型感知

補足

定温式スポット型感知器の例

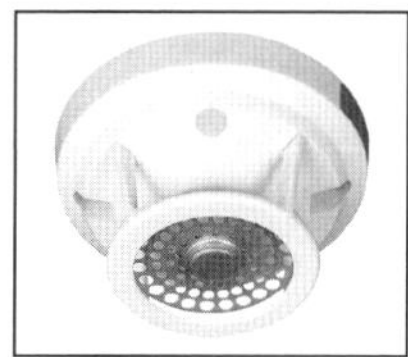

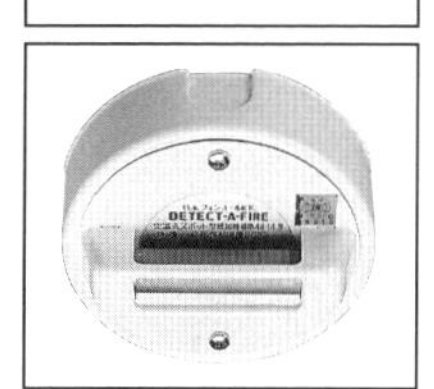

補足

熱複合式スポット型感知器は，二信号式受信機と組み合わせて用いられます。

器と定温式スポット型感知器の機能を組み合わせて，1つの火災信号を発信するものです。

差動式スポット型感知器は，温度上昇がゆっくりのときは作動しない場合があるため，これに一定の温度以上になったら作動する定温式の機能を組み合わせて，確実に火災を検出できるようにしています。

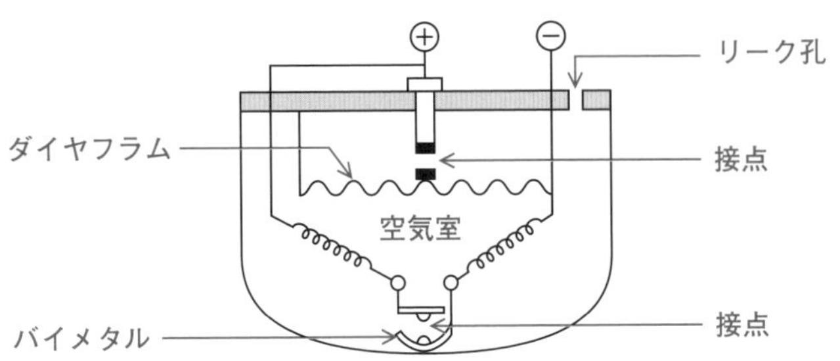

7 熱アナログ式スポット型感知器

熱アナログ式スポット型感知器は，温度が一定の範囲（公称感知温度範囲）内になると，その温度を**火災情報信号**で知らせる感知器です。

公称感知温度範囲は1℃刻みで，次のように規定されています。

上限値：60℃以上　165℃以下
下限値：10℃以上　（上限値－10）℃以下

煙感知器

煙感知器は，火災で生じる煙を感知して火災発生を知らせる感知器です。

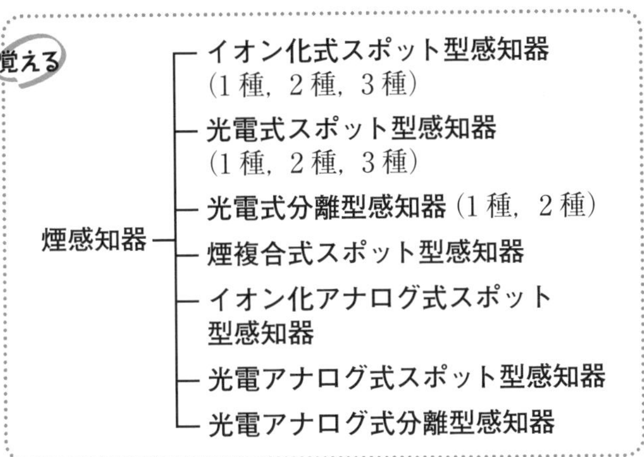

煙感知器は，イオン化式と光電式に大きく分かれます。

1 イオン化式スポット型感知器

イオン化式は，煙がイオン室内のイオンと結合して，電圧が変化するのを感知する方式です。イオン化式スポット型感知器は，この仕組みによって一局所の空気中の煙が一定濃度以上になったときに作動する感知器です。

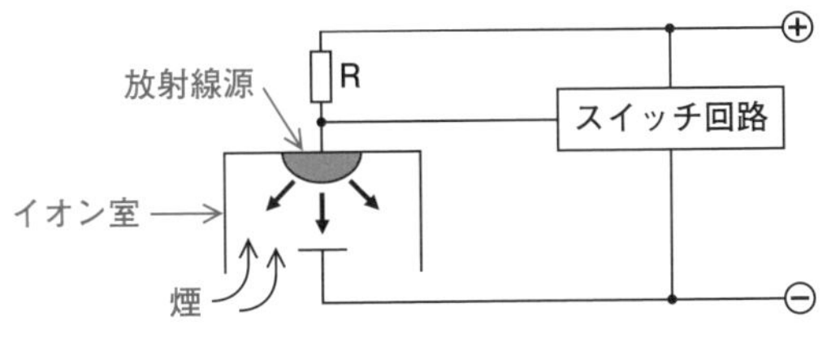

補足

スポット型煙感知器の例

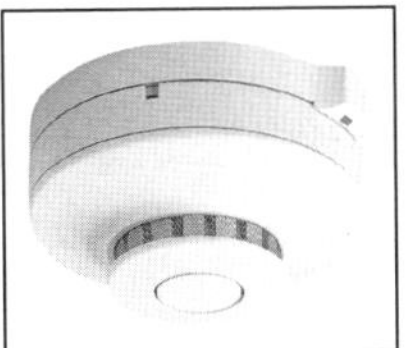

イオン室内は微量の放射性物質（アメリシウム241）によってイオン化されており，微弱なイオン電流が流れています。火災によって外部からイオン室に煙が入ると，イオンと煙の粒子が結合してイオン電流が減少するため，電圧が変化します。この変化が一定以上になるとスイッチング回路が作動して，火災信号が発信される仕組みになっています。

イオン化式スポット型感知器の構造は，次のような基準に従います。

- 原則として**作動表示装置**を設けること。
- 目開き1mm以下の網，円孔板等により**虫の侵入防止**のための措置を講ずること。

2 光電式スポット型感知器

光電式は，光電素子の受光量が煙によって変化するのを感知する方式です。光電式スポット型感知器は，この仕組みによって**一局所**の空気中の煙が一定濃度以上になったときに作動します。

図のように，暗箱の一方に光源を取り付け，その散乱光を光電素子によって受け取ります。暗箱に煙が侵入すると，光が散乱して受光量が変化します。この変化を電子回路で検出して，火災信号を発信します。

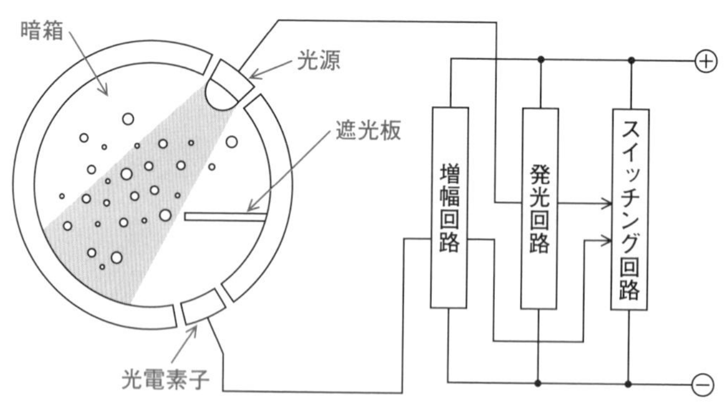

光電式スポット型感知器の構造は，次のような基準に従います。

- 光源は半導体素子とすること。
- 原則として**作動表示装置**を設けること。
- 目開き 1mm 以下の網，円孔板等により**虫の侵入防止**のための措置を講ずること。

3 光電式分離型感知器

光電式分離型感知器は，広範囲の煙の累積によって，光電素子の受光量が変化するのを感知して作動する煙感知器です。

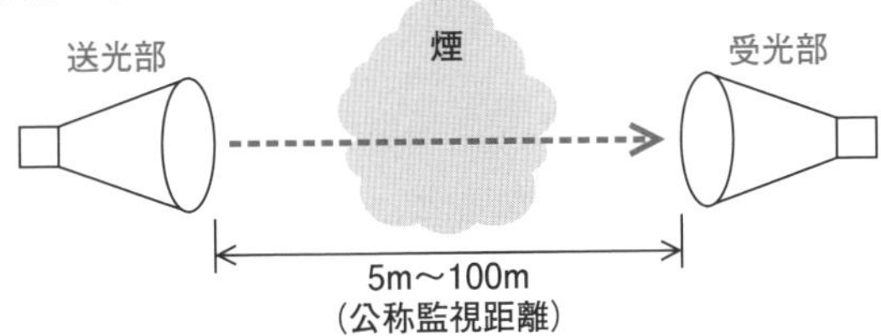

図のように，送光部と受光部とを 5 ～ 100m 離して設置し，送光部から出た光が累積した煙で遮（さえぎ）られ，受光量が減るのを感知します。光電式分離型感知器の構造については，次の基準に従います。

- 光源は**半導体素子**とすること。
- 原則として**作動表示装置**を設けること。

4 煙複合式スポット型感知器

煙複合式スポット型感知器は，イオン化式スポット型感知器の機能と，光電式スポット型感知器の機能をあわせ持ったものです。感度の異なる 2 つの感知器によって，火災信号を何段階かに分けて発信します。

補足

作動表示装置
感知器が火災信号を発信したことを表示するランプなどの装置。煙感知器には，原則として作動表示装置を設けます（受信機に感知器が信号を発信した旨を表示する機能がある場合を除く）。

補足

煙感知器の感度
イオン化式スポット型感知器，光電式スポット型感知器，光電式分離型感知器，煙複合式スポット感知器は，一定濃度の煙が投入されてから 30 秒以内に作動する必要があります。

5 イオン化アナログ式スポット型感知器

イオン化アナログ式スポット型感知器は，イオン化式スポット型感知器で，煙の濃度が一定の範囲（公称感知濃度範囲）になると，その量を火災情報信号で知らせることができる感知器です。

公称感知濃度範囲は0.1%刻みで，次のように規定されています。

上限値：15%以上　25%以下
下限値：1.2%以上　（上限値－7.5%）以下

6 光電アナログ式スポット型感知器

光電アナログ式スポット型感知器は，光電式スポット型感知器で，煙の濃度が一定の範囲（公称感知濃度範囲）になると，その量を火災情報信号で知らせることができる感知器です。

公称感知濃度範囲はイオン化アナログ式スポット型感知器と同じです。

7 光電アナログ式分離型感知器

光電アナログ式分離型感知器は，光電式分離型感知器で，煙の濃度が一定の範囲（公称感知濃度範囲）になると，その量を火災情報信号で知らせることができる感知器です。

公称感知濃度範囲はイオン化アナログ式スポット型感知器と同じです。

8 熱煙複合式スポット型感知器

熱煙複合式スポット型感知器は，熱感知器（差動式または定温式スポット型感知器）と煙感知器（光電式またはイオン化式スポット型感知器）の性能をあわせもつ感知器です。熱を感知したときと煙を感知したときに，それぞれ火災信号を発信します。

炎感知器

炎感知器は，火災で生じる炎を感知して火災発生を知らせる感知器です。

炎感知器
- **紫外線式スポット型感知器**
- **赤外線式スポット型感知器**
- **紫外線赤外線併用式スポット型感知器**
- **炎複合式スポット型感知器**

炎感知器は，大きく**紫外線式**と**赤外線式**に分かれます。両者の違いは主に検出素子の違いで，その他の機能はほとんど同じです。また，炎感知器にはスポット型（一局所のみを感知する）しかありません。

炎感知器は，次のような基準に従います。

補足

炎感知器の例

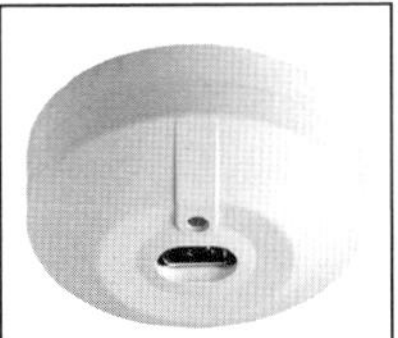

- 受光素子は，感度の劣化や疲労現象が少なく，かつ，長時間の使用に十分耐えること。
- 検知部の清掃を容易に行うことができること。
- 原則として**作動表示装置**を設けること。
- 汚れ監視型のものにあっては，検知部に機能を損なうおそれのある汚れが生じたとき，これを受信機に自動的に送信することができること。
- 屋内型のものは，通電状態において，白熱ランプ及び蛍光灯を用い，照度5000ルクスの外光を5分間照射したとき，火災信号を発信しないものであること（誤作動を防ぐため）。
- **公称監視距離**は視野角5度ごとに定め，20m未満の場合は1m刻み，20m以上の場合は5m刻みとする。
- 道路型のものは，**最大視野角**が**180度以上**でなければならない。

1 紫外線式スポット型感知器

紫外線式スポット型感知器は，炎から放射される紫外線を検出し，紫外線による受光量の変化が一定以上になると火災信号を発信する感知器です。

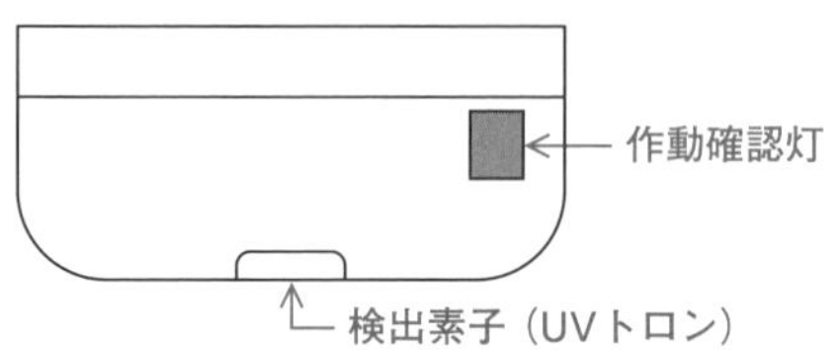

2 赤外線式スポット型感知器

赤外線式スポット型感知器は，炎から放射される赤外線を検出し，赤外線による受光量の変化が一定以上になると火災信号を発信する感知器です。

3 紫外線赤外線併用式スポット型感知器

紫外線赤外線併用式スポット型感知器は，炎から放射される紫外線と赤外線の両方が一定量以上になると火災信号を発信する炎感知器です。

4 炎複合式スポット型感知器

紫外線スポット型感知器の機能と，赤外線スポット型感知器の機能をあわせもった炎感知器です。紫外線または赤外線のどちらかを一定量以上検出すると，火災信号を発信します。

発信機

1 発信機の種類

発信機は，火災が発生したときに，人間が手動で火災信号を発信する装置です。

発信機は，大きくＰ型とＴ型に分けられます。Ｐ型にはさらにＰ型１級とＰ型２級とがあります。

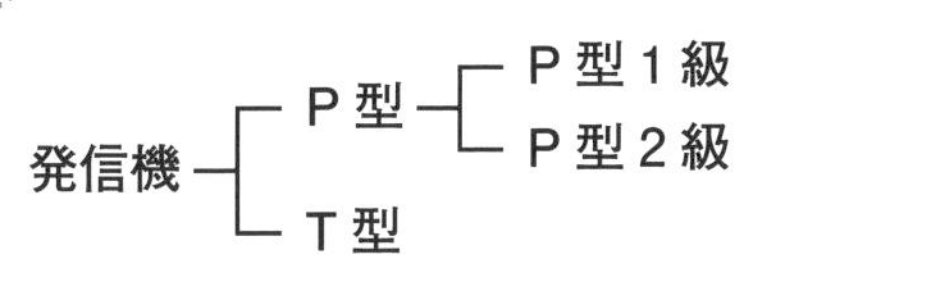

2 Ｐ型発信機

Ｐ型発信機は，マンションやオフィスビルなどでよく見かけるタイプです。正確には「火災信号の発信と同時に通話ができないもの」をいい，Ｐ型１級とＰ型２級の２種類があります。

Ｐ型１級とＰ型２級は，確認ランプと電話ジャックがあるかどうかの違いです。

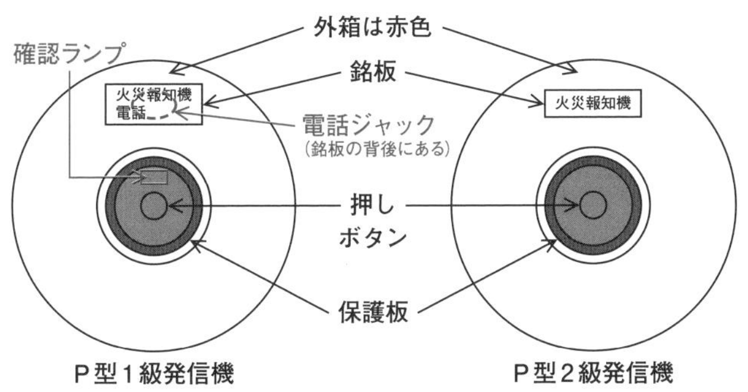

補足

UVトロン
紫外線（UV）を検出するセンサー。

確認ランプ　　火災信号が受信機に届いたことを確認するランプ。
電話ジャック　送受話器を接続し，受信機との間で相互に連絡する。

このほか，Ｐ型１級，Ｐ型２級発信機に共通する構造・機能は，次のとおりです。

①火災信号は，押しボタンスイッチを押したときに伝達されること。
②押しボタンスイッチが，押すと自動的に元に戻らない構造になっている場合は，スイッチを元の位置に戻す操作を忘れないための措置を講ずること。
③押しボタンスイッチは前方に保護板を設け，その保護板を破壊し，または押し外すことにより，容易に押すことができること。
④保護板は，透明の**有機ガラス**（プラスチック製のガラス）を用いること。
⑤外箱の色は**赤色**であること。

一般に，Ｐ型１級発信機はＰ型１級受信機と，Ｐ型２級発信機はＰ型２級受信機と組み合わせて用いられます。

3 Ｔ型発信機

Ｔ型発信機は，送受話器を取り上げて火災信号を発信するもので，発信と同時に受信機と通話できるのが特徴です。Ｔ型発信機は，現在ではほとんど用いられていません。

中継器

中継器は，感知器や発信機などから信号を受信し，これを受信機などに送信する装置です。中継器の構造・機能に関する主な規格についてまとめておきます。

①定格電圧が60Vを超える中継器の金属製外箱には，**接地端子**を設けること。

②地区音響装置を鳴動させる中継器は，**受信機で操作**しない限り，鳴動を継続させること。

③火災信号，火災表示信号，火災情報信号，ガス漏れ信号に影響を与えるおそれのある操作機構を設けないこと。

④信号の受信開始から発信開始までの所要時間は，**5秒以内**とすること。

⑤蓄積式中継器の蓄積時間は，**5秒を超え60秒以内**であること（発信機からの信号を受信した場合は，蓄積機能を解除する）。

⑥中継器から**外部負荷に電力を供給**する場合は，その回路に保護装置（ヒューズ，ブレーカ）を設け，保護装置が作動したときは，受信機に作動信号を送るようにすること。

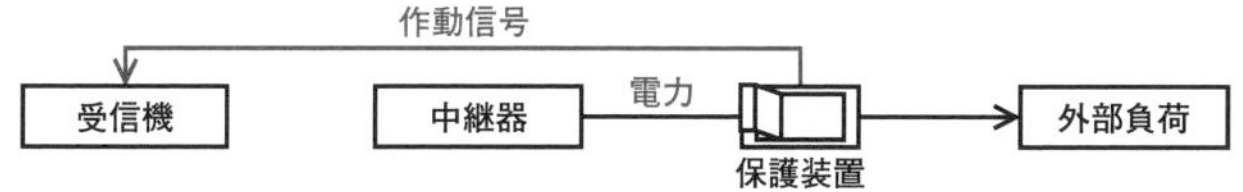

⑦中継器自体に電源がある場合は，**予備電源**を設けること。また，主電源回路の両線と予備電源回路の１線に保護装置を設け，保護装置が作動したときは，受信機に作動信号を送るようにすること。ただし，ガス漏れ火災警報設備の中継器には，予備電源は必要ない。

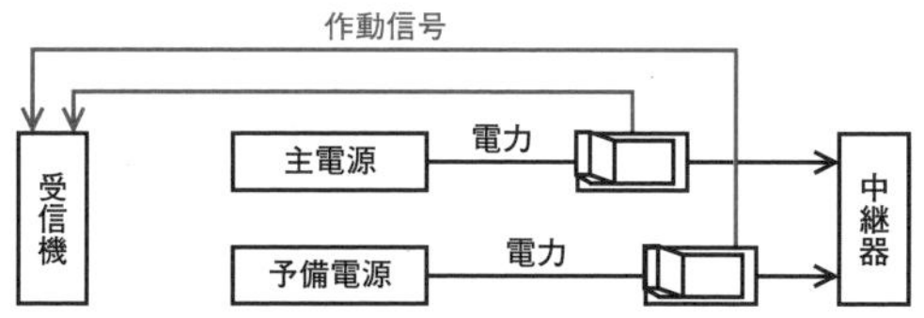

チャレンジ問題

［解説］186 ページ　［解答一覧］191 ページ

問 1　難　中　易

火災により生じる熱を利用して火災の発生を感知する感知器として，誤っているものは次のうちどれか。

(1)　差動式スポット型感知器

(2)　補償式スポット型感知器

(3)　紫外線式スポット型感知器

(4)　定温式感知線型感知器

問 2　難　中　易

差動式スポット型感知器の説明として，規格省令上正しいものは次のうちどれか。

(1)　周囲の温度の上昇率が一定の率以上になったときに火災信号を発信するもので，一局所の熱効果により作動するもの

(2)　周囲の温度の上昇率が一定の率以上になったときに火災信号を発信するもので，広範囲の熱効果の累積により作動するもの

(3)　一局所の周囲の温度が一定の温度以上になったときに火災信号を発信するもので，外観が電線状以外のもの

(4)　周囲の空気が一定の濃度以上の煙を含むに至ったときに火災信号を発信するもので，一局所の煙によるイオン電流の変化により作動するもの

問 3　難　中　易

差動式分布型感知器（空気管式）の性能に関する記述として，誤っているものは次のうちどれか。

(1)　リーク抵抗が規定値より大きいと，作動時間は長くなる。

(2) 接点水高が規定値より高いと，作動時間は長くなる。

(3) ダイヤフラムに漏れがあると，作動時間は長くなる。

(4) リーク孔にほこりなどが詰まっていると，非火災報が発生する原因となる。

問４

難 中 **易**

差動式分布型感知器で空気管式のものの構造及び機能について，規格省令上誤っているものは次のうちどれか。

(1) リーク抵抗及び接点水高を容易に試験することができること。

(2) 空気管は，１本の長さが 20m 以上で，内径及び肉厚が均一であり，その機能に有害な影響を及ぼすおそれのある傷，割れ，ねじれ，腐食等を生じないこと。

(3) 空気管の肉厚は 0.3mm 以上であること。

(4) 空気管の内径は 1.94mm 以上であること。

問５

難 中 **易**

定温式スポット型感知器の公称作動温度として，正しいものは次のうちどれか。

(1) 40℃以上 100℃以下

(2) 50℃以上 120℃以下

(3) 60℃以上 150℃以下

(4) 70℃以上 165℃以下

問６

難 中 **易**

差動式スポット型感知器と補償式スポット型感知器の構造上の共通事項として，誤っているものは次のうちどれか。ただし，温度検知素子を利用したものは除くものとする。

(1) リーク孔

(2) ダイヤフラム

(3) 空気室

(4) バイメタル

問7 難 中 易

熱アナログ式スポット型感知器に関する記述で，正しいものは次のうちどれか。

(1) 一局所の周囲の温度が一定の範囲内になったときに当該温度に対応する火災表示信号を発信するもので，外観が電線状以外のものをいう。

(2) 公称感知温度範囲の上限値は，60℃以上，165℃以下とする。

(3) 公称感知温度範囲の下限値は，0℃以上，上限値より10℃低い温度以下とする。

(4) 公称感知温度範囲の値は5℃刻みとする。

問8 難 中 易

イオン化式スポット型感知器のイオン室で一般に用いられている放射線源はどれか。

(1) イッテルビウム

(2) アメリシウム

(3) ネオジム

(4) セシウム

問9 難 中 易

光電式スポット型感知器の作動時間として，正しいものは次のうちどれか。

(1) 20秒

(2) 30秒

(3) 40秒

(4) 50秒

•問 10•

難 中 易

光電式分離型感知器の構造について，規格省令上誤っているものは次のうちどれか。

(1) 光源は，白熱電球とすること。
(2) 公称監視距離は 5m 以上 100m 以下とすること。
(3) 目開き 1mm 以下の網，円孔板等により虫の侵入防止のための措置を講ずること。
(4) 原則として作動表示装置を設けること。

•問 11•

難 中 易

規格省令上，作動表示装置を設けなければならない感知器として，誤っているものは次のうちどれか。ただし，当該感知器が信号を発信した旨を表示する受信機に接続することができるものを除く。

(1) イオン化式スポット型感知器
(2) 光電式スポット型感知器
(3) 差動式スポット型感知器
(4) 赤外線式スポット型感知器

•問 12•

難 中 易

炎感知器の構造及び機能について，規格省令上誤っているものは次のうちどれか。

(1) 受光素子は，感度の劣化や疲労現象が少なく，かつ，長時間の使用に十分耐えること。
(2) 検知部の清掃を容易に行うことができること。
(3) 汚れ監視型のものにあっては，検知部に機能を損なうおそれのある汚れが生じたとき，これを受信機に自動的に送信することができること。
(4) 屋内型のものは，通電状態において，白熱ランプ及び蛍光灯を用い，照度 5000 ルクスの外光を 5 分間照射したとき，火災信号を発信するものであること。

問 13 難 **中** 易

炎感知器の構造及び機能について，規格省令上正しいものは次のうちどれか。

(1) 紫外線赤外線併用式スポット型感知器は，紫外線式スポット型感知器の性能と赤外線式スポット型感知器の性能を併せもつものをいう。

(2) 炎感知器には，作動表示装置を設けなくてもよい。

(3) 炎感知器の公称監視距離は，視野角 5 度ごとに定めるものとし，20m 未満の場合は 5m 刻み，20m 以上の場合は 10m 刻みとする。

(4) 道路型の炎感知器は，最大視野角が 180 度以上でなければならない。

問 14 難 中 **易**

感知器の基板面を取付け定位置から傾斜させても，当該感知器の機能に異常を生じない傾斜角度の最大値として，規格省令上誤っているものは次のうちどれか。

(1) 差動式スポット型感知器にあっては，45 度

(2) 差動式分布型感知器（検出部に限る）にあっては，5 度

(3) 光電式分離型感知器にあっては，45 度

(4) 炎感知器にあっては，90 度

問 15 難 **中** 易

P 型 1 級発信機及び P 型 2 級発信機の構造及び機能について，規格省令上誤っているものは次のうちどれか。

(1) 火災信号は，押しボタンスイッチが押されたときに伝達されること。

(2) 押しボタンスイッチは，その前方に保護板を設け，その保護板を破壊し，又は押し外すことにより，容易に押すことができること。

(3) 保護板は，透明の無機ガラス又は有機ガラスを用いること。
(4) 押しボタンスイッチを押した後，当該スイッチが自動的に元の位置に戻らない構造の発信機にあっては，当該スイッチを元の位置に戻す操作を忘れないための措置を講ずること。

問 16　難　中　易

P型２級発信機の構造及び機能について，規格省令上正しいものは次のうちどれか。

(1) 外箱の色は，赤色であること。
(2) 火災信号を伝達したとき，受信機が当該信号を受信したことを確認することができる装置を有すること。
(3) 火災信号の伝達に支障なく，受信機との間で，相互に電話連絡をすることができる装置を有すること。
(4) 火災信号は，送受話器を取り上げたときに伝達されること。

問 17　難　中　易

中継器の構造及び機能について，規格省令上誤っているものは次のうちどれか。

(1) 中継器の受信開始から発信開始までの所要時間は，5秒以内でなければならない。
(2) 定格電圧が60Vを超える中継器の金属製外箱には，接地端子を設けること。
(3) 地区音響装置を鳴動させる中継器にあっては，地区音響装置の鳴動を停止するスイッチを設けること。
(4) 検知器，受信機または他の中継器から電力を供給される方式の中継器であって，外部負荷に電力を供給する方式のものにあっては，外部負荷に電力を供給する回路にヒューズ，ブレーカその他の保護装置を設けなければならない。

解 説

問1 感知器は，大きく熱感知器，煙感知器，炎感知器の３種類に分かれます。

○（1）差動式スポット型感知器は，温度上昇を感知する熱感知器です。

○（2）補償式スポット型感知器は，差動式と定温式の両方の性能を備えた熱感知器です。

×（3）紫外線式スポット型感知器は，炎から生じる紫外線を感知する炎感知器です。

○（4）定温式感知線型感知器は，一定の温度になると作動する熱感知器です。

解答（3） **参照** 164ページ

問2 差動式感知器は，温度の上昇率が一定の率以上になったことを感知して火災信号を発信する熱感知器です。

差動式感知器にはスポット型と分布型があり，スポット型は「一局所」の熱を感知するのが特徴です。

○（1）差動式スポット型感知器の説明です。

×（2）差動式分布型感知器の説明です。

×（3）定温式スポット型感知器の説明です。

×（4）イオン化式スポット型感知器の説明です。

解答（1） **参照** 164ページ

問3

×（1）リーク抵抗が大きいと，空気管から空気が逃げにくくなるため，空気管の圧力が上がりやすくなり，作動時間は短くなります。

○（2）接点水高は，接点が閉じるまでの間隔を表します。接点水高が高いほど接点間の距離が長いので，作動時間は長くなります。

○（3）ダイヤフラムから空気が漏れていると，空気管の圧力が上がりにくくなるため，作動時間は長くなります。

○ (4) リーク孔が詰まっているとリーク抵抗が高くなり，作動時間が短くなります。これは，非火災報（誤報）が発生する原因となります。

解答 (1) **参照** 166ページ

問4 空気管式の差動式分布型感知器については，次のような規定があります。

- リーク抵抗及び接点水高を容易に試験することができること。
- 空気管の漏れ及びつまりを容易に試験することができ，かつ，試験後試験装置を定位置に復する操作を忘れないための措置を講ずること。
- 空気管は，1本（継ぎ目のないものをいう）の長さが20m以上で，内径及び肉厚が均一であり，その機能に有害な影響を及ぼすおそれのある傷，割れ，ねじれ，腐食等を生じないこと。
- 空気管の肉厚は0.3mm以上であること。
- 空気管の外径は1.94mm以上であること。

空気管は，内径ではなく，外径が1.94mm以上でなければなりません。

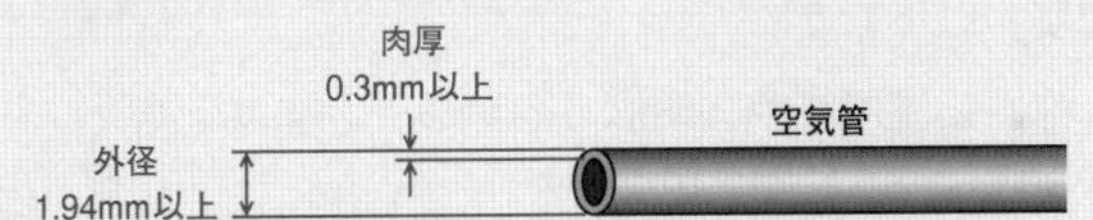

解答 (4) **参照** 166ページ

問5 定温式スポット型感知器の公称作動温度の範囲は，**60℃以上150℃以下**で，80℃以下は5℃刻み，80℃超は10℃刻みと定められています。この範囲は，定温式感知線型感知器や熱複合式スポット型感知器でも同様です。

解答 (3) **参照** 168ページ

問6 補償式スポット型感知器は，差動式スポット型感知器の性能と定温式スポット型感知器の性能をあわせもっています。

選択肢のうち，（1）リーク孔，（2）ダイヤフラム，（3）空気室は，いずれも空気の膨張を利用して温度の上昇を感知するもので，差動式スポット型感知器の構成要素です。

一方，（4）バイメタルは定温式スポット型感知器の構成要素なので，補償式スポット型感知器にはありますが，差動式スポット型感知器にはありません。したがって，（4）が正解です。

解答（4） **参照** 169 ページ

問7

× （1）熱アナログ式スポット型感知器は，一局所の周囲の温度が一定の範囲内の温度になったとき，その温度に対応する火災情報信号を発信するものです。

○ （2）正しい記述です。

× （3）公称感知温度範囲の下限値は，10℃以上「上限値より 10℃低い温度」以下です。

× （4）公称感知温度範囲の値は 1℃刻みとします。

解答（2） **参照** 170 ページ

問8 イオン化式スポット型感知器は，イオン室内の空気を放射線源によってイオン化して微弱なイオン電流を流し，流入した煙によってイオン電流が変化するのをとらえて煙を感知します。放射線源には**アメリシウム 241** という物質が用いられています。

解答（2） **参照** 172 ページ

問9 光電式スポット型感知器は，一定濃度の煙が投入されてから **30 秒以内**に作動する必要があります。

なお，イオン化式スポット型感知器，光電式分離型感知器の作動時間も同様です。

解答（2） **参照** 173ページ

問 10 光電式分離型感知器の光源には，白熱電球ではなく，**半導体素子**を用います。

なお，煙感知器の構造に関する規定には，次のものがあります。

- 光電式感知器または光電アナログ式感知器の光源には，**半導体素子**とすること。
- 原則として**作動表示装置**を設けること。
- 目開き 1mm 以下の網，円孔板等により虫の侵入防止のための措置を講ずること。

解答（1） **参照** 173ページ

問 11 煙感知器と炎感知器には，原則として作動表示装置（作動確認灯）を設けます。熱感知器（差動式スポット型感知器）については，作動表示装置に関する規定はありません。

解答（3） **参照** 173ページ

問 12 （1）～（3）は正しい記述です。（4）は，外光を炎と誤認して火災信号を発信しないようにするための規定なので，「火災信号を発信するものであること」の部分が誤りです。正しくは「火災信号を発信しないものであること」となります。

解答（4） **参照** 175ページ

問 13

× （1）紫外線赤外線併用式スポット型感知器は，炎から照射される紫外線及び赤外線の変化が一定の量以上になったときに火災信号を発信するものです。

×（2）原則として作動表示装置を設けます。

×（3）公称監視距離は視野角５度ごとに定めるものとし，20m 未満の場合は 1m 刻み，20m 以上の場合は 5m 刻みとします。

○（4）正しい記述です。

解答（4） **参照** 175 ページ

問 14 感知器は，ある程度傾斜して取り付けても正常に機能するように，種類ごとに最大の傾斜角度が定められています。

・スポット型感知器（炎感知器を除く） → 45 度
・差動式分布型感知器の検出部 → 5 度
・光電（アナログ）式分離型感知器 → 90 度
・炎感知器 → 90 度

解答（3） **参照** 201 ページ

問 15 押しボタンスイッチの前方に設ける保護板には透明の有機ガラスを用い，無機ガラスは使用できません。

解答（3） **参照** 178 ページ

問 16

○（1）正しい記述です。P 型発信機の外箱は赤色にします。

×（2）確認ランプは，P 型２級発信機には必要ありません。

×（3）電話ジャックは，P 型２級発信機には必要ありません。

×（4）送受話器を取り上げると火災信号が発信されるのは，T 型発信器の機能です。

解答（1） **参照** 178 ページ

問 17 地区音響装置を鳴動させる中継器は，受信機において操作しない限り，地区音響装置の鳴動を継続させなければなりません。

解答 (3) **参照** 179 ページ

解答

問 1 (3)	問 6 (4)	問 11 (3)	問 16 (1)
問 2 (1)	問 7 (2)	問 12 (4)	問 17 (3)
問 3 (1)	問 8 (2)	問 13 (4)	
問 4 (4)	問 9 (2)	問 14 (3)	
問 5 (3)	問 10 (1)	問 15 (3)	

2 自動火災報知設備の設置基準

まとめ＆丸暗記　この節の学習内容とまとめ

□ 警戒区域の設定

【原則】1つの警戒区域は，①面積 600m² 以下，②一辺が 50m 以下，③2以上の階にわたらないこと

【例外】内部が見通せる場合は面積 1000m² 以下，光電式分離型感知器を設置する場合は一辺が 100m 以下，合計面積 500m² 以下なら2つの階にわたってもよい

□ 煙感知器を設置する場所

①階段・傾斜路
②特定防火対象物などの廊下・通路
③たて穴区画
④特定防火対象物などの地階・無窓階・11 階以上
⑤カラオケボックスなどの個室
⑥天井の高さが 15m 以上 20m 未満

□ 煙感知器を設置できない場所

①じんあい，微粉が滞留する場所
②水蒸気が滞留する場所
③腐食性ガスが発生する場所
④煙が滞留する場所
⑤高温になる場所
⑥排気ガスが滞留する場所
⑦煙が流入する場所
⑧結露が発生する場所
⑨火炎が露出するものがある場所

□ 感知面積

単位：m²

取付け面の高さ		差動式スポット型 1種	差動式スポット型 2種	定温式スポット型 特種	定温式スポット型 1種	定温式スポット型 2種	煙感知器 1種	煙感知器 2種	煙感知器 3種
4m 未満	耐火構造	90	70	70	60	20	150	150	50
	その他	50	40	40	30	15			
4m 以上 8m 未満	耐火構造	45	35	35	30	／	75	75	／
	その他	30	25	25	15	／			／
8m 以上 15m 未満		／	／	／	／	／			／
15m 以上 20m 未満		／	／	／	／	／		／	／

□ 差動式分布型感知器（空気管式）

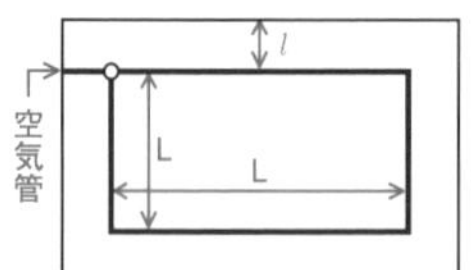

l：1.5m 以内
L：耐火構造 9m 以下
　　その他　6m 以下

□ 光電式分離型感知器

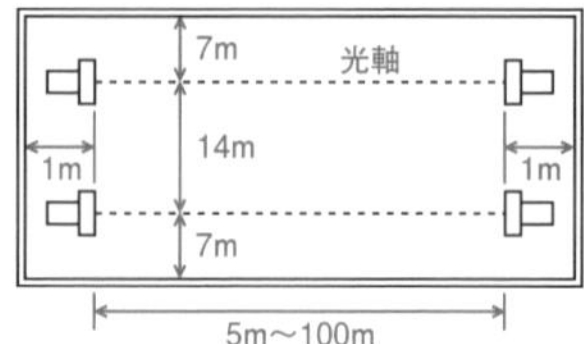

警戒区域

1 警戒区域とは

警戒区域は，「火災の発生した区域を他の区域と区別して識別することができる最小単位の区域」です。自動火災報知設備では，警戒区域ごとに感知器の回線を引いておきます。火災表示を受信したときに，どの回線から発信されたかを調べれば，どの警戒区域で火災が発生したのかがわかる仕組みです。

2 警戒区域の設定

警戒区域は，次のように設定します。

覚える

原則	例外
①1つの警戒区域は，面積600m^{2}以下，一辺の長さ50m以下とすること	・主要な出入口から内部を見通せる場合は1000m^{2}以下でもよい ・光電式分離型感知器を設置する場合は一辺が100m以下でもよい
②2以上の階にわたらないこと	・2つの階にわたり，面積が500m^{2}以下の場合 ・たて穴区画（階段，傾斜路，エレベーターの昇降路，リネンシュート，パイプダクトなど）に煙感知器を設ける場合

①面積600m^{2}以下，一辺の長さ50m以下とする

例外として，体育館や倉庫のように，出入口から内部を見通せる場合は，面積1000m^{2}以下までを1つの警戒区域に設定できます。

補足

警戒区域の図記号

自動火災報知設備の警戒区域には，①，②といった丸数字の番号を付けます。また，階段などのたて穴区画には，

のように，円の上半分に区画名を記入します。

また，光電式分離型感知器を設置する場合は，一辺の長さを100mまで伸ばせます。

面積600m^{2}以下で，一辺の長さが50m以下の場合は，1つの警戒区域となる。

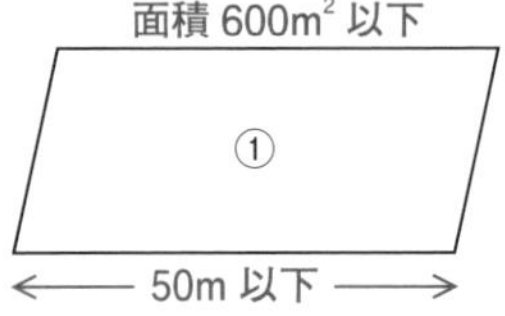

一辺の長さが50mを超える場合は50m以下になるように区分する。

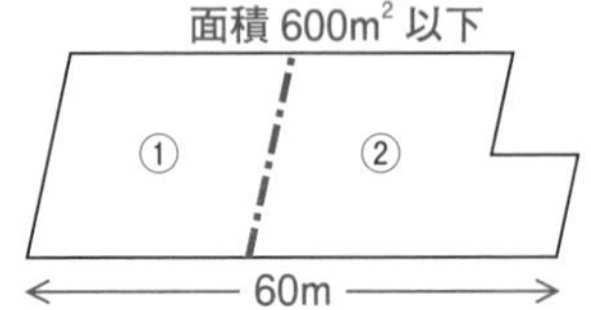

主要な出入口から見通せる場合は面積1000m^{2}までを1つの警戒区域にできる。

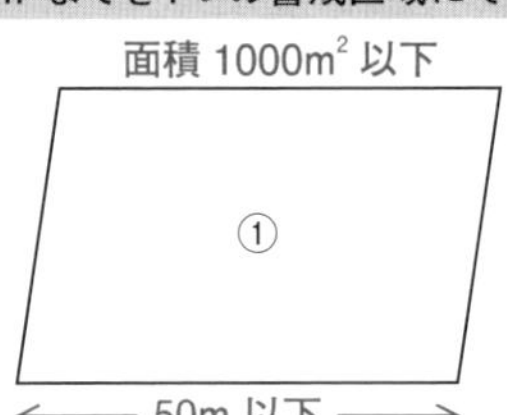

光電式分離型感知器を設ける場合は，一辺の長さを100m以下にできる。

② 2以上の階にわたらないこと

原則として，1階と2階といった上下の階にまたがって警戒区域を設定することはできません。

ただし，面積の合計が500m^{2}以下の場合は，例外として2つの階にまたがって設定できます。

また，階段やエレベーター昇降路のような，もともと縦方向に作られている区画（たて穴区画）は，例外としてひとつの警戒区域にします。

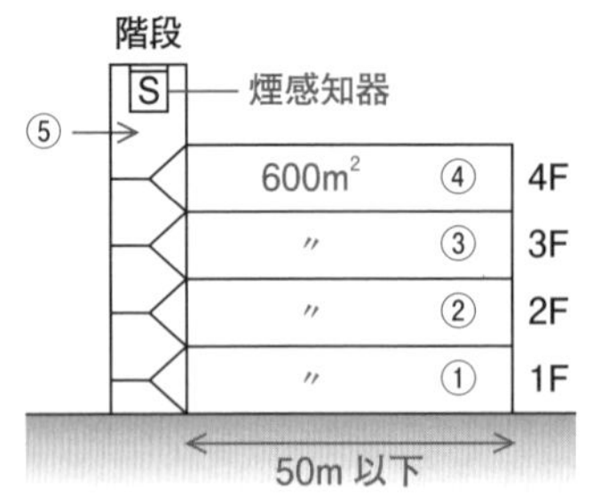

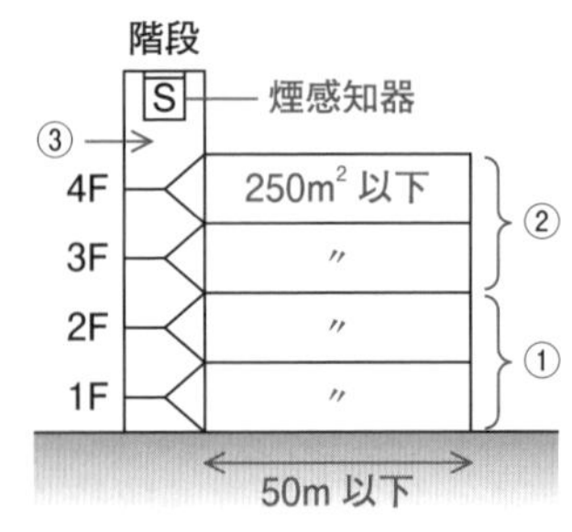

面積が合計500m^{2}以下の場合は，2つの階にわたって1つの警戒区域にできる。

なお，たて穴区画については，さらに次のような例外があります。

- 水平距離50m以下の範囲内に複数の階段やエレベータ昇降路などがある場合は，それらをまとめて1つの警戒区域に設定できます。

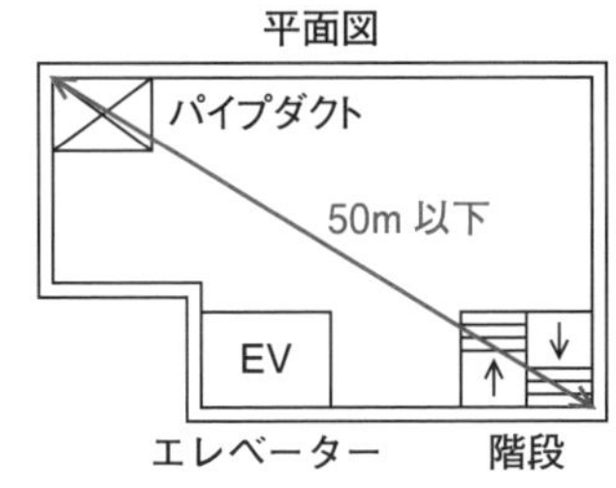

- 階段は，地下1階までは地上部分と同一の警戒区域にできますが，地階が2以上ある場合は，地上部分と別の警戒区域にします。

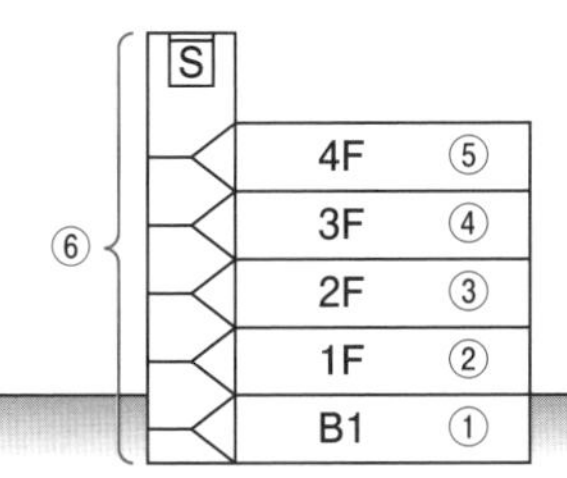

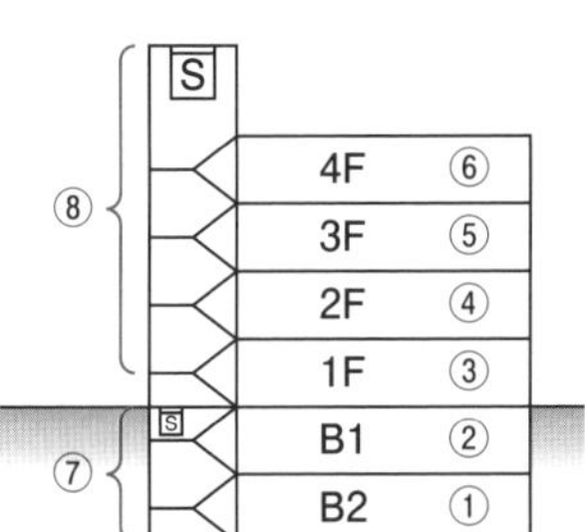

- 高層建築物で階数が多い場合は，地上階を45mごとに区切って警戒区域を設定します。

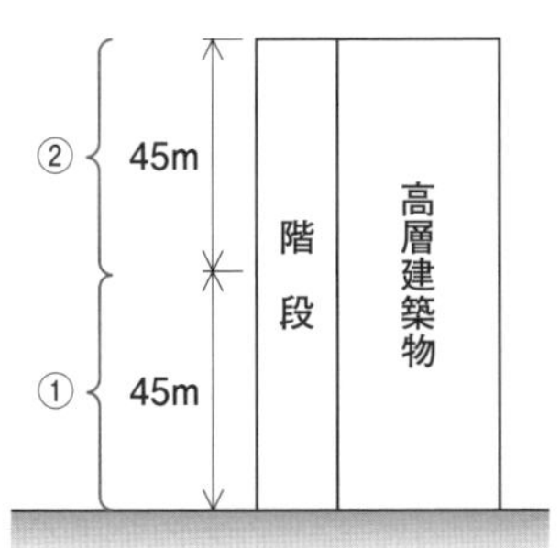

補足

屋根裏（小屋裏）がある場合

屋根裏や小屋裏は，その下の階と一体のものとして考えます。
たとえば次の場合は，屋根裏を2階の一部に含めて，2階の面積を300m²とします。

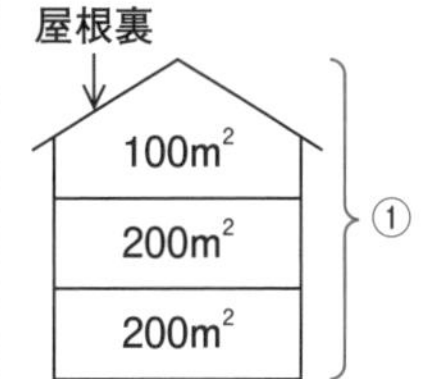

1階と2階の面積とあわせて500m²以下になるので，全体を1つの警戒区域にできます。

感知器の設置（共通事項）

1 感知器を取り付ける場所

感知器は，天井または壁の屋内に面する部分，および天井裏の部分に，有効に火災の発生を感知できるように設けること，と定められています。

ただし，次のような場所では，設置を省略できます。

①取付け面の高さが20m以上の場所（炎感知器を除く）
②上屋その他外部の気流が流通する場所で，感知器によっては火災の発生を有効に感知できないもの（炎感知器を除く）
③天井と上階の床との間の距離が0.5m未満の天井裏
④主要構造部分を耐火構造とする建築物の天井裏
⑤便所，浴室及びこれらに類する場所

①取付け面の高さが20m以上の場所や，②外部の気流が流通する場所（立体駐車場など）では，熱感知器や煙感知器が有効に作動しない可能性があります。これらの場所には，炎感知器を設置します。

2 煙感知器を設置しなければならない場所

炎感知器は，特に必要な場所以外ではあまり使いません。そのため感知器を設置するときは，ほとんどの場合，熱感知器か煙感知器のどちらかから選ぶことになります。

感知器を選ぶときの大原則として，まずは「**煙感知器が必要かどうか**」を確認します。次のような場所には熱感知器を使用できないので，煙感知器を設置することになります（熱煙複合式スポット型感知器や炎感知器を選べる場合もありますが，一般的には光電式スポット型などの煙感知器を使います）。

設置場所	感知器の種別
階段・傾斜路	煙
特定防火対象物や共同住宅など（※1）の廊下・通路	煙 または 熱煙
エレベーターの昇降路，リネンシュート，パイプダクト等	煙
特定防火対象物など（※2）の地階・無窓階・11 階以上の部分	煙 熱煙 炎 のいずれか
カラオケボックスなど（※3）の個室	煙 または 熱煙
感知器を取り付ける天井等の高さが 15m 以上 20m 未満	煙 または 炎
感知器を取り付ける天井等の高さが 20m 以上	炎

煙 煙感知器

炎 炎感知器

熱煙 熱煙複合式スポット型感知器

廊下や通路に煙感知器が必要な防火対象物は，特定防火対象物以外に共同住宅，公衆浴場，工場，事務所ビル等です。学校や図書館は含まれないので注意しましょう。

3 煙感知器を設置できない場所

煙感知器は，ほこりや水蒸気などが多い場所では誤報を発するおそれがあります。そのため，次のような場所には煙感知器を設置せず，代わりに熱感知器（一部は炎感知器でも可）を設置します。

熱感知器も，場所によって設置できる種類とできない種類があるので注意します。

補足

特定防火対象物

不特定多数の人が出入りする施設や，病院・幼稚園など避難が難しい人のいる施設。具体的には，124 ページ表の(1)～(4)項，(5)項イ，(6)項，(9)項イ，(16)項イ，(16の2)項，(16の3)項に掲げるもの。

補足

左表の※１～※３は，以下の防火対象物が該当します。

※１
124 ページ表の(1)～(6)項，(9)項，(12)項，(15)項，(16)項イ，(16の2)項，(16の3)項に掲げる防火対象物。

※２
124 ページ表の(1)～(4)項，(5)項イ，(6)項，(9)項イ，(15)項，(16)項イ，(16の2)項，(16の3)項に掲げる防火対象物。

※３
遊興のための設備または物品を客に利用させる役務の用に供する個室で，124 ページ表の(2)項ニ（複合用途防火対象物，地下街，準地下街で，(2)項ニの用に供される部分を含む）に掲げる防火対象物。

設置場所		適応熱感知器					炎感知器
環境状態	具体例	定温式スポット型	差動式スポット型	差動式分布型	補償式スポット型	熱アナログ式スポット型	
じんあい，微粉等が多量に滞留する場所	ごみ集積所，荷捌所，塗装室，紡績・製材・石材等の加工場など	○	○	○	○	○	○
水蒸気が多量に滞留する場所	蒸気洗浄室，脱衣室，湯沸室，消毒室など	○（防水）	×	2種のみ	2種のみ（防水）	○（防水）	×
腐食性ガスが発生するおそれのある場所	メッキ工場，バッテリー室，汚水処理場など	○（耐酸など）	×	○	○（耐酸など）	○（耐酸など）	×
厨房その他正常時において煙が滞留する場所	厨房室，調理室，溶接作業所など	○（※1）	×	×	×	○（※1）	×
著しく高温となる場所	乾燥室，殺菌室，ボイラー室，鋳造場，映写室，スタジオなど	○	×	×	×	○	×
排気ガスが多量に滞留する場所	駐車場，車庫，荷物取扱所，車路，自家発電室，トラックヤード，エンジンテスト室など	×	○	○	○	○	○
煙が多量に流入するおそれのある場所	配膳室，厨房の前室，厨房内にある食品庫，ダムウエーター，厨房周辺の廊下及び通路，食堂など	○	○	○	○	○	×
結露が発生する場所	スレートまたは鉄板で葺いた屋根の倉庫・工場，パッケージ型冷却機専用の収納室，密閉された地下倉庫，冷凍室の周辺など	○（防水）	×	○	○（防水）	○（防水）	×
火を使用する設備で火炎が露出するものが設けられている場所	ガラス工場，キューポラのある場所，溶接作業所，厨房，鋳造所，鍛造所など	○	×	×	×	○	×

○：設置できる　×：設置できない　　※1　高湿度となるおそれがある場合は防水型を使用

4 取付け面の高さに応じた感知器の種別

感知器は，取付け面の高さによって設置できる種別が決まってきます（次表参照)。一般に，取付け面が高くなるほど感度の高いものを設置する必要があります。また，感知器の性質上，熱感知器より煙感知器，煙感知器より炎感知器のほうが，取付け面を高くできます。

覚える 取付け面の高さに応じた感知器の種別

取付面の高さ	設置できる感知器の種別
4m 未満	定温式スポット型（2 種） 光電式スポット型（3 種）
4m 以上 8m 未満	**差動式スポット型**（1 種，2 種） 補償式スポット型（1 種，2 種） **定温式スポット型**（特種，1 種）
8m 以上 15m 未満	**光電式スポット型**（2 種） イオン化式スポット型（2 種） 差動式分布型
15m 以上 20m 未満	光電式スポット型（1 種） イオン化式スポット型（1 種）
20m 以上	**炎感知器**

※取付け面が高い感知器は，より低い位置に設置してもかまいません。たとえば定温式スポット型感知器（1 種）は，取付け面の高さが 4m 未満の場所にも設置できます。

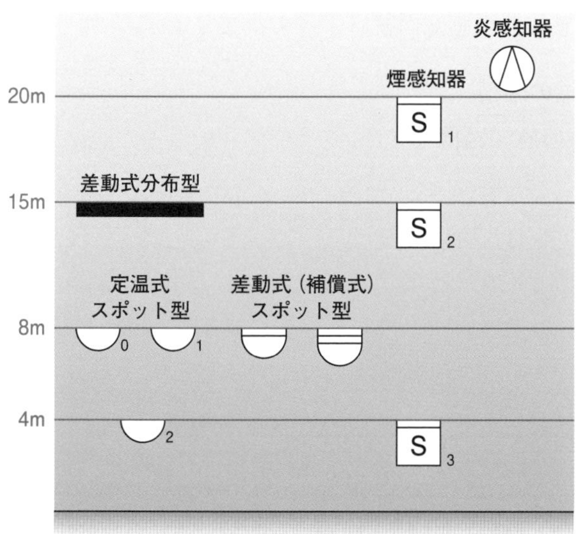

補足

甲種第４類試験で出題される製図問題では，差動式スポット型感知器（2 種），定温式スポット型感知器（1 種），光電式スポット型感知器（2 種）の３種類を使い分ける問題がよく出題されます。３種類は次のように使い分けます。

①煙感知器を設置しなければならない場所（地階，廊下，階段など）に，光電式スポット型感知器を設置する
②煙感知器を設置できない場所（湯沸室，ボイラー室，厨房など）に，定温式スポット型感知器を設置する
③その他の各部分に差動式スポット型感知器を設置する

5 感知区域と感知面積

感知器が火災を感知できる範囲は，壁や天井のはり等によって遮られる場合があります。これらによって区画された範囲を**感知区域**といいます。

覚える **感知区域**

壁，または取付け面から**0.4m以上**（差動式分布型感知器・煙感知器の場合は**0.6m以上**）突出したはり等によって区画された部分。

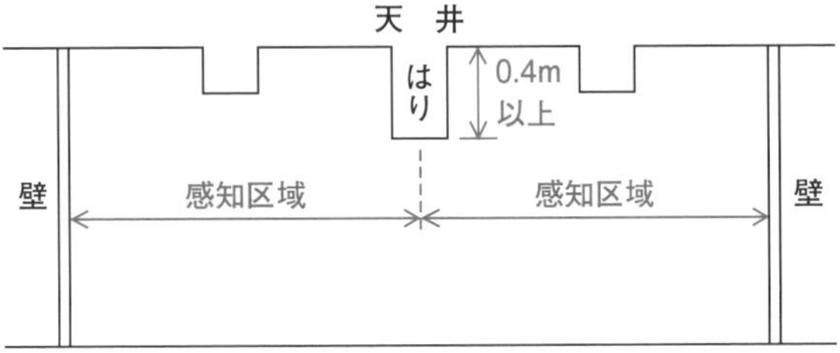

また，1個の感知器が火災を感知できる面積を**感知面積**といいます。感知器を設置するときは，感知面積が感知区域全体をカバーするように，感知器を配置しなければなりません。感知区域内の感知器の設置個数は，その感知区域の面積と，感知器の感知面積によって決まります。

$$\text{設置個数}=\frac{\text{感知区域の面積}}{\text{感知器1個の感知面積}}$$

熱感知器の設置基準

1 共通の基準（差動式分布型・定温式感知線型以外）

差動式スポット型感知器，定温式スポット型感知器，補償式スポット型感知器（熱複合式スポット型感知器を含む）は，以下の基準に従って設置します。

①**取付位置**　感知器の下端は，取付け面の下方 0.3m 以内の位置に設けること。

②**空気吹出し口**　換気口等の空気吹出し口から 1.5m 以上離れた位置に設けること。

③**傾斜**　45 度以上傾斜させないこと。

④**感知面積**　感知区域ごとに，次の床面積につき 1 個以上設けること。

補足

感知器の取付け定位置からの最大傾斜角度
- スポット型感知器（炎感知器を除く）→45 度
- 差動式分布型感知器の検出部→5 度
- 光電（アナログ）式分離型感知器→90 度
- 炎感知器→90 度

取付け面の高さ		差動式スポット型 補償式スポット型		定温式スポット型		
		1 種	2 種	特種	1 種	2 種
4m 未満	主要構造部が耐火構造の場合	$90m^2$	$70m^2$	$70m^2$	$60m^2$	$20m^2$
	その他の構造の場合	$50m^2$	$40m^2$	$40m^2$	$30m^2$	$15m^2$
4m 以上 8m 未満	主要構造部が耐火構造の場合	$45m^2$	$35m^2$	$35m^2$	$30m^2$	
	その他の構造の場合	$30m^2$	$25m^2$	$25m^2$	$15m^2$	

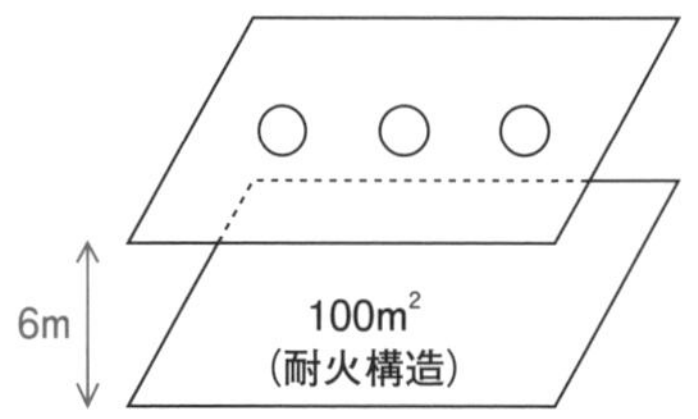

例：耐火構造で床面積 $100m^2$,
天井の高さ 6m の室内（1 感知区域）
に差動式スポット型感知器（2 種）
を取り付ける場合

設置個数＝$\dfrac{100m^2}{35m^2}$ ≒ 3 個
（切り上げ）

⑤**周囲温度**　定温式スポット型感知器は，平常時の周囲温度が，公称作動温度（補償式スポット型感知器の場合は公称定温点）より 20℃以上低い場所に設けること。

2 差動式分布型感知器の基準

差動式分布型感知器は，以下の基準に従って取り付けます。

①**取付位置**　感知器は，取付け面の下方 0.3m 以内の位置に設けること。
②**傾斜**　検出部を 5 度以上傾斜させないこと。

このほか，感知方式ごとに以下のような基準があります。

◆空気管式のもの

①感知区域の取付け面の各辺から 1.5m 以内の位置に設ける。
②相対する感知器の相互間隔が，主要構造部が耐火構造の場合は 9m 以下，その他の構造の場合は 6m 以下となるように設ける。

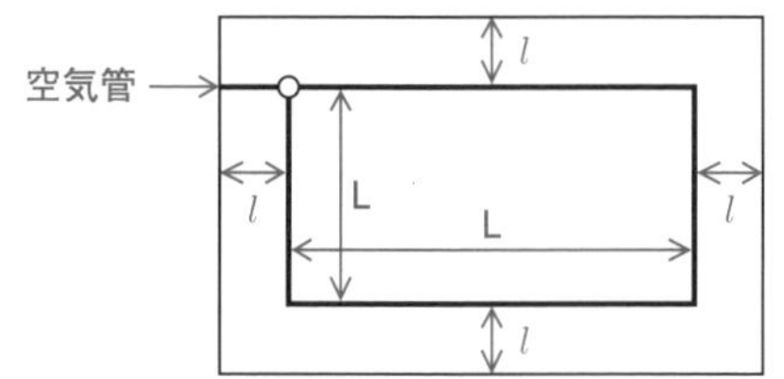

l：1.5m 以内
L：耐火構造 9m 以下
　その他　6m 以下

③感知器の露出部分は，感知区域ごとに 20m 以上とする。
④ 1 つの検出部に接続する空気管の長さは 100m 以下とする。

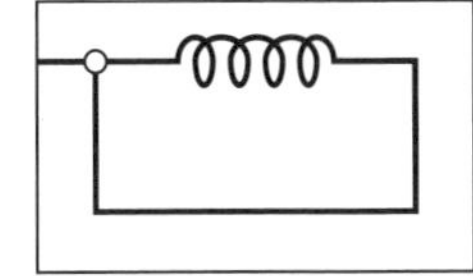

コイル巻き

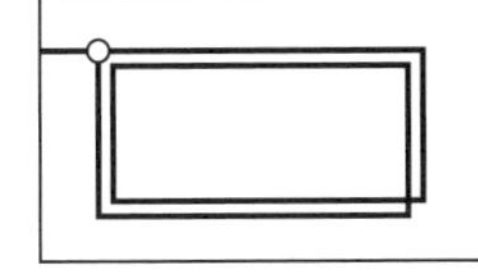

二重巻き

感知区域が小さい場合は，空気管をコイル巻きや二重巻きにして20m以上にする。

⑤取付け工事の施工方法

- 空気管は止め金具（ステップル等）により，直線部分にあっては35cm 以内，屈曲部にあっては5cm 以内の間隔で固定する。
- 空気管の屈曲半径は 5mm 以上とする。
- 空気管の接続は，接続管（スリーブ）を用いてはんだ付けする。

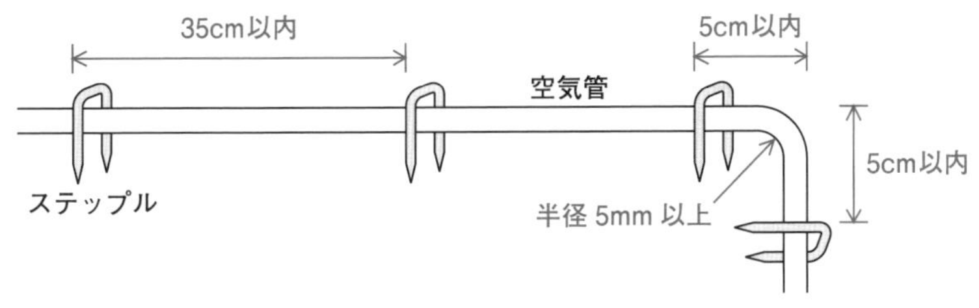

◆熱電対式のもの

①熱電対部の個数は感知区域ごとに最小で 4 個。床面積 72m²（耐火構造では 88m²）を超えるときは，18m²（耐火構造では 22m²）増すごとにさらに 1 個を加える。

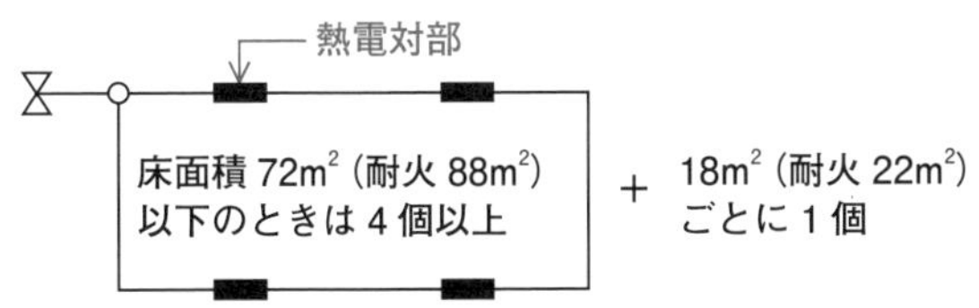

②１つの検出部に接続する熱電対部の個数は 20 以下とする。

補足

公称作動温度

定温式感知器が火災と判断する温度。たとえば，公称作動温度が 80℃の定温式感知器は，周囲温度が 80℃以上になると火災信号を発信します。定温式スポット型感知器の作動温度には，60℃のものから 150℃のものまであります（169 ページ参照）。

◆熱半導体のもの

①感熱部の個数は，感知区域ごとに２個（取付け面の高さが8m 未満の場合は１個）以上，検出部１つにつき 15 以下とする。

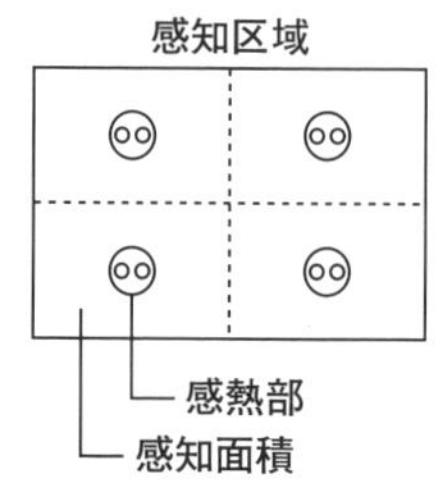

取付け面の高さ		感知面積 1種	感知面積 2種	感熱部の個数
8m 未満	耐火構造	65m²	36m²	1個以上 15個以下
	その他	40m²	23m²	
8m 以上 15m 未満	耐火構造	50m²		2個以上 15個以下
	その他	30m²		

3 定温式感知線型感知器

定温式感知線型感知器は，以下の基準に従って取り付けます。

①**取付位置**　感知器は，取付け面の下方 0.3m 以内の位置に設けること。

②**取付間隔**　感知器は，感知区域ごとに取付け面の各部分から感知線のいずれかの部分までの水平距離が，次の数値以下になるようにすること

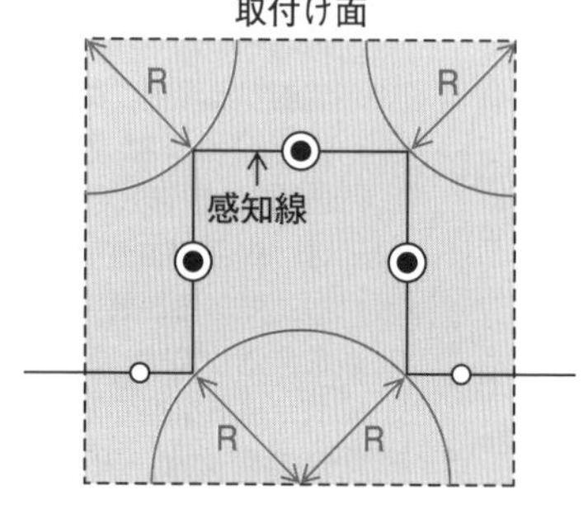

R＝

	特種・1種	2種
耐火構造	4.5m 以下	3m 以上
その他	3m 以下	1m 以上

③**空気吹出し口**　換気口等の空気吹出し口から 1.5m 以上離れた位置に設けること。

④**周囲温度**　平常時の周囲温度が，公称作動温度より 20℃以上低い場所に設けること。

煙感知器の設置基準

1 共通の基準

煙感知器（光電式分離型感知器を除く）の取付けには，以下のような基準があります。

①**取付位置**　取付け面の下方0.6m以内の位置に設ける。
②**壁からの距離**　壁またははりから0.6m以上離れた位置に設ける。
③**天井が低い居室**　天井が低い部屋や狭い部屋の場合は，入口付近に設ける。
④**吸気口**　天井付近に吸気口がある場合は，吸気口付近に設ける。
⑤**空気吹出し口**　換気口等の空気吹出し口から1.5m以上離れた位置に設ける。
⑥**傾斜**　45度以上傾斜させないこと。

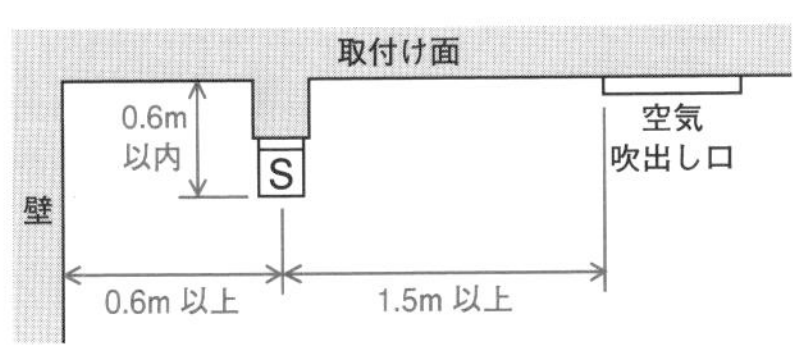

⑦**感知面積**　感知区域ごとに，感知器の種別及び取付け面の高さに応じて，次の表の床面積につき１個以上設置する（廊下，通路，階段及び傾斜路を除く）。

取付け面の高さ	１種	２種	３種
4m 未満	150m²	150m²	50m²
4m 以上 15m 未満	75m²	75m²	
15m 以上 20m 未満	75m²		

補足

「天井の低い部屋」は天井高2.3m未満，また「狭い部屋」は床面積40m²未満とします。

2 自動火災報知設備の設置基準

⑧**廊下・通路に設ける場合**　歩行距離30m（3種は20m）につき1個以上設置する。

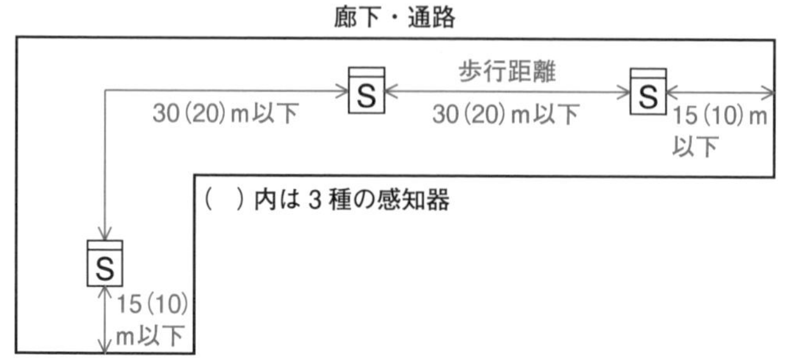

ただし，次の場合には感知器の設置を省略できます。

・階段に接続していない10m以下の廊下や通路
・階段までの歩行距離が10m以下の廊下・通路

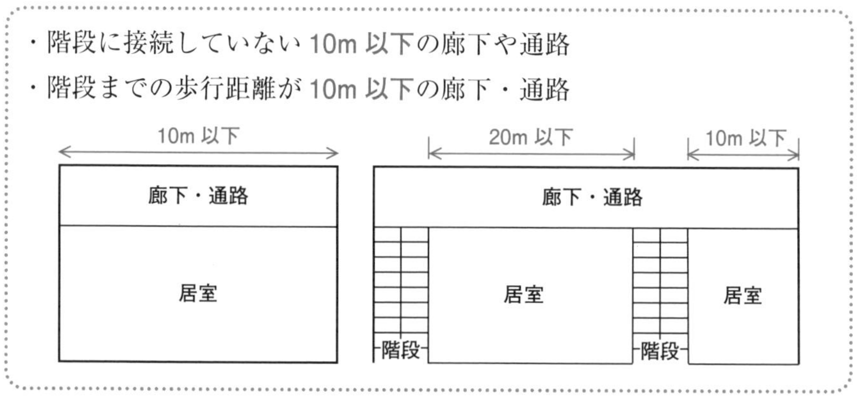

⑨**階段・傾斜路に設ける場合**　垂直距離15m（3種は10m）につき1個以上設置する。ただし，特定1階段等防火対象物の階段・傾斜路では，垂直距離7.5m（3種は不可）につき1個以上設置する。

階段は，地階が1階までしかない場合は地上階と同じ警戒区域にできます（195ページ）。地階が2階以上ある場合は，地階と地上階を分けて，それぞれ垂直距離15mごとに設置します。

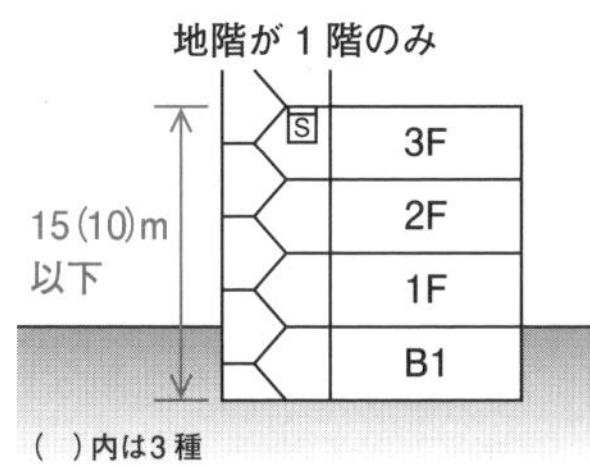

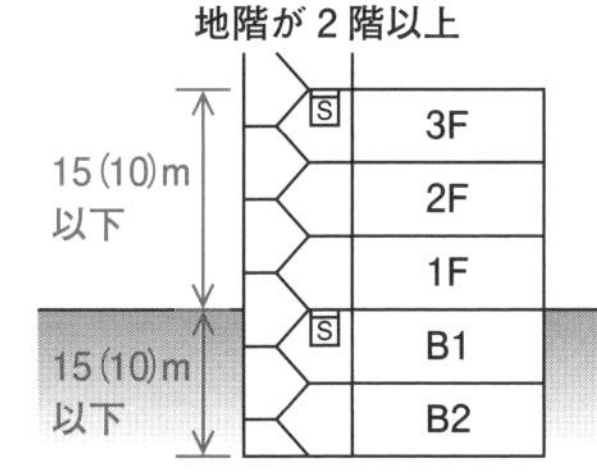

⑩**たて穴区画に設ける場合**　エレベーター昇降路，パイプダクト等（水平断面積 1m² 以上のものに限る）に設ける場合は，最上部に1個以上設けます。

2 光電式分離型感知器の基準

光電式分離型感知器の取付けは，以下の基準に従って行います。

①**日光**　受光面が日光を受けないように設けること。
②**壁との距離**　光軸が並行する壁から 0.6m 以上離れた位置となるように設けること。
③**背部の壁**　送光部と受光部は，背部の壁から 1m 以内の位置に設けること。
④**天井の高さ**　天井等の高さが 20m 未満の場所に設け，15m 以上の場所に設ける感知器は1種のものとする。
⑤**光軸の高さ**　感知器の光軸の高さが，天井等の高さの 80%以上となるように設けること。
⑥**光軸の長さ**　感知器の光軸の長さが，公称監視距離の範囲内となるように設けること。
⑦**光軸との距離**　壁で区画された区域ごとに，その区域の各部分から光軸までの水平距離が 7m 以下になるように設けること。

補足

特定１階段等防火対象物
特定用途部分が避難階以外にあり，その階から直接避難階または地上に出られる階段が屋内に1つしかない防火対象物。

上から見たところ

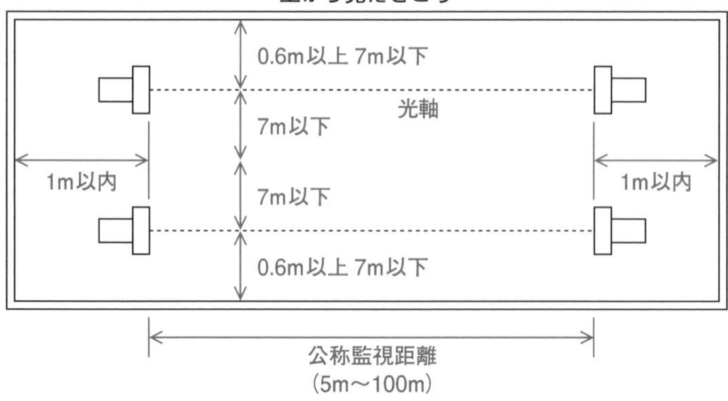

横から見たところ

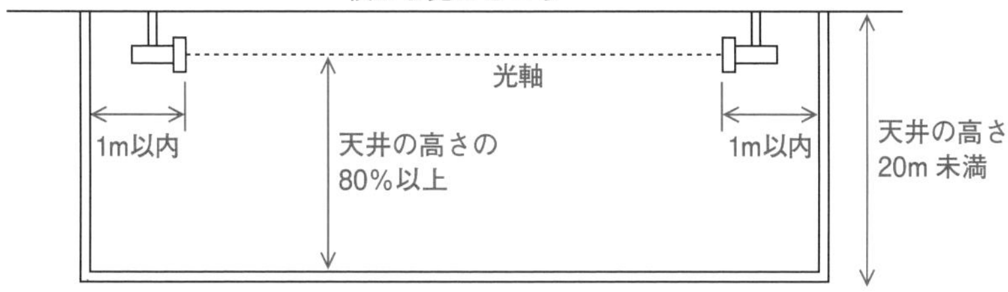

炎感知器の設置基準

1 共通の基準

道路用以外の炎感知器は，以下の基準に従います。

①**取付位置**　感知器は，天井等または壁に設けること。
②**監視空間との距離**　壁によって区画された区域ごとに，監視空間（床面から高さ1.2mまでの空間）の各部分から感知器までの距離が公称監視距離の範囲内となるように設けること。
③**日光**　日光を受けない位置に設けること（遮光板等を設けた場合を除く）。

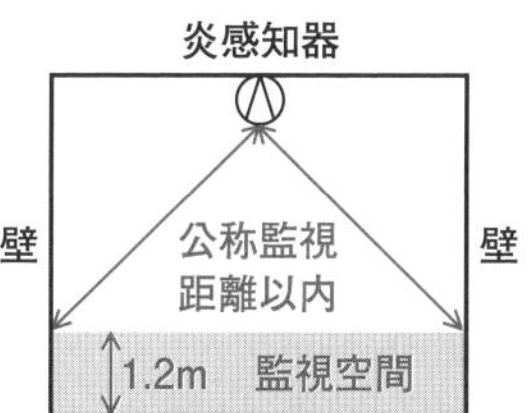

2 道路用の炎感知器の基準

道路用の炎感知器は，以下の基準に従います。

①**取付位置**　感知器は，道路の側壁部または路端の上方に設けること。
②**取付高さ**　道路面からの高さ1.0m以上1.5m以下。
③**監視距離**　道路の各部分から感知器までの距離が，公称監視距離の範囲内となるように設けること。

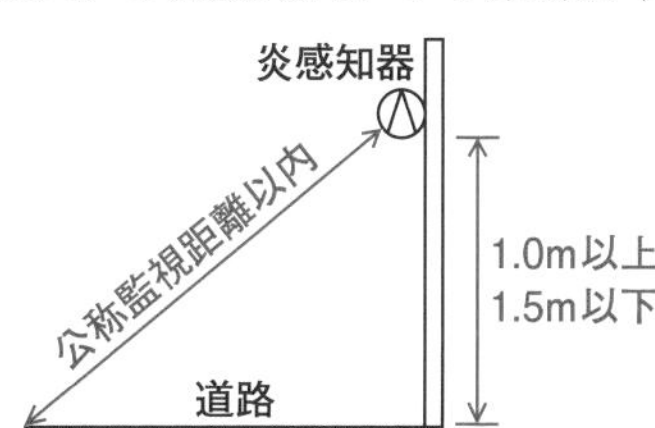

補足

炎感知器の設置個数の計算

炎感知器1個の監視範囲（床面からの高さ1.2mの水平面）の半径をRとし，その円に内接する正方形の一辺の長さをLとします。

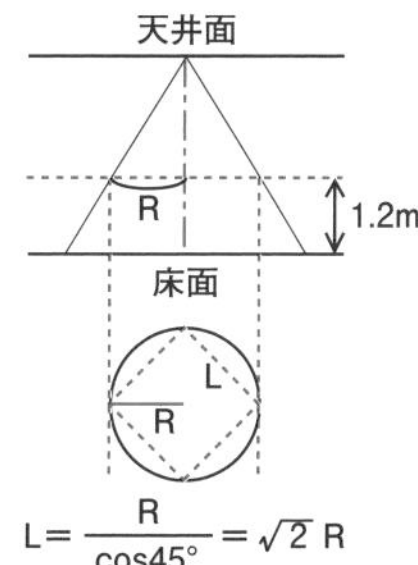

$$L=\frac{R}{\cos 45°}=\sqrt{2}\,R$$

長方形の部屋に設置する炎感知器の個数は，部屋の面積をこの正方形の面積で割って求めます。

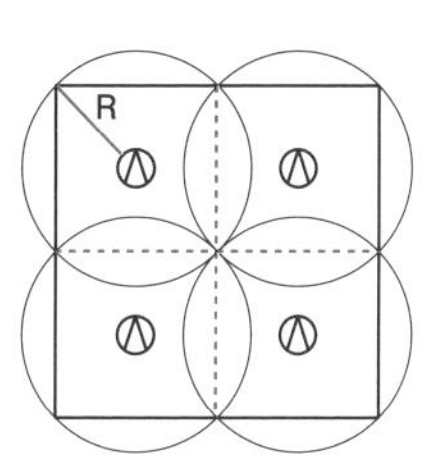

自動火災報知設備(感知器以外)の基準

1 受信機の設置基準

自動火災報知設備の受信機は，次の基準に従って設置します。

◆設置条件

①受信機は**防災センター**等に設けること。

②受信機の操作スイッチは，床面からの高さが **0.8m**（いすに座って操作する場合は **0.6m**）以上 **1.5m** 以下の箇所に設けること。

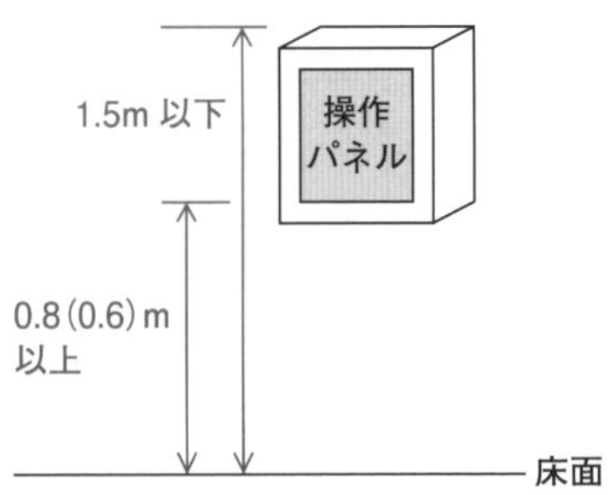

③特定 1 階段等防火対象物や個室ビデオ店等に設置する受信機には，**再鳴動機能**（地区音響停止スイッチが停止状態にある間に火災信号を受信したとき，スイッチを自動的に鳴動させる状態に戻す機能）を設けること。

④主音響装置と副音響装置は，他の警報音または騒音と明らかに区別して聞き取ることができる音圧・音色にすること。

⑤ 1 つの防火対象物に 2 台以上の受信機を設けるときは，これらの受信機のある場所相互間で同時に通話できる設備を設けること。

◆機種の選定

⑥ P 型 1 級受信機（1 回線），P 型 2 級受信機，P 型 3 級受信機は，1 つの防火対象物に **3** 台以上設けないこと（GP 型受信機についても同じ）。

⑦Ｐ型２級受信機（GP型２級受信機）で，接続できる回線が１回線のものは，延べ面積が350m²を超える防火対象物には設置できない。

⑧Ｐ型３級受信機（GP型３級受信機）は，延べ面積が150m²を超える防火対象物には設置できない。

受信機＼制限	延べ面積	設置台数
Ｐ型１級（多回線）	制限なし	制限なし
Ｐ型１級（１回線）	制限なし	２台まで
Ｐ型２級（多回線）	制限なし	
Ｐ型２級（１回線）	350m²以内	
Ｐ型３級	150m²以内	

※GP型も同様

補足

警戒区域一覧図
受信機の付近には，警戒区域一覧図を備えておきます（総合操作盤が設置されている場合を除く）。アナログ式受信機ではこれに加えて，表示温度等設定一覧も備えておく必要があります。

2 発信機の設置基準

自動火災報知設備の発信機は，次の基準に従って設置します。

①**歩行距離**　各階ごとに，その階の各部分からいずれかの発信機までの歩行距離が50m以下となるように設けること。

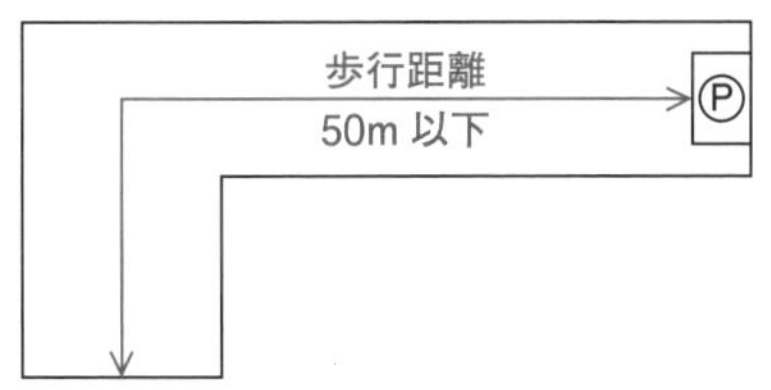

②**取付け高さ**　床面から高さ0.8m以上1.5m以下の箇所に設けること。

補足

発信機と機器収容箱
発信機と表示灯を機器収容箱に収めて設置する場合は，機器収容箱が各部から歩行距離50m以下となるように設置します。

③**表示灯**　発信機の直近の箇所に表示灯を設けること。表示灯は赤色の灯火で，取付け面と 15 度以上の角度となる方向に沿って 10m 離れたところから点灯していることが容易に識別できるものであること。

④**P 型 1 級発信機**　P 型 1 級受信機，GP 型 1 級受信機，R 型受信機，GR 型受信機と接続するものは，P 型 1 級発信機とする。

⑤**P 型 2 級発信機**　P 型 2 級受信機，GP 型 2 級受信機と接続するものは，P 型 2 級発信機とする。

⑥P 型 2 級受信機または GP 型 2 級受信機で接続回線が 1 回線のもの，P 型 3 級受信機，GP 型 3 級受信機は，発信機の接続を省略できる。

受信機	適応発信機
P 型 1 級（多回線）	P 型 1 級発信機
P 型 1 級（1 回線）	
R 型・GR 型	
P 型 2 級（多回線）	P 型 2 級発信機
P 型 2 級（1 回線）	なし
P 型 3 級	

※ GP 型も同様

3 地区音響装置の設置基準

地区音響装置は，次の基準に従って設置します。

①**設置距離**　各階ごとに，その階の各部分からいずれかの地区音響装置までの水平距離が 25m 以下となるように設けること。

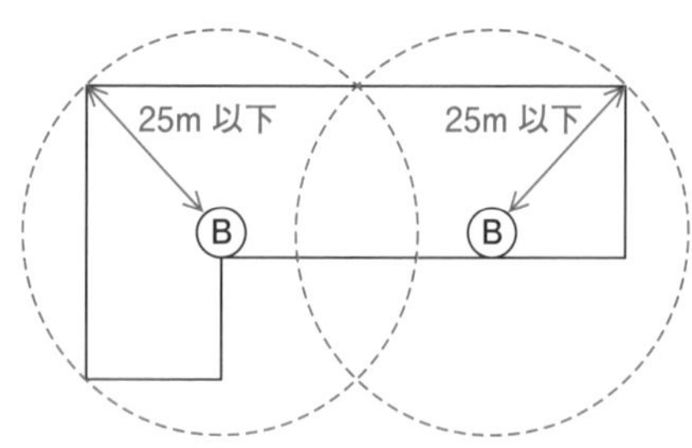

②**区分鳴動**　地区音響装置は，全館一斉に鳴動させるのが原則ですが，次のような大規模な防火対象物については，一部を鳴動させる**区分鳴動**が行えるようにします。

区分鳴動にする防火対象物	・地階を除く階数が **5** 以上 ・延べ面積 **3000m²** を超えるもの

区分鳴動では，原則として出火階とその直上階のみを鳴動させます。

ただし，出火階が1階または地階の場合は，原則に加えて地階全部も鳴動させます。

出火階	区分鳴動させる部分
2階	2階＋３階
1階	1階＋２階＋地階全部
地下1階	1階＋地階全部
地下2階以下	地階全部

③**音圧**　音響装置の中心から1m離れた位置で**90dB以上**（音声で警報を発する場合は**92dB以上**）の音圧であること。

④**相互鳴動**　1つの防火対象物に2つ以上の受信機が設けられている場合は，どの受信機からも鳴動させることができること。

4 電源の設置基準

自動火災報知設備の電源には，**常用電源**と**非常電源**があります。このうち常用電源については，次の基準に従います。

補足

地区音響装置と機器収容箱

地区音響装置も機器収容箱に収めて設置する場合は，発信機と地区音響装置の両方の設置基準を満たす必要があります。通常は，歩行距離50mより水平距離25mのほうが短いので，機器収容箱が建物の端から水平距離25m以下となるように設置します。

補足

音声による警報

音声による警報の場合は、感知器作動警報（例：「火災感知器が作動しました」）は女声、火災警報（例：「火事です」）は男声とします。

①電源は，原則として蓄電池または交流低圧屋内幹線から他の配線を分岐させずにとること。
②電源の開閉器には，自動火災報知設備用のものである旨を表示すること。

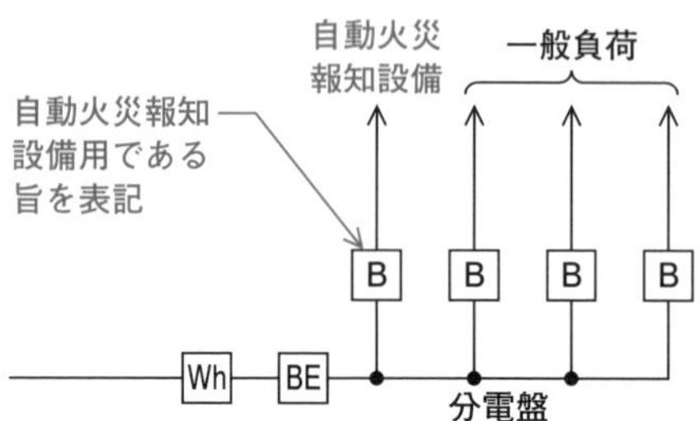

非常電源は，常用電源が停止した場合に，建物に電力を供給する電源です。非常電源については，次の基準に従います。

①自動火災報知設備の非常電源は，延べ面積が1000m² 以上の特定防火対象物に設けるものにあっては**蓄電池設備**，その他の防火対象物に設けるものにあっては**非常電源専用受電設備または蓄電池設備**によること。
②蓄電池設備の容量は，自動火災報知設備が10分間有効に作動できる容量以上であること。

配線の基準

1 感知器の配線

感知器の信号回路は，容易に**導通試験**をすることができるように，次のように設置します。

①**送り配線**とする
②回路の末端に**発信機**，**押しボタン**（回路試験器）または**終端器**（終端抵抗）を設ける。

補足

導通試験
P型１級受信機の場合は，受信機側の導通試験装置によって，感知器回路の断線の有無を検査します。一方，P型２級受信機には導通試験装置がないので，回路の末端の発信機か押しボタンを押し，断線の有無を検査します。

送り配線というのは，下図のように器具を数珠（じゅず）つなぎに配線していく方式です。この方式の利点は，配線のどこか１箇所でも断線すると終端抵抗に電流が流れなくなり，断線をすぐに検出できることです。

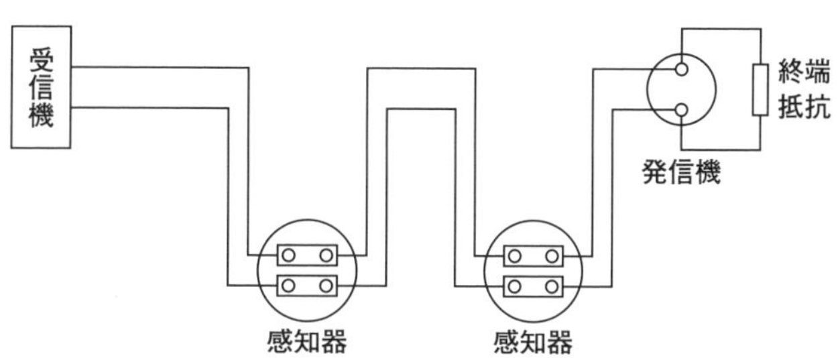

補足

左の感知器回路を単線図で記述すると，下図のようになります。感知器への配線が４本になることに注意。

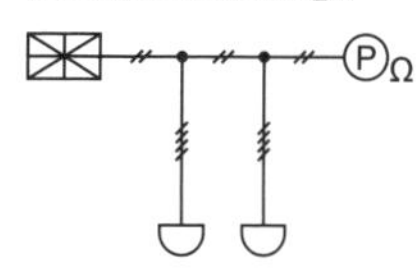

感知器を送り配線とせず，分岐線で配線すると，電線の本数は次ページの図のように少なくて済みますが，断線を検出できなくなるおそれがあります。たとえば，図のAの部分が断線しても，終端抵抗への電流は途切れないので，断線を検出できません。

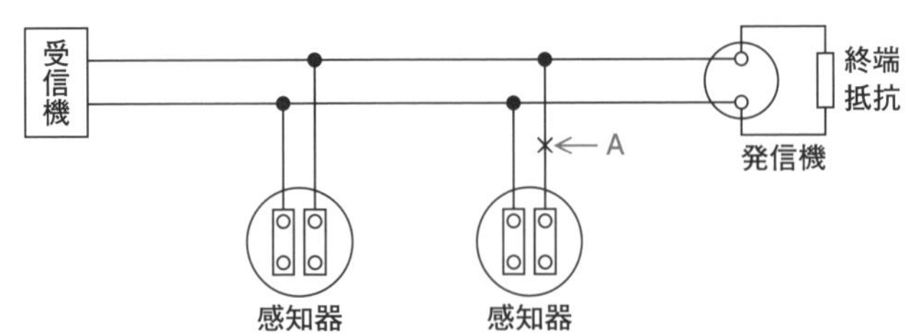

また，P型受信機またはGP型受信機の感知器回路は，電路の抵抗値を50Ω以下とします。

2 共通線の制限

P型受信機またはGP型受信機の感知器回路は，1つの警戒区域ごとに2本の配線が必要になります。しかし，次のように共通線を設ければ，配線の本数を大幅に減らすことができます。

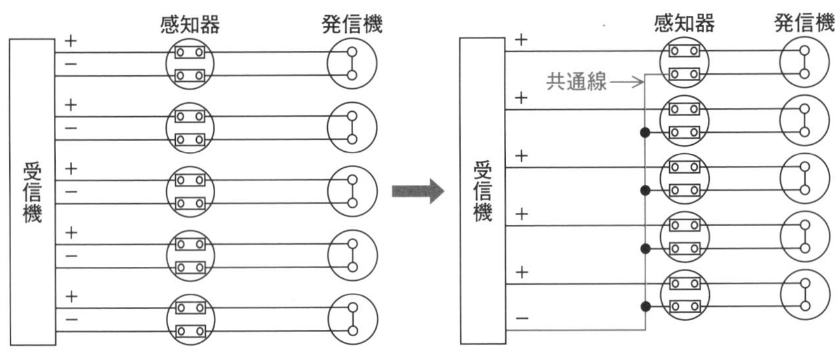

法令では，この共通線を1本につき7警戒区域（7回線）までに制限しています。

3 耐火配線と耐熱配線

自動火災報知設備の配線には，基本的には600Vビニル絶縁電線（IV線）などを用います。ただし一部の箇所は，熱による断線を防ぐため，耐火配線または耐熱配線とします。

◆**耐火配線**

次のいずれかの方法で施工します。

①600V 二種ビニル絶縁電線（HIV 線）相当の電線を使用し，電線を金属管等に収めて耐火構造の主要構造部に埋設する。
②MI ケーブルまたは基準に適合する耐火電線を使用したケーブル工事（露出配線）とする。

◆**耐熱配線**

次のいずれかの方法で施工します。

①600V 二種ビニル絶縁電線（HIV 線）相当の電線を使用し，金属管工事等により施工する（埋設は不要）。
②基準に適合する耐熱電線を使用したケーブル工事（露出配線）とする。

自動火災報知設備では，次の箇所を耐火配線または耐熱配線とします。

・**受信機から中継器まで→耐熱配線**
・**アナログ式感知器から中継器または受信機まで→耐熱配線**
・**受信機から地区音響装置まで→耐熱配線**
・**受信機から表示灯まで（消火栓と連動する場合に限る）→耐熱配線**
・**受信機から他の消防用設備等の操作回路まで→耐熱配線**
・**非常電源から受信機まで→耐火配線**
・**非常電源から中継器まで→耐火配線**

補足

MI ケーブル
無機絶縁ケーブル。導体を無機絶縁物で絶縁したもので，特に耐熱性が高い。

補足

左記以外の配線は，IV 線などの一般配線でかまいません。

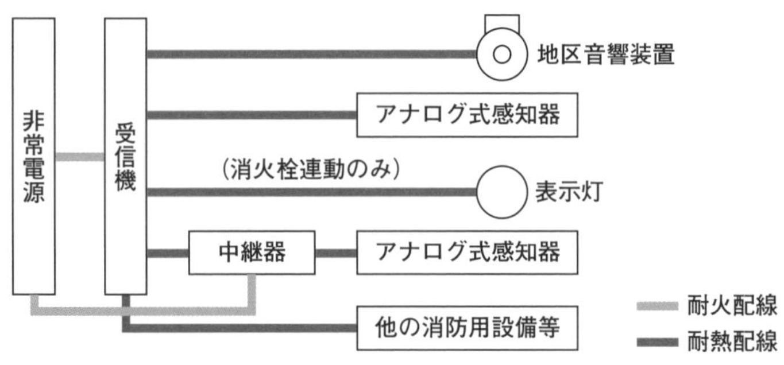

4 誘導障害の防止

電磁誘導による誤報などを防ぐため，自動火災報知設備の配線に使用する電線は，他の電線と同じ電線管やダクト，線ぴ，プルボックスに収納しないようにします。

ただし，60V 以下の弱電流回路に使用する電線については，自動火災報知設備の電線といっしょに収納してもかまいません。

5 絶縁抵抗

自動火災報知設備の機器や配線の絶縁抵抗を，絶縁抵抗計（直流 250V のもの）で測定します。

①電源回路と大地間，および電源回路の配線相互間の絶縁抵抗は，次のようにします。

対地電圧	絶縁抵抗値
対地電圧 150V 以下（単相 100/200V 電源）	0.1M Ω以上
対地電圧 150V 超（三相 200V 電源）	0.2M Ω以上

②感知器回路と大地間，および感知器回路の配線相互間の絶縁抵抗は，1つの警戒区域ごとに，0.1M Ω以上とします。

チャレンジ問題

［解説］231 ページ　［解答一覧］243 ページ

問1

難　中　易

自動火災報知設備（光電式分離型感知器を除く）の警戒区域について，誤っているものは次のうちどれか。

(1) 火災の発生した区域を他の区域と区別して識別することができる最小単位の区域をいう。

(2) 一辺の長さは 60m 以下とすること。

(3) 総務省令で定める場合を除き，防火対象物の 2 以上の階にわたらないものとすること。

(4) 防火対象物の主要な出入口からその内部を見通すことができる場合にあっては，1000m² 以下とすること。

問2

難　中　易

次の文中の（　）内に入る数値として，正しいものの組合せはどれか。

「光電式分離型感知器を設置する場合の一の警戒区域の面積は（　A　）m² 以下とし，その一辺の長さは（　B　）m 以下とすること。ただし，当該防火対象物の主要な出入口からその内部を見通すことができる場合にあっては，その面積を（　C　）m² 以下とすることができる。」

	A	B	C
(1)	500	50	1000
(2)	500	100	1200
(3)	600	100	1000
(4)	600	50	1200

問3

難　中　易

自動火災報知設備の感知器（炎感知器を除く）の設置場所として，適

切なものは次のうちどれか。

(1) 上屋その他外部の気流が流通する場所で，感知器によっては火災の発生を有効に感知できない場所

(2) 感知器の取付け面の高さが 20m 以上の場所

(3) 天井裏で天井と上階の床との間の距離が 0.5m 以上の場所

(4) 煙感知器にあっては，排気ガスが多量に滞留する場所

問4 難 中 易

自動火災報知設備は，取付け面の高さごとに設置できる感知器の種別が定められている。感知器の取付け面の最大の高さとして正しいものは次のうちどれか。

(1) 定温式スポット型感知器の 1 種は 4m 未満

(2) 差動式分布型感知器は 8m 未満

(3) 補償式スポット型感知器は 15m 未満

(4) 煙感知器の 1 種は 20m 未満

問5 難 中 易

取付け面の高さが 10m の場所に設置する感知器として，正しいものは次のうちどれか。

(1) 補償式スポット型感知器 1 種

(2) 定温式スポット型感知器特種

(3) 光電式スポット型感知器 2 種

(4) 差動式スポット型感知器 1 種

問6 難 中 易

感知器の設置場所の環境状態と，適応する熱感知器の種別の組合せとして，正しいものは次のうちどれか。

(1) じんあい，微粉等が多量に滞留する場所に，1 種の定温式スポット型感知器を設けた。

(2) 腐食性ガスが発生するおそれのある場所に，2 種の差動式スポット型感知器を設けた。

(3) 水蒸気が多量に滞留する場所に，1 種の差動式分布型感知器（空気管式のもの）を設けた。

(4) 著しく高温になる場所に，1 種の補償式スポット型感知器を設けた。

問７ 難 中 易

厨房その他正常時において煙が滞留する場所に設ける感知器として，適切なものは次のうちどれか。

(1) 差動式スポット型感知器

(2) 差動式分布型感知器

(3) イオン化式スポット型感知器

(4) 定温式スポット型感知器

問８ 難 中 易

煙感知器の設置場所として不適当なものは，次のうちどれか。

(1) 階段及び傾斜路

(2) エレベーターの昇降路

(3) マンションの廊下及び通路

(4) 感知器を設置する区域の天井等の高さが 20m 以上の場所

問９ 難 中 易

差動式スポット型感知器の取付け位置について，正しいものは次のうちどれか。

(1) 感知器の下端が，取付け面の下方 0.6m 以内の位置に設けること。

(2) 換気口等の空気吹き出し口から 1.5m 以上離れた位置に設けること。

(3) 5 度以上傾斜させないように設けること。

(4) 壁またははりから 0.6m 以上離れた位置に設けること。

問 10

難 中 **易**

公称作動温度が 60℃の定温式感知器を設置する場合，正常時の最高周囲温度として適当なものは次のうちどれか。

(1) 30℃

(2) 40℃

(3) 50℃

(4) 60℃

問 11

難 中 **易**

定温式スポット型感知器（1 種）の設置個数について，次のうち誤っているものはどれか。

(1) 主要構造部を耐火構造とする防火対象物で，取付け面の高さが 3m の場合は，60m² につき 1 個以上設置する。

(2) 主要構造部を耐火構造とする防火対象物で，取付け面の高さが 6m の場合は，35m² につき 1 個以上設置する。

(3) 主要構造部が耐火構造以外の防火対象物で，取付け面の高さが 3m の場合は，30m² につき 1 個以上設置する。

(4) 主要構造部が耐火構造以外の防火対象物で，取付け面の高さが 6m の場合は，15m² につき 1 個以上設置する。

問 12

難 **中** 易

差動式スポット型感知器 1 種を，取付け面の高さが 5m，床面積が 150m² の場所に設置する場合，設置個数は最小でいくつになるか。ただし，建物の主要構造部は耐火構造とし，壁または取付け面に 0.4m 以上突き出したはり等はないものとする。

(1) 1 個

(2) 2 個

(3) 3 個

(4) 4 個

•問 13•　難 中 **易**

差動式分布型感知器（空気管式のもの）を設置する場合について，正しいものは次のうちどれか。

(1) 感知器は，取付け面の下方 0.6m 以内の位置に設けること。
(2) 感知器は，感知区域の取付け面の各辺から 1.5m 以内の位置に設けること。
(3) 主要構造部を耐火構造とした防火対象物では，相対する感知器の相互間隔を 6m 以下とすること。
(4) 1つの検出部に接続する空気管の長さは 20m 以下とすること。

•問 14•　難 **中** 易

差動式分布型感知器（空気管式のもの）の取付け工事について，誤っているものは次のうちどれか。

(1) 空気管は止め金具（ステップル等）により，直線部分にあっては 50cm 以内の等間隔で固定する。
(2) 空気管の屈曲半径は 5mm 以上とする。
(3) 空気管の接続は，接続管（スリーブ）を用いてはんだ付けする。
(4) 1の感知区域の空気管の露出長は，20m 以上とする。

•問 15•　難 **中** 易

差動式分布型感知器（熱電対式のもの）を設置する場合について，誤っているものは次のうちどれか。

(1) 感知器は，取付け面の下方 0.3m 以内の位置に設ける。
(2) 1の感知区域ごとに，2個以上の熱電対部を設ける。
(3) 1の検出部に接続する熱電対部は，20 個以下とする。
(4) 検出部を 5 度以上傾斜させないように設ける。

•問 16•　難 中 **易**

煙感知器（光電式分離型感知器を除く）の設置について，正しいもの

は次のうちどれか。
(1) 感知器の下端は，取り付け面の下方 0.3m 以内の位置に設ける。
(2) 感知器は，壁またははりから 0.6m 以上離れた位置に設ける。
(3) 天井付近に吸気口がある場合は，その吸気口から 1.5m 以上離れた位置にもうける。
(4) 換気口などの空気吹出し口がある場合は，その付近に設ける。

•問 17•　難　中　易

煙感知器（光電式分離型感知器を除く）の設置について，正しいものは次のうちどれか。ただし，特定1階段等防火対象物以外の防火対象物に設置するものとする。
(1) 天井が低い居室に感知器を設ける場合は，入口から 0.6m 以上離れた場所に設けること。
(2) 廊下及び通路に3種の感知器を設ける場合は，歩行距離 30m につき1個以上設けること。
(3) 階段に1種または2種の感知器を設ける場合は，垂直距離 15m につき1個以上設けること。
(4) エレベーター昇降路に1種または2種の感知器を設ける場合は，垂直距離 15m につき1個以上設けること。

•問 18•　難　中　易

光電式スポット型感知器（1種）の設置個数について，次のうち誤っているものはどれか。
(1) 取付け面の高さが 3m の場合は，150m² につき1個以上設置する。
(2) 取付け面の高さが 6m の場合は，150m² につき1個以上設置する。
(3) 取付け面の高さが 10m の場合は，75m² につき1個以上設置する。
(4) 取付け面の高さが 18m の場合は，75m² につき1個以上設置する。

問 19 難 中 易

光電式分離型感知器の設置について，誤っているものは次のうちどれか。

(1) 感知器の光軸が，並行する壁から 0.6m 以上離れた位置となるように設ける。

(2) 天井等の高さが 15m 以上 20m 未満の場所に設ける感知器は，1 種のものとする。

(3) 感知器の光軸の高さが，天井等の高さの 80％以上となるように設ける。

(4) 壁によって区画された区域の各部分から 1 の光軸までの水平距離が，10m 以下となるように設ける。

問 20 難 中 易

炎感知器の設置場所として適切でないものは，次のうちどれか。

(1) 水蒸気が多量に滞留する場所

(2) じんあい，微粉等が多量に滞留する場所

(3) 排気ガスが多量に滞留する場所

(4) 天井等の高さが 20m 以上の場所

問 21 難 中 易

道路の用に供される部分に設けられる炎感知器の設置について，誤っているものは次のうちどれか。

(1) 感知器は，道路の側壁部または路端の上方に設ける。

(2) 道路面からの高さが 1.5m 以上 2.0m 以下の部分に設ける。

(3) 道路の各部分から感知器までの距離が公称監視距離の範囲内となるように設ける。

(4) 直射日光を受ける場所に設ける場合は，感知障害が生じないよう遮光板等を設けること。

問 22　難｜中｜**易**

炎感知器（道路の用に供される部分に設けられるものを除く）の設置について，正しいものは次のうちどれか。

(1) 感知器は，天井等または壁に設ける。

(2) 壁によって区画された区域の床面から 1.5m までの空間の各部分からの距離が，公称監視距離の範囲内となるように設ける。

(3) 換気口等の空気吹出し口から 1.5m 以上離れた位置に設ける。

(4) 45 度以上傾斜させないように設ける。

問 23　難｜中｜**易**

P 型 1 級受信機で接続することができる回線が 1 のものは，1 の防火対象物に最大何台まで設置することができるか。

(1) 1 台

(2) 2 台

(3) 3 台

(4) 4 台

問 24　難｜中｜**易**

自動火災報知設備の受信機の設置について，誤っているものは次のうちどれか。

(1) 受信機は，防災センター等に設けること。

(2) 受信機の操作スイッチは，床面からの高さが 0.8m（いすに座って操作する場合は 0.6m）以上 1.5m 以下の箇所に設けること。

(3) 受信機の付近には，原則として警戒区域一覧図を備えておくこと。

(4) 1 の防火対象物に，3 台以上の受信機を設けることはできない。

問 25　難｜中｜**易**

自動火災報知設備の受信機を防火対象物に設置する場合について，消防法令上，誤っているものは次のうちどれか。

(1) P型1級受信機（多回線用）3台を，延べ面積 $1020m^2$ の防火対象物に設置した。
(2) GP型1級受信機（1回線用）2台を，延べ面積 $500m^2$ の防火対象物に設置した。
(3) P型2級受信機（1回線用）を延べ面積 $300m^2$ の防火対象物に設置した。
(4) P型3級受信機を，延べ面積 $200m^2$ の防火対象物に設置した。

問 26 難 中 易

P型1級発信機の設置方法について，消防法令上，誤っているものは次のうちどれか。

(1) 床面から高さ 0.8m 以上 1.5m 以下の箇所に設置した。
(2) 各階ごとに，その階の各部分から1の発信機までの歩行距離が 50m 以下となるように設置した。
(3) P型2級受信機（多回線用）と接続した。
(4) 直近の箇所に赤色の表示灯を設けた。

問 27 難 中 易

自動火災報知設備の地区音響装置（音声により警報を発するものを除く）の音圧について，正しいものは次のうちどれか。

(1) 取り付けられた音響装置の中心から 1m 離れた位置で 85dB 以上であること。
(2) 取り付けられた音響装置の中心から 1m 離れた位置で 90dB 以上であること。
(3) 取り付けられた音響装置の中心から 3m 離れた位置で 85dB 以上であること。
(4) 取り付けられた音響装置の中心から 3m 離れた位置で 90dB 以上であること。

問28 難 中 **易**

自動火災報知設備の地区音響装置（音声により警報を発するものを除く）の設置について，正しいものは次のうちどれか。

(1) P型1級受信機で，接続することができる回線が1の場合は，地区音響装置を設けなくてもよい。

(2) 各階ごとに，その階の各部分から1の地区音響装置までの歩行距離が25m以下となるように設けること。

(3) 1の防火対象物に2以上の受信機が設けられている場合は，いずれの受信機からも鳴動させることができること。

(4) 受信機から地区音響装置までの配線は，600Vビニル絶縁電線を使用すること。

問29 難 中 **易**

延べ面積が8000m²で，地上7階，地下3階建ての防火対象物の地下2階から出火した。この防火対象物に設置された自動火災報知設備の地区警報装置が警報を発する限られた階として，正しいものは次のうちどれか。

(1) 地下1階，地下2階

(2) 1階，地下1階，地下2階

(3) 地下1階，地下2階，地下3階

(4) 1階，地下1階，地下2階，地下3階

問30 難 **中** 易

自動火災報知設備の電源について，消防法令上，誤っているものは次のうちどれか。

(1) 電源は，蓄電池または交流低圧屋内幹線から他の配線を分岐させずにとること。

(2) 電源の開閉器には，自動火災報知設備用のものである旨を表示すること。

(3) 延べ面積が1000m²以上の特定防火対象物に設ける自動火災報知設備の非常電源は，非常電源専用受電設備によること。

(4) 非常電源の配線には，600V 二種ビニル絶縁電線またはこれと同等の耐熱性を有する電線を使用すること。

問31

難 中 **易**

自動火災報知設備のP型受信機の感知器回路は，電路の抵抗を何〔Ω〕以下にしなければならないか。

(1) 30

(2) 40

(3) 50

(4) 100

問32

難 中 **易**

受信機から地区音響装置までの配線工事で，露出配線とすることができるものは次のうちどれか。

(1) 600V ビニル絶縁電線

(2) 600V 二種ビニル絶縁電線

(3) MI ケーブル

(4) 架橋ポリエチレン絶縁ビニルシースケーブル

問33

難 中 **易**

感知器の信号回路は，送り配線とするとともに，回路の末端に発信機，押しボタンまたは終端器を設けなければならない。その目的として，正しいものは次のうちどれか。

(1) 回路の導通試験を容易にするため

(2) 電路の電線本数を少なくするため

(3) 電路の抵抗を小さくするため

(4) 非火災報を防止するため

問 34

難 **中** 易

自動火災報知設備の配線について，誤っているものは次のうち どれか。

(1) P型受信機の感知器回路の配線に共通線を設ける場合の共通線は，1本につき7警戒区域以下とすること。

(2) 感知器回路と大地との間の絶縁抵抗は，直流250Vの絶縁抵抗計で計った値が0.1MΩ以上であること。

(3) 感知器，発信機または中継器の回路と，自動火災報知設備以外の設備の回路とが，同一の配線を共用しないこと。

(4) 電圧60V以下の弱電流回路の電線は，自動火災報知設備の配線に使用する電線と同一の管に収納しないこと。

問 35

難 中 **易**

自動火災報知設備の電源回路と大地の間及び電源回路の配線相互の間の絶縁抵抗の最小値として，正しいものは次のうちどれか。ただし，電源回路の対地電圧は150V以下で，絶縁抵抗は直流250Vの絶縁抵抗計で計った値とする。

(1) 0.1MΩ

(2) 0.2MΩ

(3) 0.3MΩ

(4) 0.4MΩ

解 説

問1 自動火災報知設備の警戒区域は，火災の発生した区域を他の区域と区別して識別することができる最小単位の区域であって，次のように設定します。

原則	例外
① 1つの警戒区域は，面積を600m² 以下，一辺の長さを 50m 以下とすること	・主要な出入口から内部を見通せる場合は 1000m² 以下でもよい ・光電式分離型感知器を設置する場合は一辺が 100m 以下でもよい
② 2以上の階にわたらないこと	・2つの階にわたり，面積が 500m² 以下の場合 ・階段，傾斜路，エレベーターの昇降路，リネンシュート，パイプダクトなどに煙感知器を設ける場合

したがって，「一辺の長さを 60m 以下とすること」という (2) の記述が誤りです。

解答 (2) **参照** 193 ページ

問2 1つの警戒区域は，面積 **600m²** 以下，一辺の長さ 50m 以下とします。ただし，光電式分離型感知器を設置する場合は，一辺の長さを **100m** 以下にできます。また，主要な出入口から内部を見通すことができる場合は，面積を **1000m²** 以下にできます。

解答 (3) **参照** 194 ページ

問3

× (1) 上屋その他外部の気流が流通する場所で，炎感知器以外の感知器が火災の発生を有効に感知できない場所には，設置できません。

× (2) 感知器の取付け面の高さが 20m 以上の場所には，炎感知器以外は設置できません。

○ (3) 天井と上階の床との間の距離が 0.5m 未満の天井裏には設置でき

ませんが，0.5m 以上あれば設置できます。

× (4) 排気ガスが多量に滞留する場所には，煙感知器や熱煙複合式スポット型感知器は設置できません。なお，熱感知器（定温式感知器を除く）や炎感知器は設置できます。

解答 (3)　**参照** 196 ページ

問 4

× (1) 定温式スポット型感知器の取付け面の最大高さは，2 種が 4m 未満，特種・1 種が 8m 未満です。

× (2) 差動式分布型感知器の取付け面の最大高さは，15m 未満です。

× (3) 補償式スポット型感知器の取付け面の最大高さは，8m 未満です。

○ (4) 煙感知器の取付け面の最大高さは，3 種が 4m 未満，2 種が 15m 未満，1 種が 20m 未満です。

解答 (4)　**参照** 199 ページ

問 5　取付け面の高さが 8m 以上の場所に設置できる感知器は，次のいずれかです。

- **差動式分布型感知器**
- **イオン化式スポット型感知器 1 種または 2 種**
- **光電式スポット型感知器 1 種または 2 種**
- **炎感知器**

したがって，(3) の光電式スポット型感知器 2 種は設置できます。

解答 (3)　**参照** 199 ページ

問 6

○ (1) じんあい，微粉等が多量に滞留する場所には，すべての熱感知器を設置できます。

× (2) 腐食性ガスが発生するおそれのある場所には，差動式スポット型感知器は設置できません。

× (3) 水蒸気が多量に滞留する場所には，1種の差動式分布型感知器と，1種の補償式スポット型感知器は設置できません（2種のみ可）。

× (4) 著しく高温になる場所には差動式感知器の機能が働かないため，定温式感知器を設置します。

解答（1） **参照** 198ページ

問7 「厨房その他正常時において煙が滞留する場所」には，煙感知器や熱煙複合式スポット型感知器，炎感知器は設置できません。

適応する感知器は，定温式感知器か，熱アナログ式スポット型感知器のみとなります。

解答（4） **参照** 198ページ

問8 天井等の高さが20m以上の場所には，熱感知器や煙感知器は設置できないため，炎感知器を設置します。

なお，煙感知器は次のような場所に設置が義務づけられています。

①階段及び傾斜路
②特定防火対象物，共同住宅，公衆浴場，工場，映画スタジオ等の廊下及び通路
③エレベーターの昇降路，リネンシュート，パイプダクト等
④カラオケボックス等の個室
⑤天井の高さ15m以上20m未満の場所
⑥特定防火対象物等の地階・無窓階・11階以上

※②④は熱煙複合式スポット型感知器，⑥は熱煙複合式スポット型感知器または炎感知器でも可。

解答（4） **参照** 197ページ

問9

×（1）差動式スポット型感知器や定温式スポット型感知器は，感知器の下端が，取付け面の下方 0.3m 以内（煙感知器は 0.6m 以内）の位置に設けます。

○（2）正しい記述です。

×（3）スポット型感知器は 45 度以上傾斜させないように設けます。

×（4）煙感知器の基準です。

解答（2） **参照** 201 ページ

問10 定温式感知器は，正常時の最高周囲温度が，公称作動温度（補償式スポット型感知器の場合は公称定温点）より 20℃以上低い場所に設置します。したがって，公称作動温度が 60℃の定温式感知器を設置する場合，正常時の最高周囲温度は 40℃となります。

なお，公称作動温度が複数ある感知器の場合は，最も低い公称作動温度が基準とります。

解答（2） **参照** 204 ページ

問11 定温式スポット型感知器の感知面積の基準は，次のように定められています。

取付け面の高さ		特種	1 種	2 種
4m 未満	耐火構造	70m²	**60m²**	20m²
	その他	40m²	**30m²**	15m²
4m 以上 8m 未満	耐火構造	35m²	**30m²**	
	その他	25m²	**15m²**	

上の表から，主要構造部を耐火構造とする防火対象物で，取付け面の高さが 6m の場合は，定温式スポット型 1 種を $30m^2$ につき 1 個以上設置すればよいことがわかります。したがって (2) が誤りです。

解答（2） **参照** 201 ページ

問 12　差動式スポット型感知器の感知面積の基準は，次のように定められています。

取付け面の高さ		１種	２種
4m 未満	耐火構造	**90m²**	70m²
	その他	**50m²**	40m²
4m 以上 8m 未満	耐火構造	**45m²**	35m²
	その他	**30m²**	25m²

上の表から，主要構造部を耐火構造とする防火対象物で，取付け面の高さが 5m の場合は，差動式スポット型 1 種を 45m² につき 1 個以上設置すればよいことがわかります。床面積が 150m² の場合，150 ÷ 45 ≒ 3.33 となるので，最小設置個数は切り上げで 4 個となります。

解答（4）　参照 202 ページ

問 13

× （1）感知器は，取付け面の下方 0.3m 以内の位置に設けます。

○ （2）正しい記述です。感知器は，取付け面の各辺から 1.5m 以内の位置に設けます。

× （3）相対する感知器の相互間隔は，主要構造部が耐火構造の場合は 9m 以下，その他の場合は 6m 以下とします。

× （4）1 つの検出部に接続する空気管の長さは 100m 以下とします。

解答（2）　参照 202 ページ

問 14　空気管式の差動式分布型感知器の取付け工事は，次の基準に従って施工します。

- 空気管は止め金具（ステップル等）により，直線部分にあっては 35cm 以内，屈曲部にあっては 5cm 以内の間隔で固定する。
- 空気管の屈曲半径は 5mm 以上とする。
- 空気管の接続は，接続管（スリーブ）を用いてはんだ付けする。
- 1 の感知区域の空気管の露出長は，20m 以上とする。

止め金具の間隔は35cm以内なので，(1)の記述は誤りです。

解答（1）　参照 202ページ

問15　熱電対式の差動式分布型感知器は，1つの感知区域ごとに最低でも4個の熱電対部を設けます。

解答（2）　参照 203ページ

問16

×（1）煙感知器の下端は，取り付け面の下方0.6m以内の位置に設けます。

○（2）正しい記述です。煙感知器は，壁またははりから0.6m以上離れた位置に設けます。

×（3）天井付近に吸気口がある場合は，その吸気口付近に設けます。

×（4）換気口などの空気吹出し口から，1.5m以上離れた位置に設けます。

解答（2）　参照 205ページ

問17

×（1）天井が低い居室または狭い居室の場合は，入口付近に設けます。

×（2）廊下及び通路に3種の感知器を設ける場合は，歩行距離20m（1種・2種の場合は30m）につき1個以上設けます。

○（3）正しい記述です。階段及び傾斜路には，垂直距離15m（3種は10m）につき1個以上設けます。

×（4）エレベーター昇降路，パイプダクト等に感知器を設ける場合は，最上部に1個以上設けます。

解答（3）　参照 206ページ

問 18 煙感知器の感知面積の基準は，次のように定められています。

取付け面の高さ	１種	２種	３種
4m 未満	**150m²**	150m²	50m²
4m 以上 15m 未満	**75m²**	75m²	
15m 以上 20m 未満	**75m²**		

上の表から，取付け面の高さが 6m の場合は，１種の煙感知器を 75m² につき１個以上設置すればよいことがわかります。したがって (2) が誤りです。

解答 (2)　**参照** 205 ページ

問 19 光電式分離型感知器の主な設置基準は次のとおりです。

- 感知器の光軸が，並行する壁から 0.6m 以上離れた位置となるように設ける。
- 感知器の送光部及び受光部は，その背部の壁から 1m 以内の位置に設ける。
- 天井等の高さが 20m 未満の場所に設け，15m 以上の場所に設ける感知器は，１種のものとする。
- 光軸の高さが天井等の高さの 80%以上となるように設ける。
- 光軸の長さが公称監視距離の範囲内となるように設ける。
- 壁によって区画された区域の各部分から１の光軸までの水平距離が，7m 以下となるように設ける。

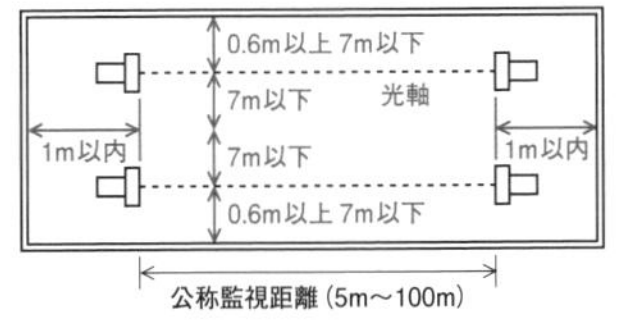

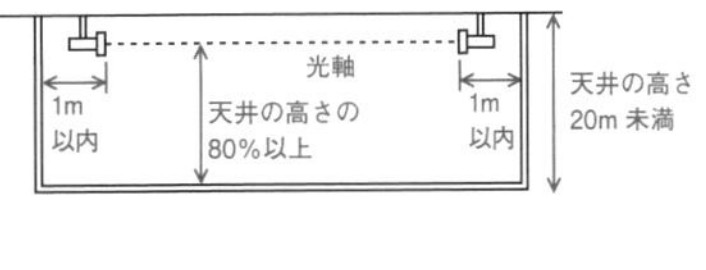

壁によって区画された区域の各部分から１の光軸までの水平距離は，7m 以下となるように設けます。

解答 (4)　**参照** 207 ページ

問 20 (1) 水蒸気が滞留する場所，(2) じんあい等が滞留する場所，(3) 排気ガスが滞留する場所には，煙感知器を設置することができないため，熱感知器か炎感知器を代わりに設置します。ただし，水蒸気が滞留する場所には，炎感知器も設置できません。

また，天井等の高さが 20m 以上の場所には，炎感知器しか設置できません。

解答 (1)　**参照** 198 ページ

問 21 道路用の炎感知器の主な設置基準は，次のとおりです。

- 感知器は，道路の側壁部または路端の上方に設ける。
- 道路面からの高さが 1.0m 以上 1.5m 以下の部分に設ける。
- 道路の各部分から感知器までの距離が公称監視距離の範囲内となるように設ける。
- 日光を受けない位置に設ける（感知障害が生じないように遮光板等を設けた場合を除く）。

以上から，(2) の「道路面からの高さが 1.5m 以上 2.0m 以下の部分に設ける。」という記述が誤りです。

解答 (2)　**参照** 209 ページ

問 22

○ (1) 正しい記述です。感知器は，天井等または壁に設けます。

× (2) 床面から 1.2m までの空間が監視空間になります。

× (3) 炎感知器には，空気吹出し口からの距離に関する規定はありません。

× (4) 炎感知器は，監視空間が公称監視距離の範囲内に入るように設置します。傾斜に関する規定はありません。

解答 (1)　**参照** 209 ページ

問 23 P型1級（1回線用），P型2級，P型3級受信機は，1つの防火対象物に3台以上設けることはできません（GP型受信機についても同じ）。したがって，設置できるのは最大2台までです。

解答 (2) **参照** 211ページ

問 24 多回線用のP型（GP型）1級受信機やR型受信機には台数に関する規定がないので，3台以上設けることができます。

解答 (4) **参照** 211ページ

問 25 P型・GP型2級受信機（1回線用）とP型・GP型3級受信機には，設置する防火対象物の延べ面積に次のような制限があります。

受信機	設置できる防火対象物
P型·GP型2級受信機（1回線用）	延べ面積 350m² 以下
P型・GP型3級受信機	延べ面積 150m² 以下

○ (1) P型1級受信機（多回線用）は，設置台数や延べ面積の制限はありません。

○ (2) GP型1級受信機（1回線用）は，1の防火対象物に最大2台まで設置できます。また，延べ面積の制限はありません。

○ (3) P型2級受信機（1回線用）は，延べ面積 350m² 以下の防火対象物に設置できます。

× (4) P型3級受信機は，延べ面積 150m² を超える防火対象物に設置できません。

解答 (4) **参照** 211ページ

問 26 受信機に接続するＰ型発信機の種別は，次のように決まっています。

受信機の種別	発信機の種別
Ｐ型・GP 型１級受信機 R 型・GR 型受信機	Ｐ型１級発信機
Ｐ型･GP 型２級受信機（多回線用）	Ｐ型２級発信機
Ｐ型･GP 型２級受信機（1 回線用） Ｐ型・GP 型３級受信機	なし

したがって，(3) の「Ｐ型２級受信機（多回線用）と接続した」という記述は，Ｐ型１級発信機の設置方法としては誤りです。

解答 (3)　**参照** 212 ページ

問 27 地区音響装置の音圧は，取り付けられた音響装置の中心から 1m 離れた位置で 90dB 以上（音声により警報を発する場合は 92dB 以上）とします。

解答 (2)　**参照** 213 ページ

問 28

× (1) Ｐ型１級受信機は，地区音響装置の設置を省略できません。

× (2) 各階ごとに，その階の各部分から１の地区音響装置までの水平距離が 25m 以下となるように設けます。歩行距離ではありません。

○ (3) 正しい記述です。それぞれの受信機が別々の地区音響装置を鳴らすのではなく，どの受信機からも全館の地区音響装置を鳴らせるようにします。

× (4) 受信機から地区音響装置までの配線は，600V 二種ビニル絶縁電線（HIV 線）またはこれと同等以上の耐熱性を有する電線を使用します（217 ページ）。

解答 (3)　**参照** 212 ページ

問 29　地階を除く階数が5以上で，延べ面積が3000m²を超える防火対象物の自動火災報知設備では，地区音響装置を区分鳴動できるように設けます。出火階によって区分鳴動させなければならない階は，次のとおりです。

出火階	鳴動させる階
①2階以上のとき	出火階＋直上階
②1階のとき	出火階＋直上階＋地階全部
③地階のとき	出火階＋直上階＋その他の地階

したがって，地下2階から出火した場合は，出火階である地下2階と直上階である地下1階に加えて,その他の地階である地下3階を鳴動させます。

解答（3）　**参照** 213ページ

問 30　延べ面積が1000m²以上の特定防火対象物に設ける自動火災報知設備の非常電源は，蓄電池設備によることと定められています。

延べ面積1000m²以上の特定防火対象物	蓄電池設備
その他の防火設備	非常電源専用受電設備または蓄電池設備

解答（3）　**参照** 214ページ

問 31　P型（GP型）受信機の感知器回路の電路の抵抗は，50Ω以下となるように設ける必要があります。

解答（3）　**参照** 216ページ

問 32　受信機から地区音響装置までの配線工事は，一般に次のように施工することと定められています。

①600V二種ビニル絶縁電線またはこれと同等の耐熱性を有する電線を使用する。

②金属管工事，可とう電線管工事，金属ダクト工事またはケーブル工事（不燃性のダクトに敷設するものに限る）により施工する。

ただし，消防長長官が定める基準に適合する電線を使用する場合には，例外として金属管などに収納せず，そのまま敷設する（露出配線）ことが認められています。

×（1）600V ビニル絶縁電線（IV 線）は，耐熱性のない一般的な電線で，地区音響装置の配線には使用できません。

×（2）600V 二種ビニル絶縁電線（HIV 線）は，金属管工事などにより施工する必要があります。

○（3）MI ケーブルは，特に耐熱性の高いケーブルで，耐熱配線に用いることができます。

×（4）架橋ポリエチレン絶縁ビニルシースケーブル（CV ケーブル）の耐熱性は，HIV 線と同様になります。

解答（3） **参照** 217 ページ

問 33 感知器の信号回路を送り配線とし，末端に発信機や終端器を設けるのは，電路の断線をすぐに検出して，導通試験を容易にするのが目的です。

解答（1） **参照** 215 ページ

問 34 自動火災報知設備の配線に使用する電線は，原則としてその他の電線と同一の管やダクト，線ぴ，プルボックス等に収納しないようにします。ただし，電圧 60V 以下の弱電流回路に使用する電線については，例外として同一の管などに収納できます。

解答（4） **参照** 218 ページ

問 35 自動火災報知設備の電源回路と大地との間及び電源回路の配線相互間の絶縁抵抗値は，次のように定められています。

対地電圧 150V 以下	0.1M Ω以上
対地電圧 150V 超	0.2M Ω以上

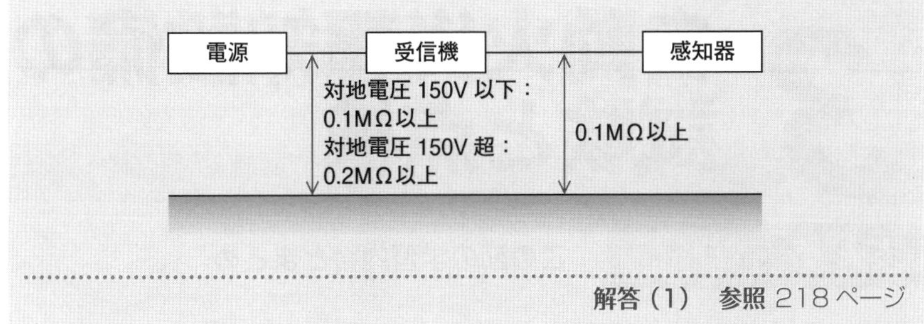

解答（1） 参照 218 ページ

解 答

問 1 (2)	問 10 (2)	問 19 (4)	問 28 (3)
問 2 (3)	問 11 (2)	問 20 (1)	問 29 (3)
問 3 (3)	問 12 (4)	問 21 (2)	問 30 (3)
問 4 (4)	問 13 (2)	問 22 (1)	問 31 (3)
問 5 (3)	問 14 (1)	問 23 (2)	問 32 (3)
問 6 (1)	問 15 (2)	問 24 (4)	問 33 (1)
問 7 (4)	問 16 (2)	問 25 (4)	問 34 (4)
問 8 (4)	問 17 (3)	問 26 (3)	問 35 (1)
問 9 (2)	問 18 (2)	問 27 (2)	

3 自動火災報知設備の試験と点検

まとめ＆丸暗記　この節の学習内容とまとめ

□　感知器の試験

感知器種別	試験項目	内容
差動式・補償式・定温式スポット型	作動試験	加熱試験器で感知器を作動させる。
差動式分布型（空気管式）	作動試験	テストポンプで空気を注入して感知器を作動させる。
	作動継続試験	作動してからの接点が開くまでの時間を計測する。
	流通試験	マノメーターの水位が一定量下がるまでの時間を計測し，空気管の漏れや詰まりを検査する。
	接点水高試験	接点が閉じるときのマノメーターの水位を計測し，接点の間隔を検査する。
定温式感知線型	作動試験	回路試験器を作動させる。
	回路合成抵抗試験	感知線の合成抵抗を計測する。
煙感知器	作動試験	加煙試験器で感知器を作動させる。
光電式分離型	作動試験	減光フィルターで感知器を作動させる。
炎感知器	作動試験	適応する試験器で感知器を作動させる。

□　受信機の試験

試験項目	内容
火災表示試験	火災表示が正常かどうかを回線ごとに検査する。
回路導通試験	感知器回路が断線していないかどうかを回線ごとに検査する。
同時作動試験	複数回線から火災信号を受信しても正常に作動するかどうかを検査する。

□　配線の試験

試験項目	内容
送り配線試験	感知器の配線が送り配線かどうかを検査する。
共通線試験	共通線が７警戒区域以下になっていることを確認する。

自動火災報知設備の試験項目

自動火災報知設備の設置工事が完了したときや，6か月に1度行われる定期点検では，設備が法令や技術上の基準に適合しているかどうかを，定められた試験基準に従って試験します。

試験項目は，目で見て確認する外観試験と，試験器を使って行う機能試験とに大きく分かれます。ここでは，主に機能試験の内容を説明します。

補足

自動試験機能
自動試験機能を備えている場合は，感知器の作動試験や受信機の火災表示試験・回路導通試験など（下表の※マークのついた試験項目）を，自動または簡単な操作で行えます。

種別		試験項目	使用する試験器等
感知器	差動式スポット型・補償式スポット型・定温式スポット型	作動試験※	加熱試験器
	差動式分布型（空気管式）	作動試験※	テストポンプ（空気注入試験器）
		作動継続試験	
		流通試験	テストポンプ，マノメーター
		接点水高試験	
	差動式分布型（熱電対式・熱半導体式）	作動試験※	メーターリレー試験器
		回路合成抵抗試験	
	定温式感知線型	作動試験※	回路試験器
		回路合成抵抗試験	
	煙感知器（光電式分離型以外）	作動試験※	加煙試験器
		感度試験	煙感知器感度試験器
	光電式分離型	作動試験※	減光フィルター
	炎感知器	作動試験※	感知器に適応する試験器
受信機		火災表示試験※，回路導通試験※，同時作動試験※，注意表示試験※，感知器作動試験※，予備電源試験※，非常電源試験※，付属装置試験，相互作動試験	
配線		共通線試験，送り配線試験	

※は「補足」参照のこと。

感知器の試験

1 差動式スポット型・定温式スポット型・補償式スポット型

差動式スポット型，定温式スポット型，補償式スポット型感知器では，**加熱試験器**を用いた**作動試験**を行います。

加熱試験器は柄のついたお椀のような形をした試験器です。白金カイロの火口（ひぐち）を入れたお椀を，天井に取り付けた感知器にかぶせ，感知器が所定の時間内に作動するかどうかを確認します。

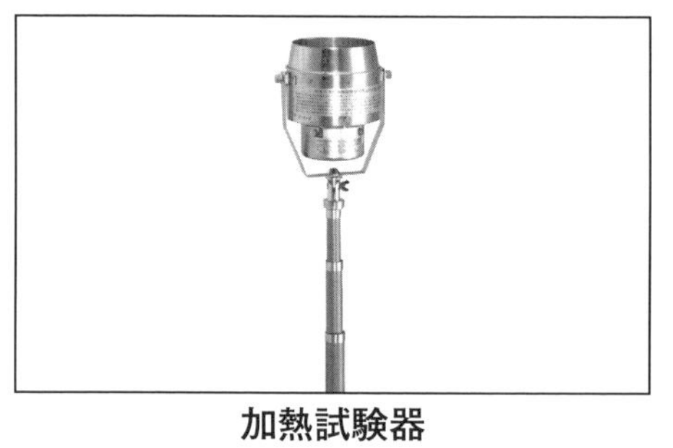

加熱試験器

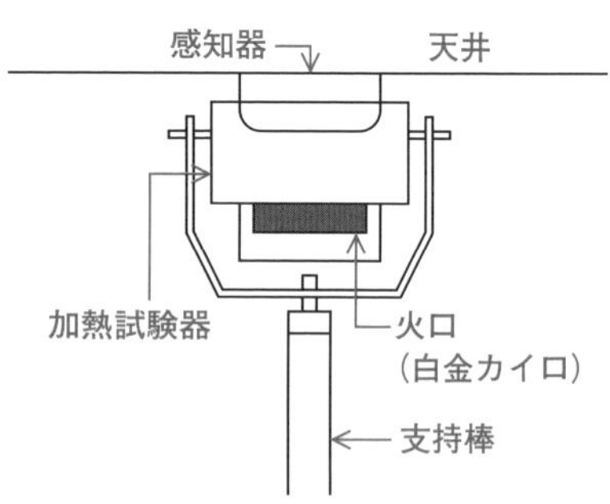

試験での各感知器の作動時間は，次のように定められています。

	特種	1種	2種
差動式スポット型 補償式スポット型	−	30秒以内	30秒以内
定温式スポット型	40秒以内	60秒以内	120秒以内

なお，定温式スポット型感知器の作動試験で，公称作動温度と周囲温度の差が50℃を超えている場合は，作動時間を2倍まで延長できます。

2 差動式分布型（空気管式）

空気管式の差動式分布型感知器の機能試験では，①作動試験，②作動継続試験，③流通試験，④接点水高試験の４項目を行います。

①作動試験

感知器を加熱するのではなく，熱による空気膨張と同じ圧力を空気管に加えて，正常に作動するかどうかをテストします。

検出部にある**試験孔**に**テストポンプ**（空気注入試験器）を接続し，試験コックを「作動試験」位置に合わせて，感知器の作動空気圧に相当する空気量を注入します。空気を注入してからダイヤフラムの接点が閉じるまでの時間を計測し，それが検出部に明示された時間内かどうかを確認します。

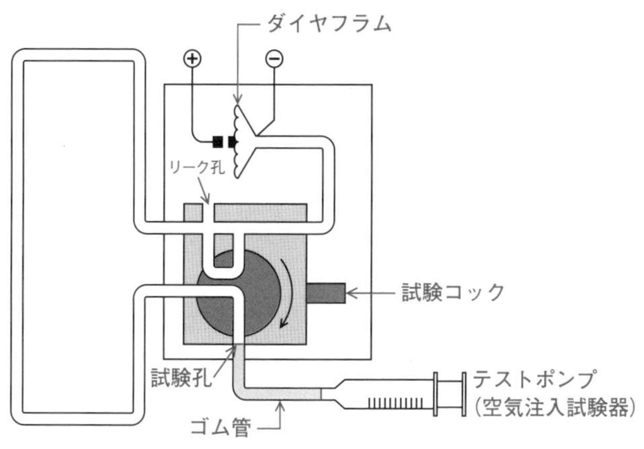

②作動継続試験

空気管内の空気はリーク孔から少しずつ抜けるため，いったん閉じた接点はしばらくするとまた開きます。作動継続試験では，作動試験で感知器が作動してから，接点が再び開くまでの時間を計測します。その時間が検出部に明示された範囲内であれば合格です。

補足

白金カイロ
白金（プラチナ）の触媒作用で，燃料となるベンジンを発熱させます。

補足

差動スポット試験器
変電室など，点検が容易に行えない場所に差動式スポット型感知器を取り付けた場合は，テスト用に出入口付近に差動スポット試験器を取り付けます。差動スポット試験器は，差動式スポット型感知器との間を空気管で接続し，試験孔から空気を送って作動試験を行えるようにしたものです。差動スポット試験器は，床面から 0.8m 以上 1.5m 以下の場所に取り付けます。

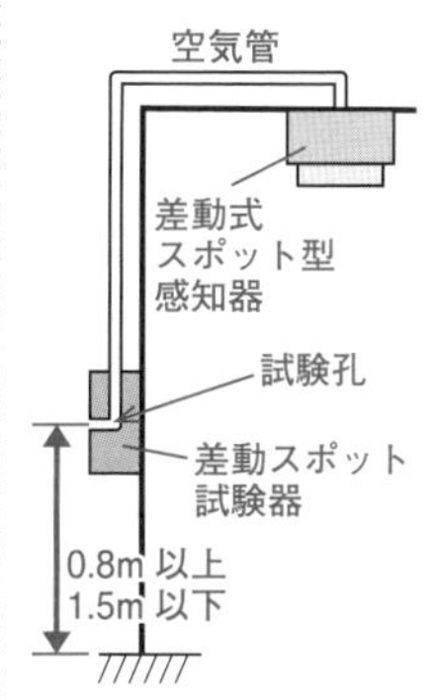

③流通試験

空気管に空気を送って，漏れや詰まりがないかどうかを確認する試験です。

試験方法は，まず空気管の一端にマノメーターを接続し，試験孔にテストポンプを接続します。次に，試験コックを「流通試験」位置に合わせて，テストポンプから空気を注入し，マノメーターの水位を約100mmのところで停止させます。

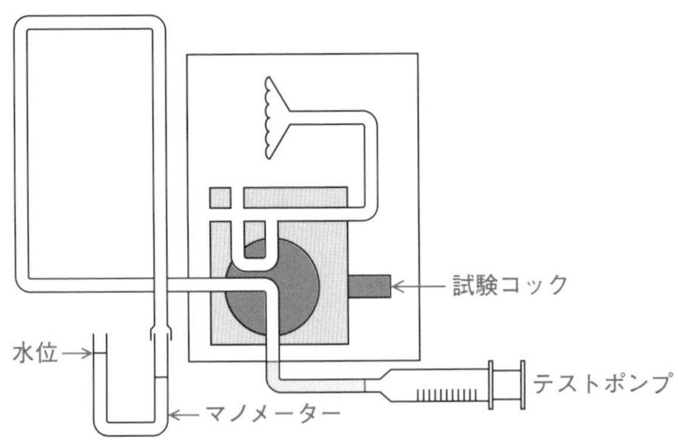

水位が停止したら，試験コックを操作して送気口を開き，マノメーターの水位が1／2に下がるまでの時間を計測します。その時間が，検出部に表示されている流通曲線の上限と下限の間であれば合格です。

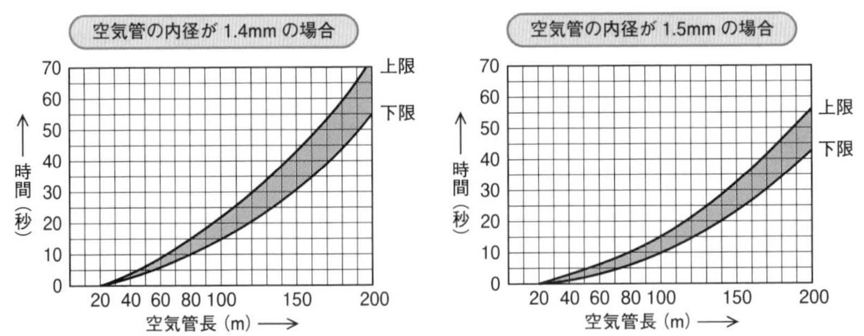

④接点水高試験

ダイヤフラムの接点の間隔をテストします。マノメーターとテストポンプを接続し，試験コックを「接点水高試験」位置に合わせます。空気を少しずつ注入して，接点が閉じたときの水位を測定します。水位が高いほど，接点の間隔が開いている（その分，作動時間が長くなる）ことを示します。

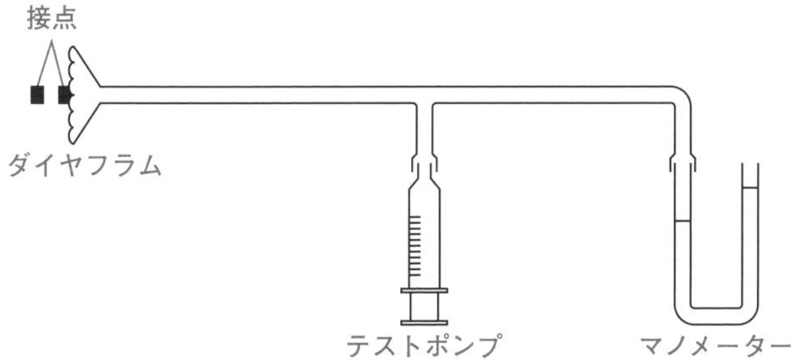

3 差動式分布型（熱電対式）

熱電対式や熱半導体式の差動式分布型感知器の機能試験では，①作動試験と②回路合成抵抗試験を行います。

①作動試験

検出部にメーターリレー試験器を接続して電圧を加え，感知器が作動したときの電圧を測定します。値が所定の範囲内であれば合格です。

②回路合成抵抗試験

検出部にメーターリレー試験器を接続し，回路の合成抵抗を測定します。値が所定の数値以下であれば合格です。

4 定温式感知線型

定温式感知線型感知器の試験では，作動試験と回路

補足

接点水高は，高すぎると火災信号の発信の遅れにつながり，低すぎると誤報につながります。

合成抵抗試験を行います。

作動試験では，実際に感知線を加熱することはありません（被覆が溶けて使えなくなってしまうため）。回路端末の回路試験器を作動させ，受信機が火災表示することを確認します。

また，回路合成抵抗試験では，感知器回路の配線と感知器の合成抵抗値を測定し，規定の値以下であることを確認します。

5 イオン化式スポット型・光電式スポット型

イオン化式スポット型・光電式スポット型感知器では，**加煙試験器**を用いた作動試験を行います。

加煙試験器は，発煙剤（線香）を入れたお椀形の試験器を感知器にかぶせ，感知器が所定の時間内に作動するかどうかを確認します。

加煙試験器

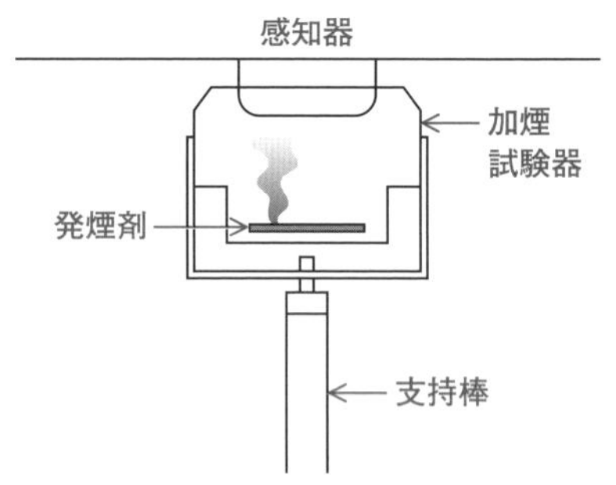

煙感知器の作動時間は，感度ごとに次のように定められています。

	1種	2種	3種
イオン化式スポット型 光電式スポット型	30秒以内	60秒以内	90秒以内

なお，スポット型の煙感知器については，総合点検（1年に1回行われる総合的な点検）時に感知器の感度の点検も行います。この際には，**煙感知器感度試験器**が使われます。

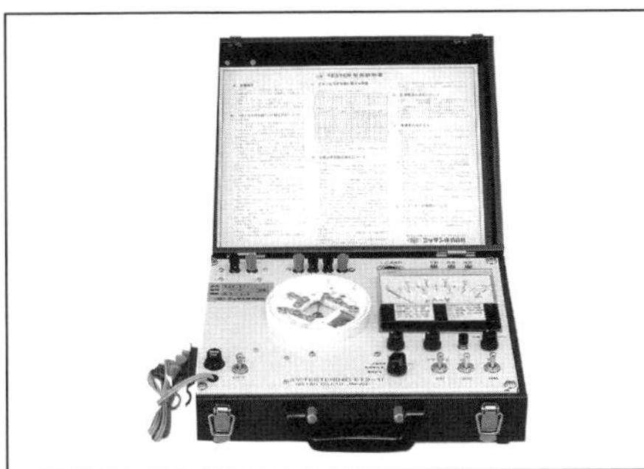

煙感知器感度試験器

6 光電式分離型

光電式分離型感知器では，減光フィルターを用いた作動試験を行います。

光の透過率の異なる何枚かの減光フィルターで光軸を遮り，所定の減光率のときに正常に作動するかどうかをテストします。

減光フィルター

補足

加煙試験器の発煙剤には，線香のほかにガスボンベを用いるタイプもあります。

受信機の試験

受信機の機能試験には，**火災表示試験**，**回路導通試験**，**同時作動試験**，**予備電源試験**などがあります。主な試験の目的と，試験方法を把握しておきましょう。

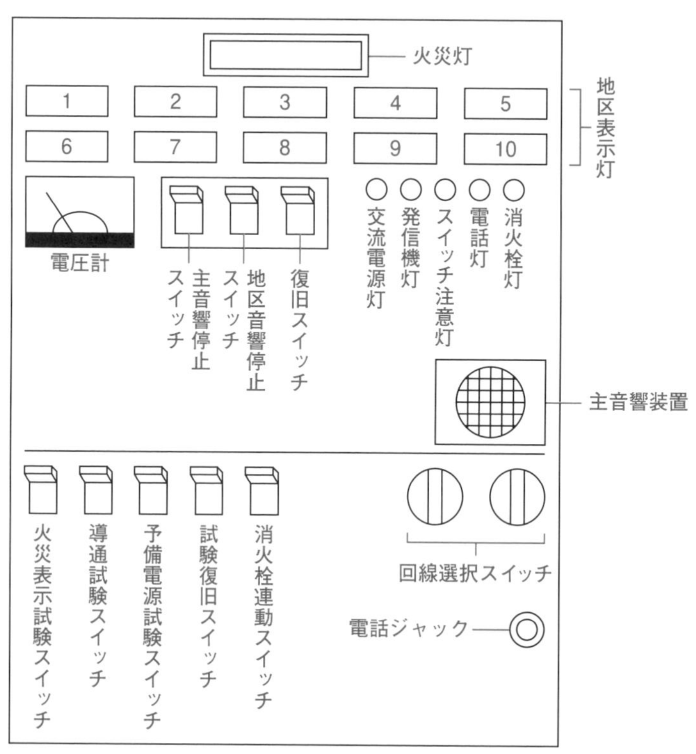

1 火災表示試験

火災表示試験は，火災信号を受信したとき，受信機の火災灯や地区表示灯，主音響装置，地区音響装置が正常に作動するかどうかをテストします。また，手動で復旧させない限り，火災表示が保持されることを確認します。

試験は，次のような手順で行います。

①火災表示試験スイッチを「試験」側に倒す。
②回線選択スイッチで，試験する回線を選択する。
③火災灯，地区表示灯が点灯しているか，選択した回線と地区表示灯が示す回線は一致しているか，音響装置が正常に鳴動しているかを確認する。
④復旧スイッチを操作して元の状態に戻し，次の回線に移る。

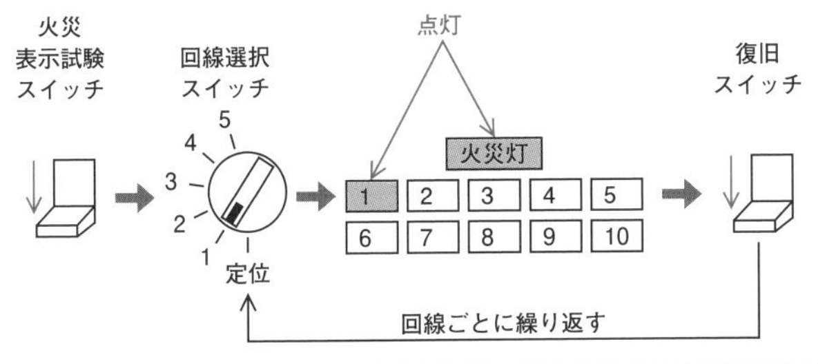

なお，P 型３級（または GP 型３級）受信機は，自己保持機能を備えていない場合があるので注意します。

2 回路導通試験

回路導通試験は，感知器回路が断線していないかどうかを，回線ごとにテストします。

①導通試験スイッチを「試験」側に倒す。
②回線選択スイッチで，試験する回線を選択する。
③試験用計器の指示値が適正であることを確認する（受信機によっては，導通表示灯が点灯）。

3 同時作動試験

同時作動試験は，複数の警戒区域から，同時に火災

補足

復旧スイッチ
復旧スイッチは，受信機の火災表示保持機能を解除して，受信機を元の状態に戻します。押している間だけ作動し，自動で定位置に戻るスイッチです。

補足

試験復旧スイッチ
火災表示の保持機能を無効にし，火災表示後，数秒で自動的に受信機を復旧させます。感知器の作動試験を行う際に，いちいち受信機を復旧させる手間を省くためのスイッチです。試験のときだけ「入」にし，試験が終わったらかならず「切」の状態に戻しておきます。

信号を受信したとき，火災表示が正常に行われることを確認します。常用電源使用時は５回線，非常電源使用時は２回線から，同時に火災信号を受信できれば合格です。

①**火災表示試験スイッチ**を「試験」側に倒す。
②**回線選択スイッチ**を回して，回線を５つ選択する（非常電源使用時は２回線分）。
③火災灯，地区表示灯が点灯しているか，選択した回線と地区表示灯が示す回線は一致しているか，音響装置が正常に鳴動しているかを確認する。

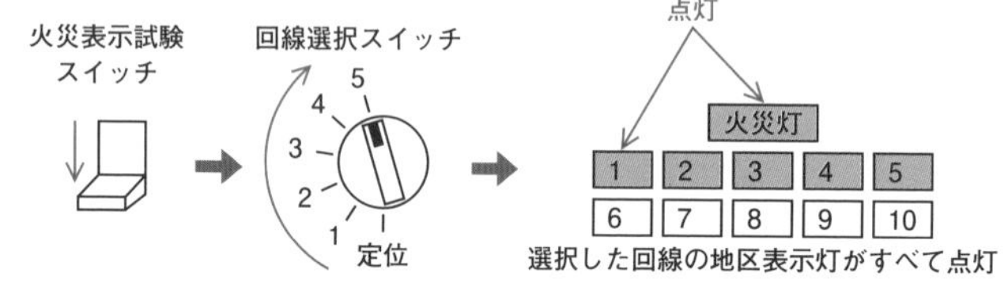

4 予備電源試験（非常電源試験）

常用電源から予備電源，予備電源から常用電源への切り替えが正常に作動するかどうか，また，予備電源の電圧が正常かどうかをテストします。

①**予備電源試験スイッチ**を押し，電圧計等の指示値が正常であることを確認する。
②主電源スイッチ等により，予備電源への切替えや，常用電源への復旧が自動で行われることを確認する。

非常電源試験は，主電源の遮断と復旧を行い，切り替えが正常かどうかを確認します。ただし，予備電源が非常電源を兼ねている場合は，予備電源試験によって非常電源試験は省略できます。

配線の試験

自動火災報知設備の配線に関する機能試験には，①共通線試験，②送り配線試験の２種類があります。

1 共通線試験

共通線試験は，共通線が７警戒区域以下であることを確認する試験です。

試験方法は，共通線をはずした状態で受信機の回路導通試験を行い，断線となる回線を確認します。断線になるのが７回線以下なら合格です。

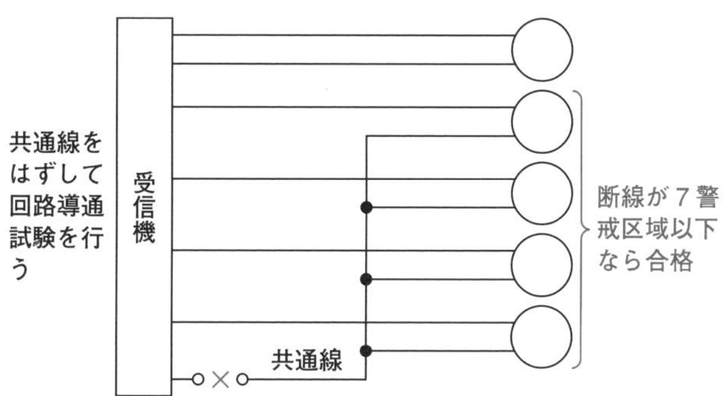

2 送り配線試験

送り配線試験は，感知器回路の電路が送り配線になっていることを確認します。

すべての回線を調べるのは大変なので，警戒区域数に応じて，以下の回線数を調べればよいことになっています。

補足

共通線試験の前に回路導通試験を行い，すべての回路が断線していないことをあらかじめ確認しておく必要があります。

警戒区域数	試験回線数
10 以下	1
11 以上 50 以下	2
51 以上	3

試験回線に接続された個々の感知器について，送り配線になっていることを確認し，さらに感知器の1線をはずして回路末端の発信機等を作動させ，回路が断線しているかどうかを調べます。

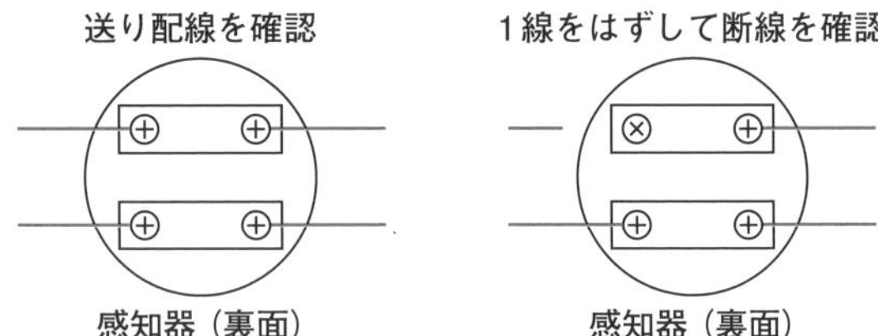

チャレンジ問題

[解説] 262ページ [解答一覧] 266ページ

問1

難 中 易

差動式分布型感知器（空気管式）の機能試験として誤っているものは次のうちどれか。

(1) 加熱試験
(2) 接点水高試験
(3) 流通試験
(4) 作動継続試験

問2

難 中 易

差動式分布型感知器（空気管式）の点検結果について，非火災報が発生するおそれのあるものは次のうちどれか。

(1) 接点水高が規定値より高かった。
(2) 接点水高が規定値より低かった。
(3) 空気管に漏れがあった。
(4) 空気管に詰まりがあった。

問3

難 中 易

差動式分布型感知器（空気管式）の流通試験に必要な器具として，誤っているものは次のうちどれか。

(1) マノメーター
(2) 空気注入試験器
(3) ゴム管
(4) メーターリレー試験器

問4

難　中　易

差動式分布型（空気管式）の作動試験を実施したところ，作動時間が規定より長かった。原因として考えられるものとして，誤っているものは次のうちどれか。

(1) リーク抵抗が規定値より小さい。
(2) 接点水高が規定値より高い。
(3) 感知器回路の合成抵抗が規定値より大きい。
(4) 空気管と検出部との接続部分に漏れが生じている。

問5

難　中　易

差動式分布型感知器（空気管式）の流通試験についての記述として，誤っているものは次のうちどれか。

(1) 空気管に漏れや詰まりがあるかどうかを調査する。
(2) マノメーターの水位が停止せず，徐々に水位が下がっていく場合は，空気管に漏れがあるおそれがある。
(3) 流通時間が規定より短い場合は，接点間隔を調整する。
(4) 空気管長が長いほど，流通時間は一般に長くなる。

問6

難　中　易

全長 80m，内径 1.5mm の空気管の流通試験を行った。図の流通曲線に適合しているものは，次のうちどれか。

(1) 3 秒
(2) 8 秒
(3) 15 秒
(4) 20 秒

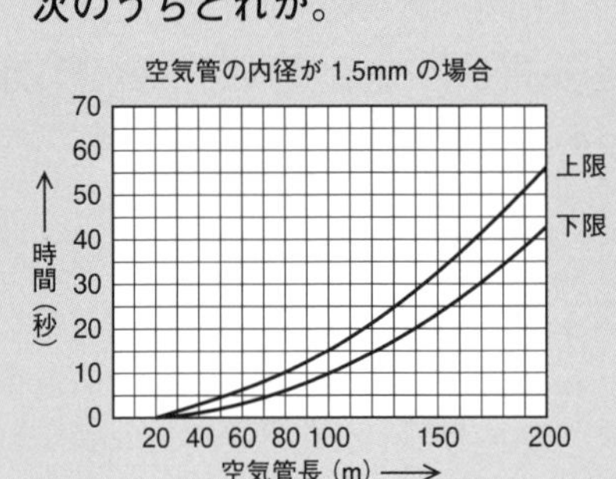

問7

難 中 易

定温式スポット型感知器の作動試験の結果に関する記述で，規定の範囲外のものは次のうちどれか。ただし，感知器の公称作動温度は70℃で，試験実施時の周囲温度は10℃とする。

(1) 1種のものにあっては，64秒で作動した。
(2) 2種のものにあっては，217秒で作動した。
(3) 1種のものにあっては，119秒で作動した。
(4) 特種のものにあっては，85秒で作動した。

問8

難 中 易

差動式スポット型1種の感知器を，加熱試験器を用いて加熱したときの作動時間として，正しいものは次のうちどれか。

(1) 30秒以内
(2) 40秒以内
(3) 50秒以内
(4) 60秒以内

問9

難 中 易

光電式分離型感知器の作動試験に必要な器具として，正しいものは次のうちどれか。

(1) 加熱試験器
(2) 煙感知器感度試験器
(3) 減光フィルター
(4) 加煙試験器

問10

難 中 易

自動火災報知設備の総合点検において，スポット型煙感知器の感度を確認するために行うのは次のうちどれか。

(1) 加煙試験器を用いる。

(2) 煙感知器感度試験器を用いる。
(3) メーターリレー試験器を用いる。
(4) メガーを用いる。

問 11 難 中 易

定温式感知線型感知器の機能試験の内容として，正しいものは次のうちどれか。

(1) 感知線の合成抵抗を測定する。
(2) 加熱試験器で加熱試験を行う。
(3) マノメーターで接点水高を測定する。
(4) 加煙試験器で加煙試験を行う。

問 12 難 中 易

自動火災報知設備の工事完了時に実施する受信機の機能試験として，誤っているものは次のうちどれか。

(1) 回路導通試験
(2) 共通線試験
(3) 火災表示試験
(4) 同時作動試験

問 13 難 中 易

受信機の回路導通試験を実施したとき，試験用計器等の指示値が導通を示さない原因として，正しいものは次のうちどれか。

(1) 煙感知器の内部回路が破損していた。
(2) 差動式分布型感知器（空気管式）の空気管が切断状態になっていた。
(3) 終端抵抗器の接続端子が接触不良であった。
(4) 熱感知器の接点が接触不良であった。

・問 14・ 難 中 易

Ｐ型１級受信機（多回線）の機能試験について，誤っているものは次のうちどれか。

(1) 火災表示試験では，火災表示と火災表示保持機能が正常であることを確認する。

(2) 回路導通試験では，回線に接続された感知器に異常がないかどうかを確認する。

(3) 予備電源試験では，予備電源が所定の電圧で作動するかどうかを確認する。

(4) 同時作動試験では，任意の５回線が同時に作動するかどうかを確認する。

・問 15・ 難 中 易

自動火災報知設備の工事完了時に行う配線についての機能試験として，誤っているものは次のうちどれか。

(1) 送り配線試験は，感知器回路の配線が送り配線かどうかを確認する。

(2) 共通線試験では，共通線が共用している警戒区域の数が７以下であることを確認する。

(3) 送り配線試験は，受信機に接続されているすべての回線で行う必要はない。

(4) 共通線試験は，共通線を接続してから，受信機の回路導通試験により確認する。

解説

問1　差動式分布型感知器（空気管式）の機能試験では，①作動試験，②作動継続試験，③流通試験，④接点水高試験を行います。このうち作動試験は，空気管を加熱してテストするのではなく，テストポンプで空気管に空気を注入し，火災発生時と同じ空気圧にすることでテストします。

解答（1）　参照 246 ページ

問2　接点水高は，接点の間隔を水位に置き換えて表したものです。接点水高が規定値より低いのは，接点の間隔が狭いことを示します。その場合，短時間で接点が閉じてしまうため，非火災報が生じやすくなります。

×（1）接点水高が規定値より高いと，作動するまでの時間が長くなります。
○（2）正しい記述です。
×（3）空気管に漏れがあると，火災が発生しても空気圧が上昇せず，感知器が作動しないおそれがあります。
×（4）空気管が詰まっていると，空気管の流通が悪くなるため，作動時間が長くなります。

解答（2）　参照 248 ページ

問3　流通試験は，空気管の一端に空気注入試験器（テストポンプ），他端にマノメーターを接続して行います。なお，テストポンプは，ゴム管を介して空気管と接続します。

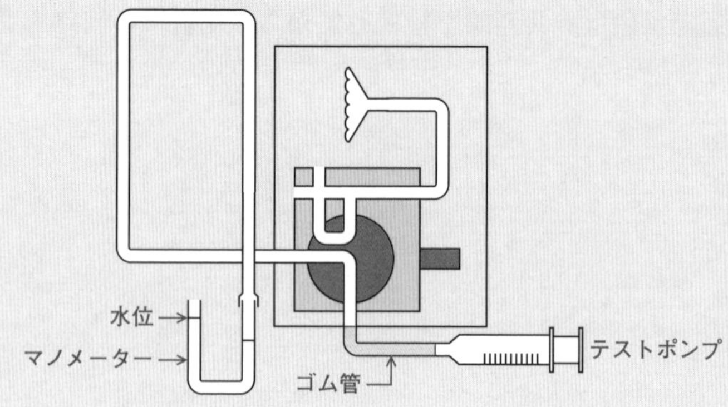

なお，メーターリレー試験器は，熱電対式や熱半導体式の差動式分布型感知器の試験で使用します。

解答（4）　参照 248 ページ

問4　差動式分布型（空気管式）の作動時間が長くなる原因としては，

・空気管から空気が漏れている

・空気管が詰まっている

・リーク抵抗が小さい

・接点水高が高すぎる

などが考えられます。

○（1）リーク抵抗が小さいと空気が漏れやすくなるため，作動時間は長くなります。

○（2）接点水高が高いということは，接点の間隔が開いているということなので，作動時間は長くなります。

×（3）感知器回路の抵抗は，感知器の作動時間とは関係ありません。

○（4）空気管から空気が漏れていると，作動時間は長くなります。

解答（3）　参照 247 ページ

問5　流通試験は，空気管に漏れや詰まりがないかどうかを調査する試験です。マノメーターの水位が停止せず，徐々に水位が下がっていく場合は，空気管に漏れがあるおそれがあります。また，空気管長が長いほど，流通時間は一般に長くなります。

なお，流通時間が規定の範囲外にある場合は，空気管に漏れや詰まりなどの問題があります。接点間隔は関係ありません。

解答（3）　参照 248 ページ

問6 図の流通曲線より，空気管長が80mの場合には，流通時間の下限が約5秒，上限が約10秒となっています。したがって，(2)の8秒であれば範囲内となります。

解答 (2)　**参照** 248ページ

問7 定温式スポット型感知器の作動時間は，原則として次の秒数以内となっています。

	特種	1種	2種
作動時間	40秒	60秒	120秒

ただし，公称作動温度と周囲温度との差が50℃以上あるときは，通常の作動時間の2倍の秒数までを作動時間としてよいことになっています。

本問の場合，公称作動温度が70℃で，周囲温度が10℃なので，周囲温度との差は50℃以上です。したがって，作動時間の上限は特種80秒，1種120秒，2種240秒となります。この上限を超えているのは，選択肢のうち(4)の「特種のものにあっては，85秒で作動した。」だけです。

解答 (4)　**参照** 246ページ

問8 作動試験における差動式スポット型感知器の作動時間は，1種，2種ともに30秒以内でなければなりません。

解答 (1)　**参照** 246ページ

問9 光電式分離型感知器の作動試験では，減光フィルターで光軸を遮り，作動するかどうかを確認します。

× (1) 加熱試験器は，スポット型熱感知器の作動試験に使う試験器です。

× (2) 煙感知器感度試験器は，スポット型煙感知器の感度試験に使う試験器です。

○ (3) 正解です。

×（4）加煙試験器は，スポット型煙感知器の作動試験に使う試験器です。

解答（3） 参照 251 ページ

問 10 煙感知器の感度は，煙感知器感度試験器で確認します。

×（1）加煙試験器は煙感知器の作動試験に用います。

○（2）正しい記述です。

×（3）メーターリレー試験器は差動式分布型感知器の作動試験に用います。

×（4）メガーとは絶縁抵抗計のことで，絶縁抵抗を測定するのに用います。

解答（2） 参照 251 ページ

問 11 定温式感知線型感知器の機能試験では，①作動試験，②回路合成抵抗試験を行います。

○（1）正しい記述です。

×（2）加熱試験器は，スポット型の熱感知器の試験で用います。

×（3）マノメーターは差動式分布型感知器（空気管式）の試験で用います。

×（4）加煙試験器は，スポット型の煙感知器の試験で用います。

解答（1） 参照 250 ページ

問 12 受信機の機能試験には，火災表示試験，回路導通試験，同時作動試験，予備電源試験などがあります。共通線試験は，感知器回路の配線を調査する試験です。

解答（2） 参照 255 ページ

問 13 回路導通試験は，感知器回路が断線していないかどうかを確認します。感知器の故障については確認することはできません。

解答（3） 参照 253 ページ

問 14 回路導通試験は，感知器回路に断線がないかどうかを確認します。回路に接続された感知器に異常がないかどうかは，感知器の作動試験で確認します。

解答 (2) 参照 253 ページ

問 15 共通線試験は，共通線が共用している警戒区域の数が 7 以下であることを確認する試験です。試験では，共通線をはずして受信機の回路導通試験を行い，断線している回線の数を調べて，その数が 7 以下であることを確認します。

解答 (4) 参照 255 ページ

解答

問 1 (1)	問 5 (3)	問 9 (3)	問 13 (3)
問 2 (2)	問 6 (2)	問 10 (2)	問 14 (2)
問 3 (4)	問 7 (4)	問 11 (1)	問 15 (4)
問 4 (3)	問 8 (1)	問 12 (2)	

第４章
ガス漏れ火災警報設備ほか

1 ガス漏れ火災警報設備

まとめ＆丸暗記 この節の学習内容とまとめ

□ G 型受信機

ガス漏れ灯	検知器からのガス漏れ信号を受信したときに点灯する黄色いランプ。
故障表示灯（故障灯）	中継器の電源や，中継器から外部負荷に電力を供給する回路が故障したときに点灯するランプ。
ガス漏れ表示試験スイッチ	ガス漏れ表示試験に用いるスイッチ。
地区表示灯	ガス漏れした警戒区域を表示する（1 回線のみの場合は省略可）。
導通試験スイッチ	検知器回路が断線していないかどうかを確認するスイッチ（5 回線以下の場合は省略可）。

□ 検知器

①検知器の方式

半導体式	接触燃焼式	気体熱伝導度式
半導体の表面にガスが吸着すると，半導体の電気抵抗が減少するのを検知する方式。	白金線の表面にガスが接触すると，白金線の電気抵抗が増加するのを検知する方式。	白金線の表面にガスが接触すると，白金線の温度が変化するのを検知する方式。

②警報方式

即時警報型	ガス濃度が警報設定値に達した直後に警報を発する方式。
警報遅延型	規定のガス濃度に達した状態が一定時間（20 ～ 60 秒）継続した場合に警報を発する方式。
反限時警報型	ガス濃度が高くなるほど，警報を発するまでの時間が短くなる方式。

③設置基準

◆空気より軽いガスを検知する場合

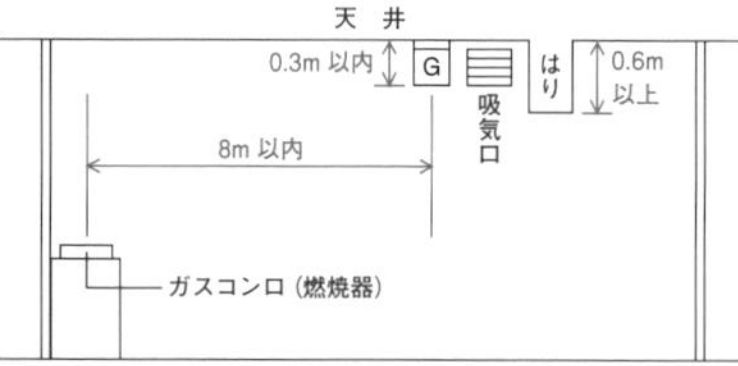

◆空気より重いガスを検知する場合

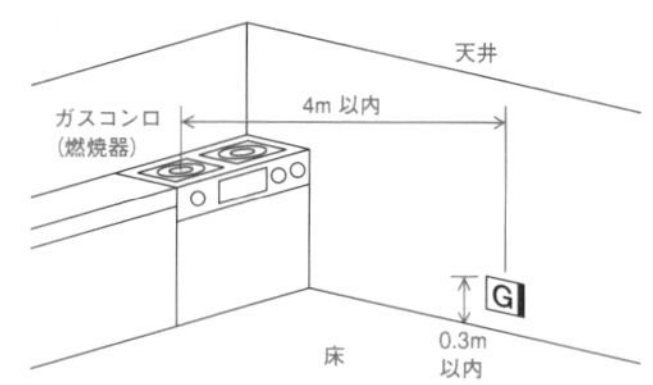

□ 警報装置

音声警報装置	階の各部分から水平距離 25m 以内の場所に設ける。
ガス漏れ表示灯	通路に面した出入口付近に設ける。 1 部屋を 1 警戒区域とする場合は省略できる。
検知区域警報装置	ガス漏れを検知した場所で警報を鳴らす装置（音圧 70dB 以上）。 常時人がいない場所には設置を省略できる。

ガス漏れ火災警報設備の構造・機能

1 ガス漏れ火災警報設備の構成

ガス漏れ火災警報設備とは，都市ガスなどの燃料用ガスや，地下から発生する可燃性のガスを検知して警報を出す設備で，次のような部分で構成されます。

①受信機
②ガス漏れ検知器（単に「検知器」ともいう）
③警報装置
④中継器

自動火災報知設備との違いは，「感知器」の代わりに「検知器」を使うことと,「音響装置」ではなく「警報装置」であること。また，発信機は含まれません。

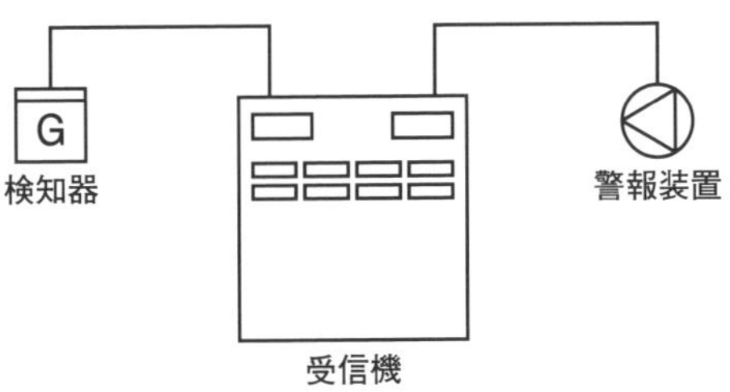

2 G型受信機の構造と機能

ガス漏れ火災警報設備に用いる受信機には，G型，GP型，GR型受信機の3種類があります。

補足

ガス漏れ火災警報設備の図記号

・G 型受信機　ガス漏れ火災警報設備専用。
・GP 型受信機　ガス漏れ（G 型）・自動火災報知設備（P 型）併用。
1 級～3 級の 3 種類に分かれます。
・GR 型受信機　ガス漏れ（G 型）・自動火災報知設備（R 型）併用。

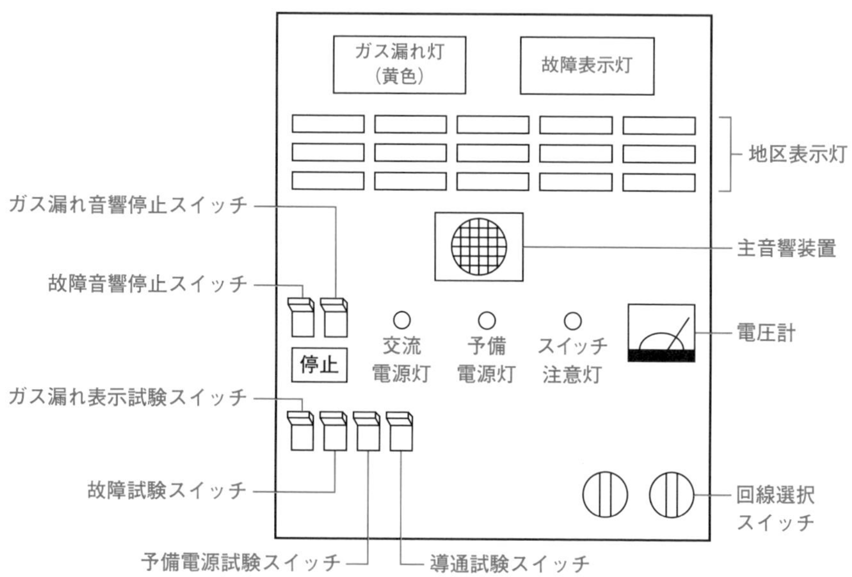

G 型受信機特有の構成要素として，ガス漏れ灯と故障表示灯があります。

①ガス漏れ灯

検知器からのガス漏れ信号を受信したときに点灯する黄色いランプ。

②故障表示灯（故障灯）

中継器の電源や，中継器から外部負荷に電力を供給する回路が故障したときに点灯するランプ。

G 型受信機は，ガス漏れ信号を受信すると，ガス漏れ灯と主音響装置でガス漏れを知らせ，地区表示灯でガス漏れの発生場所を示します。

Ｇ型受信機の主な構造と機能は，次のとおりです。

- ガス漏れ表示の作動を容易に確認することができる装置による試験機能（ガス漏れ表示試験スイッチ）を有し，この装置の試験中にガス漏れ信号を受信したときでも，ガス漏れ表示ができること。
- **導通試験装置**を備えていること。
- ２回線から同時にガス漏れ信号を受信したときでも，ガス漏れ表示ができること。
- ガス漏れ信号の受信開始からガス漏れ表示までの所要時間は**60 秒以内**であること。

補足

接続する回線が１以下のＧ型受信機では，地区表示灯を省略できます。また，５回線以下のＧ型受信機では，導通試験装置を省略できます。

3 検知器の構造と機能

ガス漏れ検知器（単に「検知器」ともいう）は，ガス漏れを検知して中継器または受信機にガス漏れ信号を発信します。また，ガス漏れを検知するとその場で警報を鳴らすタイプもあります。

検知器がガス漏れを検知する方式には，次の３種類があります。

①半導体式

加熱した半導体の表面にガスが吸着すると，半導体の電気抵抗が減少し，電流が増加します。この変化をとらえてガス漏れを検知する方式です。

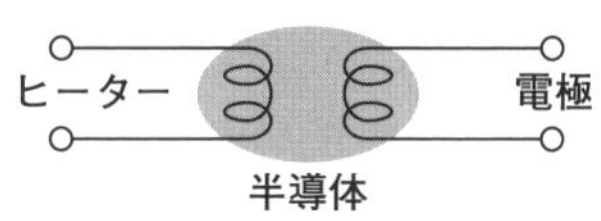

②接触燃焼式

コイル状の白金線の表面にガスが接触すると酸化反応（燃焼）を起こし，白金線の電気抵抗が増加します。この変化をとらえてガス

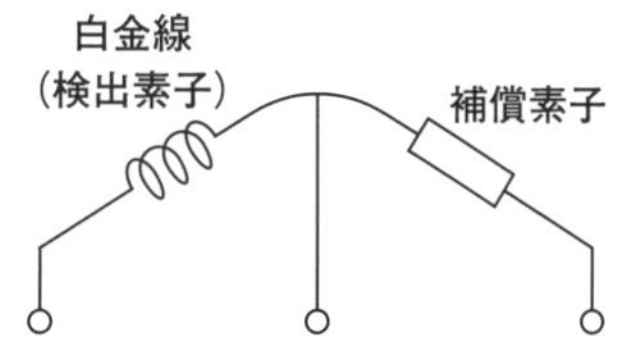

漏れを検知する方式です。

③気体熱伝導度式

コイル状の白金線の表面にガスが接触すると，ガスと空気との熱伝導度の違いから白金線の温度が変化します。この変化をとらえてガス漏れを検知する方式です。

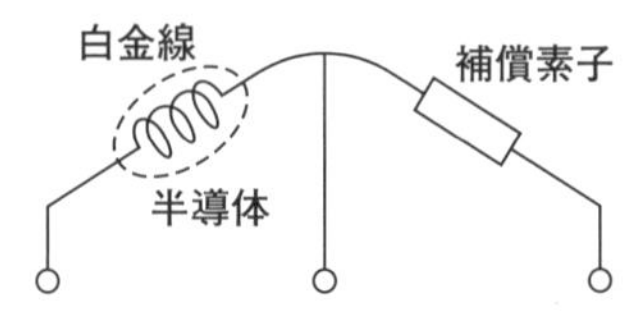

検知器は，ガスを検出したときの警報方式によっても分類できます。

検知器の警報方式には，次の3種類があります。

①即時警報型	ガス濃度が警報設定値に達した直後に警報を発します。
②警報遅延型	ガス濃度が警報設定値に達した後，その濃度以上の状態が一定時間（20～60秒）継続した場合に警報を発します。
③反限時（はんげんじ）警報型	警報遅延型と同様に，ガス濃度が警報設定値に達した後，その濃度以上の状態が一定時間継続した場合に警報を発する方式ですが，ガス濃度が高くなるほど，警報を発するまでの時間が短くなります。

検知器に必要な主な構造と機能は，次のとおりです。

- ガス濃度が爆発下限界の1/4以上のときに確実に作動し，1/200以下のときは作動しないこと。
- ガス濃度が爆発下限界の1/4以上のときは，継続して作動し続けること。
- 信号を発する濃度のガスに接したとき，60秒以内に信号（警報機能がある場合は信号と警報音）を発すること。
- 警報機能をもつ検知器には，**通電表示灯**と**作動確認灯**を設けること。
- 警報機能をもつ検知器は，警報音の音圧を1m離れた位置で**70dB以上**にすること。

4 警報装置

ガス漏れ火災警報設備の警報装置には，①音声警報装置，②ガス漏れ表示灯，③検知区域警報装置の3種類があります。

①音声警報装置

ガス漏れの発生を建物全体に知らせるための放送設備です。

②ガス漏れ表示灯

警戒区域の各部屋の出入口付近に設置する表示灯で，ガス漏れが発生した部屋を点灯して知らせます。

③検知区域警報装置

ガス漏れを検知した区域にいる人に，ガス漏れの発生を音で知らせます。

補足

爆発下限界
可燃性ガスが燃焼または爆発する空気中の濃度の下限値。ガス濃度が爆発下限界以上のとき，火源を近づけると爆発や燃焼を起こします。

補足

通電表示灯・作動確認灯

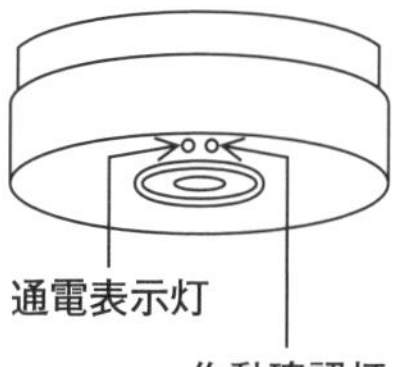

補足

検知区域
1個の検知器がガス漏れを検知する範囲のこと。

ガス漏れ火災警報設備の設置基準

1 警戒区域

ガス漏れ火災警報設備の警戒区域は，ガス漏れの発生した区域を他の区域と区別できる最小単位です。

原則	例外
①1つの警戒区域の面積は 600m^2 以下とする（一辺の長さの規定はない）	ガス漏れ表示灯を通路の中央から容易に見通すことができる場合は，1000m^2 以下でもよい。
②2以上の階にわたらないこと	合計面積が 500m^2 以下の場合は，2つの階にわたってもよい。

2 検知器の設置基準

検知器は，検知するガスの種類によって設置場所が異なります。

空気に対する比重が1より小さい（＝空気より軽い）ガスは漏れると上昇するため，検知器を天井や天井近くの壁に取り付けます。

逆に，空気に対する比重が1より大きい（＝空気より重い）ガスは，漏れると下に沈むため，検知器を床面付近に取り付けます。

◆空気に対する比重が1未満のガスを検知する場合

①検知器の下端が，**天井面の下方 0.3m 以内**の位置に設ける。

②燃焼器または貫通部（ガス管が貫通している場所）から，**水平距離で 8m 以内**の位置に設ける。

③天井面付近に吸気口がある場合は，燃焼器または貫通部に最も近い**吸気口付近**に設ける。

④天井面から **0.6m 以上**突き出したはり等がある場合は，そのはり等

より内側に設ける。

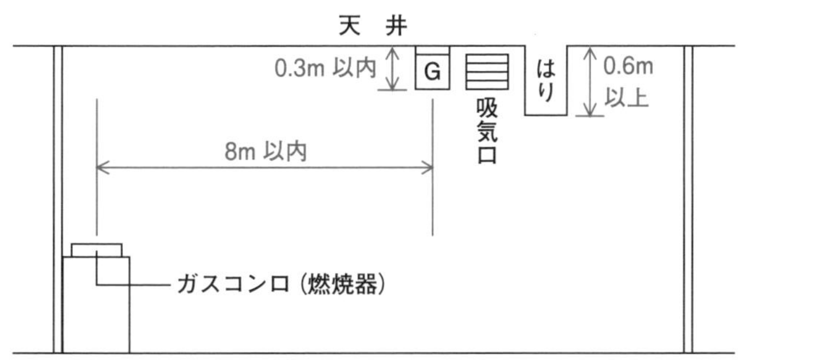

◆空気に対する比重が１を超えるガスを検知する場合

①検知器の上端が，床面の上方 0.3m 以内の位置に設ける。

②燃焼器または貫通部から水平距離で 4m 以内の位置に設ける。

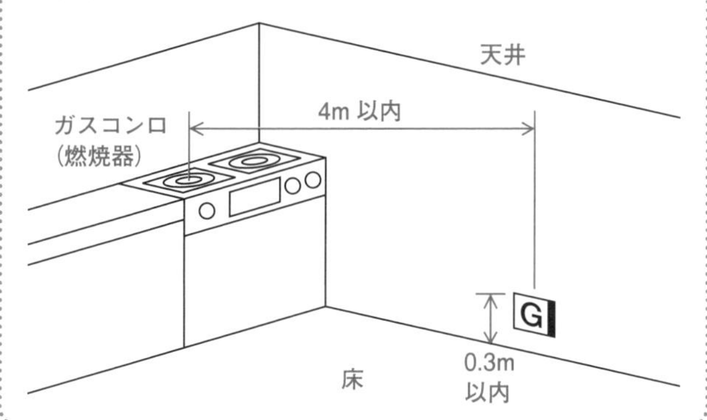

なお，次のような場所では検知器が有効に作動しないため，設置してはいけないことになっています。

・出入口付近で外部の気流がひんぱんに流通する場所
・換気口の空気の吹出し口から 1.5m 以内の場所
・燃焼器の廃ガスに触れやすい場所
・その他ガス漏れの発生を有効に検知できない場所

補足

一般に，都市ガスは空気より軽いので，都市ガス用の検知器は天井付近に取り付けます。また，プロパンガス（LPG）は空気より重いので，プロパンガス用の検知器は床や壁の下方に取り付けます。

3 受信機の設置基準

ガス漏れ火災警報設備の受信機は，次のような規定に従って設置します。

①検知器または中継器の作動と連動して検知器の作動した警戒区域を表示できること。
②貫通部に設ける検知器に係わる警戒区域は，他の警戒区域と区別して表示できること。
③操作スイッチは，床面からの高さ 0.8m（いすに座って操作する場合は 0.6m）以上 1.5m 以下の箇所に設けること。
④主音響装置の音圧・音色は，他の警報音や騒音と明らかに区別して聞き取れること。
⑤2台以上の受信機を設けるときは，受信機のある場所相互間で同時に通話ができる設備を設けること。
⑥防災センター等に設けること。

4 警報装置の設置基準

ガス漏れ火災警報設備の警報装置には，①音声警報装置，②ガス漏れ表示灯，③検知区域警報装置の3種類があります。それぞれは次のような規定に従って設置します。

◆音声警報装置

①音色・音圧が，他の警報音や騒音と明らかに区別して聞き取れること。
②スピーカーは，各階ごとにその階の各部分から1のスピーカーまでの水平距離が 25m 以下となるように設けること。
③2台以上の受信機を設けるときは，受信機があるどの場所からも作動できるようにすること。

◆ガス漏れ表示灯

①1つの部屋を1警戒区域とする場合は，ガス漏れ表示灯の設置を省略できる。
②検知器を設ける室が通路に面している場合には，その通路に面する部分の**出入口付近**に設けること。
③前方**3m**離れた地点で点灯していることを明確に識別できるようにする。

◆検知区域警報装置

①警報装置付きの検知器を設置する場合，常時人がいない場所については，設置を省略できる。
②装置から1m離れた位置で音圧が**70dB以上**であること。

ガス漏れ火災警報設備の試験・点検

1 受信機の点検

ガス漏れ火災警報設備の受信機の機能試験には，次のような項目があります。

試験項目	内容
①ガス漏れ表示試験	ガス漏れ表示試験スイッチにより，ガス漏れ灯，地区表示灯，音響装置が正常に作動するかどうかを回線ごとに確認する。
②回路導通試験	導通試験スイッチと回線選択スイッチで，回線ごとの導通を確認する。
③同時作動試験	任意の2回線の検知器を同時に作動状態にして，ガス漏れ表示状態が継続することを確認する。
④予備電源試験	予備電源への切り替え，予備電源の電圧を確認する。
⑤非常電源試験	非常電源への切り替えを確認する。
⑥故障表示試験	中継器の外部負荷に電力を供給する回路が断線したとき，故障表示灯が点灯するかどうかを確認する。
⑦付属装置試験	付属装置の作動を確認する。
⑧相互作動試験	2台以上の受信機がある場合，受信機のある場所同士で通話ができることを確認する。

2 検知器の点検

検知器の作動試験では，**加ガス試験器**を用いて試験ガスを加え，受信機がガス漏れ表示するまでの時間を測定します。測定した時間が以下の秒数以内であれば合格です。

検知器の作動確認灯により作動確認する場合	作動確認灯の点灯から受信機のガス漏れ灯の点灯まで**60秒**（中継器を介する場合は65秒）以内
中継器の確認灯または検知区域警報装置の作動により作動確認する場合	中継器の確認灯または検知区域警報装置の作動から受信機のガス漏れ灯の点灯まで**60秒**（中継器を介する場合は65秒）以内
上記以外の場合	受信機のガス漏れ表示までの時間が**80秒**（中継器を介する場合は85秒）以内

補足

ガス漏れ表示試験の手順は，自動火災報知設備の受信機の火災表示試験とほぼ同じです。回路導通試験，同時作動試験，予備電源試験についても同様です。

消防機関へ通報する火災報知設備

まとめ＆丸暗記 この節の学習内容とまとめ

□ 「消防機関へ通報する火災報知設備」を設置しなければならない防火対象物

- ・病院・診療所・助産所（入院施設あり）
- ・自力避難困難者入所施設

→すべて

- ・旅館・ホテル等
- ・診療所・助産所（入院施設なし）
- ・その他の社会福祉施設

→床面積 500m² 以上

□ 火災通報装置

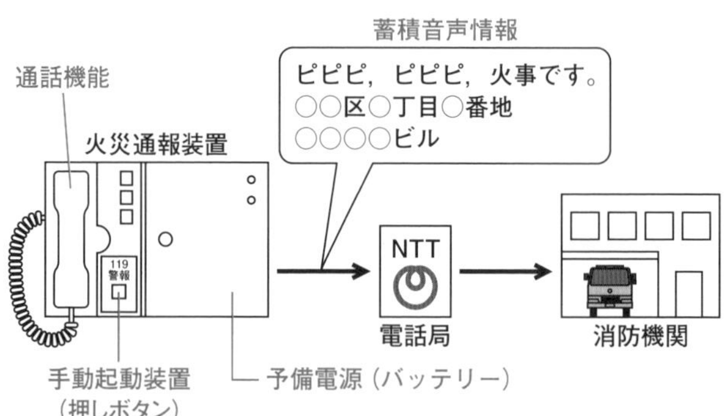

①**手動起動装置（押しボタン）**　消防機関に通報する押しボタン。防災センター等に設置される。

②**蓄積音声情報**　通報信号音に続き，建物の所在地や電話番号などを記録した音声が自動で送信される。

③**通話機能**　消防機関と電話回線で通話できる。

④**予備電源**　常用電源が停電すると自動的に予備電源に切り替わり，常用電源が復旧すると自動的に常用電源に切り替わる。

消防機関へ通報する火災報知設備とは

1 消防機関へ通報する火災報知設備とは

「消防機関へ通報する火災報知設備」とは，その名の通り，火災が発生したときに消防機関（119番）に通報する設備です。

M型火災報知設備と火災通報装置の2種類がありますが，M型火災報知設備は現在では使われていません。

火災通報装置は，押しボタンの操作によって消防機関に通報することができる装置で，建物の防災センター（守衛室など）に設置されます。

火災通報装置の主な構造・機能については，「まとめ&丸暗記」（前ページ）を参照してください。

火災通報装置

2 設置しなければならない防火対象物

消防機関へ通報する火災報知設備は，電話がまだ普及していなかった時代には重要な設備でしたが，現在

補足

M型火災報知設備
押しボタンを押すと，消防機関に信号を発信する発信機。消防機関に設置されたM型受信機で受信します。街頭や公共の建物などに設置されていましたが，現在では廃止されています。

では電話があれば119番に通報できます。そのためほとんどの防火対象物は，119番に通じる電話があれば設置しなくてよいことになっています。

【原則】 消防機関に通報できる電話があれば，ほとんどの防火対象物は消防機関へ通報する火災報知設備を設置しなくてよい。

ただし，建物によっては通報の遅れが大きな事故につながる場合があります。そのため，次の防火対象物については，必ず消防機関へ通報する火災報知設備を設置しなければなりません。

【例外】 以下の防火対象物は，電話を設置した場合でも消防機関へ通報する火災報知設備が必要。

- 病院・診療所・助産所（入院施設のあるもの）
- 自力避難困難者入所施設

} すべて

- 旅館・ホテル等
- 診療所・助産所（入院施設のないもの）
- その他の社会福祉施設

} 床面積 500m^2 以上

※上記に該当する場合でも，次の場合には火災報知設備の設置を省略できます。

①消防機関から著しく離れた場所にある場合
②消防機関と同じ建物内にある病院・有床診療所
③消防機関から歩行距離で500m以内の距離にある場合

なお，自力避難困難者入所施設や病院に設ける火災通報装置については，自動火災報知設備の感知器と連動して起動することが義務付けられています。

チャレンジ問題

［解説］287 ページ　［解答一覧］290 ページ

問1

難　中　易

受信機についての記述で，正しいものは次のうちどれか。

(1) G 型受信機には，1 級，2 級，3 級の 3 種類がある。

(2) G 型受信機には，火災信号を受信したとき，火災の発生を知らせる主音響装置を設ける。

(3) GP 型受信機には，1 級，2 級，3 級の 3 種類がある。

(4) 接続する回線の数が 5 以下の G 型受信機には，地区表示装置を設けなくてもよい。

問2

難　中　易

規格法令上，すべての G 型受信機に設けなければならない機能として，誤っているものは次のうちどれか。

(1) ガス漏れの発生に係る地区表示装置

(2) ガス漏れ表示の作動を容易に確認することができる装置による試験機能

(3) 黄色のガス漏れ灯

(4) 故障表示灯

問3

難　中　易

ガス漏れ検知器の検知方式として，誤っているものは次のうちどれか。

(1) 接触燃焼式

(2) 熱電対式

(3) 半導体式

(4) 気体熱伝導度式

・問4・ 難 中 **易**

警報機能を有するガス漏れ検知器について，正しいものは次のうちどれか。

(1) 通電表示灯を有すること。
(2) 警報を発した旨を容易に確認できる装置を有すること。
(3) 警報音の音圧は，前方 1m 離れた箇所で 80dB 以上であること。
(4) 信号を発する濃度に接したとき，5 秒以内に信号及び警報を発すること。

・問5・ 難 **中** 易

ガス漏れ火災警報設備の検知器の標準遅延時間及び受信機の標準遅延時間の合計として，消防法令に定められているものは次のうちどれか。

(1) 30 秒以内
(2) 60 秒以内
(3) 90 秒以内
(4) 120 秒以内

・問6・ 難 中 **易**

ガス漏れ検知器の性能の基準についての文中の（　）内に入る数値として，正しいものの組合せは次のうちどれか。

「ガスの濃度が爆発下限界の（　A　）以上のときに確実に作動し，（　B　）以下のときに作動しないこと。

	A	B
(1)	1／2	1／200
(2)	1／3	1／100
(3)	1／4	1／200
(4)	1／5	1／100

問7 難 中 易

ガス漏れ火災警報設備の警戒区域の設定について，誤っているものは次のうちどれか。

(1) 延べ面積が 500m² を超える場合は，2 以上の階にわたって設定することはできない。

(2) 1 の警戒区域の面積は，原則として 600m² 以下とする。

(3) 検知区域警報装置を通路の中央から容易に見通すことができる場合は，1 の警戒区域の面積を 1000m² 以下とすることができる。

(4) 貫通部に設ける検知器の警戒区域は，他の検知器の警戒区域と区別して表示できるようにする。

問8 難 中 易

ガス漏れ検知器の設置場所として，最も適切な場所は次のうちどれか。ただし，検知対象ガスの空気に対する比重は 1 未満とする。

(1) 出入口の付近で外部の気流がひんぱんに流通する場所

(2) 燃焼器等に最も近い吸気口付近

(3) 換気口の空気の吹出し口から 1.5m 以内の場所

(4) ガス燃焼機器の廃ガスに触れやすい場所

問9 難 中 易

ガス漏れ検知器の設置について，正しいものは次のうちどれか。

(1) 空気に対する比重が 1 未満のガスを検知する場合は，検知器の上端が，床面の上方 0.3m 以内の位置に設ける。

(2) 空気に対する比重が 1 未満のガスを検知する場合は，燃焼器または貫通部から，水平距離で 6m 以内の位置に設ける。

(3) 空気に対する比重が 1 を超えるガスを検知する場合は，検知器の下端が，天井面の下方 0.3m 以内の位置に設ける。

(4) 空気に対する比重が 1 を超えるガスを検知する場合は，燃焼器または貫通部から水平距離で 4m 以内の位置に設ける。

問 10　難　中　易

ガス漏れ火災警報設備の警報装置について，次のうち正しいものはどれか。

(1)　音声警報装置のスピーカーは，各階ごとにその階の各部分から1のスピーカーまでの距離が50m以下となるように設けること。

(2)　ガス漏れ表示灯は，前方6m離れた地点で点灯していることを明確に識別できること。

(3)　常時人がいない機械室等には，検知区域警報装置の設置を省略できる。

(4)　検知区域警報装置の音圧は，1m離れた位置で90dB以上であること。

問 11　難　中　易

消防機関へ常時通報できる電話を設けた場合は，火災通報装置の設置を省略できる防火対象物は次のうちどれか。

(1)　床面積800m^2の旅館

(2)　床面積900m^2の小学校

(3)　床面積400m^2の病院

(4)　床面積300m^2の要介護老人ホーム

解説

問1

× (1) G型受信機には，1級，2級，3級の区別はありません。

× (2) G型受信機はガス漏れ火災警報設備専用の受信機なので，火災信号は受信しません。GP型受信機やGR型受信機の場合は，火災信号も受信します。

○ (3) 正しい記述です。GP型受信機はG型受信機の機能とP型受信機の機能を併せもったもので，このうちのP型受信機の機能に応じて，1級，2級，3級の区分があります。

× (4) 接続する回線の数が1以下のG型受信機は，地区表示装置を省略できます。

解答 (3)　**参照** 270ページ

問2　G型受信機は，ガス漏れ火災警報設備用の受信機です。G型受信機が備えるべき主な機能には，次のものがあります。

- ガス漏れ灯
- 故障表示灯
- 地区表示装置（接続できる回線数が1のものを除く）
- ガス漏れ表示装置
- 導通試験装置（接続できる回線数が5以下のものを除く）

地区表示装置は，回線数が1回線のG型受信機には必要ありません。

解答 (1)　**参照** 271ページ

問3　ガス漏れ検知器の検知方式には，①半導体式，②接触燃焼式，③気体熱伝導度式の3種類があります。熱電対式という検知方式はありません。

解答 (2)　**参照** 271ページ

問4

○（1）正しい記述です。

×（2）信号を発した旨を確認できる装置（作動確認灯）を設けます。

×（3）警報音の音圧は 70dB 以上にします。

×（4）60 秒以内に信号及び警報を発信します。

解答（1） **参照** 272 ページ

問5 検知器がガス漏れを検知してからガス漏れ信号を発するまでの所要時間は，最大 60 秒と定められています。また，受信機がガス漏れ信号の受信を開始してからガス漏れ表示までの所要時間も，最大で 60 秒以内と定められています（271 ページ）。

ただし，検知器の標準遅延時間（ガス漏れを検知してから，ガス漏れ信号を発するまでの時間）と，受信機の標準遅延時間（受信機がガス漏れ信号を受信してから，ガス漏れ表示を行うまでの時間）の合計は，60 秒以内でなければなりません(消防施行規則第 24 条の 2 の 3 第 1 項第 8 号)。120 秒にはならないことに注意しましょう。

解答（2） **参照** 279 ページ

問6 可燃性ガスは，空気中の濃度が爆発下限界以上・爆発上限界以下の範囲のとき，点火源を近づけると爆発します。検知器は，空気中のガス濃度が爆発下限界の**1／4 以上**になったとき，確実に作動しなければなりません。

また，あまり過敏に検知しすぎないように，爆発下限界の**1／200以下**のときは作動してはいけないことになっています。

解答（3） **参照** 272 ページ

問7 ガス漏れ火災警報設備の警戒区域については，次のように設定します。

① 1 つの警戒区域の面積は **600m² 以下**（ただし，ガス漏れ表示灯を通路の中央から容易に見通すことができる場合は **1000m² 以下**）。

②２以上の階にわたらないこと（ただし，合計面積が **500m²以下**の場合は，２つの階にわたってもよい）。

③**貫通部**（ガス管が貫通している場所）に設ける検知器の警戒区域は，他の検知器の警戒区域と区別して表示できるようにする。

以上から，(3) の「検知区域警報装置を通路の中央から容易に見通すことができる場合」の検知区域警報装置は，ガス漏れ表示灯の誤りです。

解答（3） **参照** 274ページ

問8 ガス漏れ検知器は，ガスが滞留しやすい部分に設けます。

×（1）外部の気流がひんぱんに流通する場所では，ガスが滞留しないため，ガス漏れを検知できないおそれがあります。

○（2）正解です。漏れたガスは吸気口に吸い寄せられるので，その付近に検知器を設置します。

×（3）空気の吹出し口付近はガスが拡散してしまい，検知できないおそれがあります。

×（4）廃ガスを誤って検知してしまうおそれがあります。

解答（2） **参照** 274ページ

問9 空気に対する比重が１より小さいガスは，空気より軽く，天井に滞留します。逆に空気に対する比重が１より大きいガスは，空気より重く，床面に滞留します。検知器は，こうしたガスの性質に応じて設置する必要があります。

×（1）空気に対する比重が１未満のガスを検知する場合は，検知器の下端が，天井面の下方 **0.3m以内**の位置に設けます。

×（2）空気に対する比重が１未満のガスを検知する場合は，燃焼器または貫通部から，水平距離で **8m以内**の位置に設けます。

×（3）空気に対する比重が１を超えるガスを検知する場合は，検知器の上端が，床面の上方 **0.3m以内**の位置に設けます。

○（4）正しい記述です。空気に対する比重が１を超えるガスを検知する場合は，燃焼器から水平距離で **4m 以内**の位置に設けます。

解答（4）　参照 274 ページ

問 10　ガス漏れ火災警報設備の警報装置には，音声警報装置，ガス漏れ表示灯，検知区域警報装置の 3 種類があります。このうち検知区域警報装置は，機械室や貫通部等，常時人がいない場所では設置を省略できます。

×（1）音声警報装置のスピーカーは，各階ごとにその階の各部分から 1 のスピーカーまでの距離が **25m 以下**となるように設けます。

×（2）ガス漏れ表示灯は，前方 **3m** 離れた地点で点灯していることを明確に識別できるように設けます。

○（3）正しい記述です。

×（4）検知区域警報装置の音圧は，1m 離れた位置で **70dB 以上**です。

解答（3）　参照 276 ページ

問 11　電話を設置しても火災通報装置を設置しなければならない防火対象物は，次のとおりです。

・病院・診療所・助産所（入院施設あり） **・自力避難困難者入所施設**	**すべて**	**・旅館・ホテル等** **・診療所・助産所（入院施設なし）** **・その他の社会福祉施設**	**床面積 $500m^2$ 以上**

小学校はこの中に含まれないので，電話を設置すれば火災通報装置の設置を省略できます。

解答（2）　参照 282 ページ

解答

問 1	(3)	問 4	(1)	問 7	(3)	問 10	(3)
問 2	(1)	問 5	(2)	問 8	(2)	問 11	(2)
問 3	(2)	問 6	(3)	問 9	(4)		

第5章
実技試験対策

鑑別等問題

まとめ＆丸暗記　この節の学習内容とまとめ

□ 実技試験の概要

消防設備士試験の実技試験の問題数は，次のとおりです。

	甲種	乙種
鑑別等問題	５問	５問
製図問題	２問	なし

実技試験といっても，実物を使うわけではなく，写真やイラスト，図面で示された出題に対して，記述式で解答します。また，筆記試験と同時に行うので，試験時間内なら実技試験を先に解いてから筆記試験を解いてもかまいません。

□ 鑑別等試験の概要

鑑別等試験は，写真やイラスト，図を使った問題で，出題数は甲種・乙種ともに全５問です（電気工事士の資格をもっている受験者は問１の解答が免除されます）。

□ 出題傾向

鑑別等試験では，主に次のような問題が出題されています。

- **感知器**の名称や作動原理，各部の構造，設置基準など
- 各種試験器（**加熱試験器，加煙試験器，減光フィルター，メーターリレー試験器，差動スポット試験器**など）の名称，用途，対応する感知器
- 測定器具（**絶縁抵抗計，接地抵抗計，回路計，マノメーター**など）の名称，用途
- 工具類（**ラジオペンチ，パイプベンダー**など）の名称，用途
- 受信機の各部の機能，**火災表示試験**や**回路導通試験**などの試験内容，Ｐ型１級受信機とＰ型２級受信機の機能比較など
- 配線関連の問題（**送り配線，共通線試験**の内容など）
- Ｐ型１級発信機とＰ型２級発信機の機能比較

ほとんどの問題は第３章や第４章の学習内容を応用したものなので，まずは第３章，第４章の基礎知識をしっかりと身につけましょう。

鑑別問題

1 感知器の形状

感知器等の製品の形状は，メーカーによって異なりますが，共通する特徴も備えています。形状から，名称と作動原理がわかるようにしましょう。

①

※ドーム型の空気室が特徴。

名称 差動式スポット型感知器

解説 周囲温度が急激に上昇すると，空気室の空気が膨張し，ダイヤフラムが押し上げられて接点が閉じる。

②

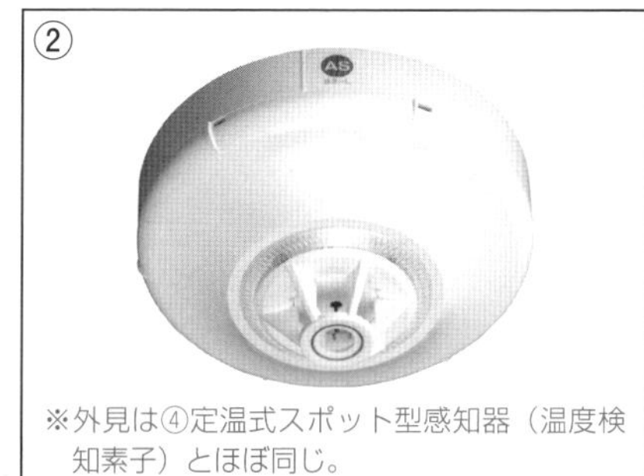

※外見は④定温式スポット型感知器（温度検知素子）とほぼ同じ。

名称 差動式スポット型感知器

解説 温度検知素子（サーミスタ）を利用して，周囲温度の上昇を感知する。

③

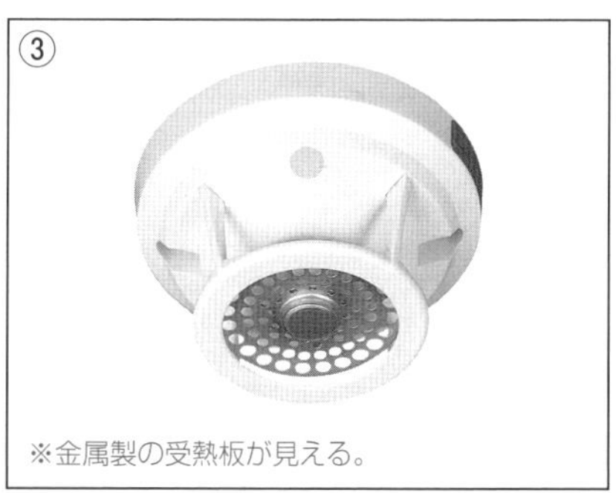

※金属製の受熱板が見える。

名称 定温式スポット型感知器

解説 周囲温度が一定以上になると，バイメタルが反転して接点を押し上げる。

④

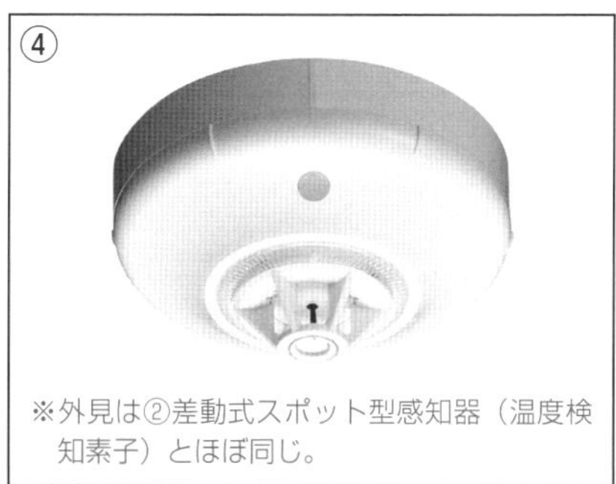

※外見は②差動式スポット型感知器（温度検知素子）とほぼ同じ。

名称 定温式スポット型感知器

解説 周囲温度が所定の温度以上になるのを，温度検知素子（サーミスタ）で感知する。

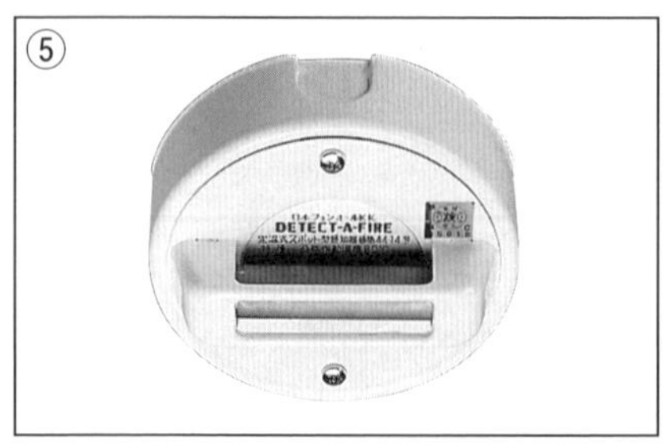

名称 定温式スポット型感知器

解説 金属の膨張係数の差を利用したもの（補償率方式）。

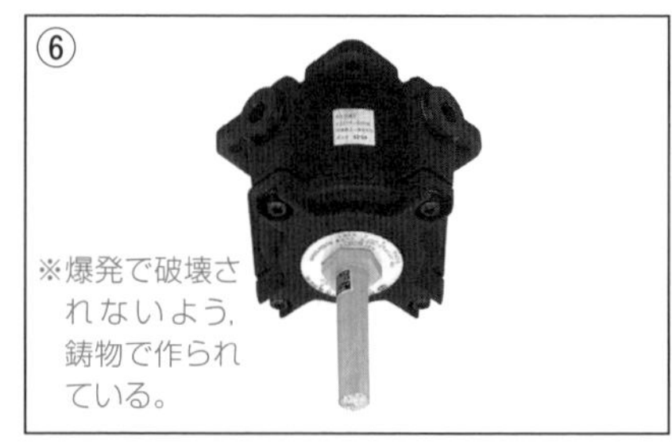

名称 定温式スポット型感知器（防爆型）

解説 可燃性ガスによる爆発の危険がある場所に設置する熱感知器。

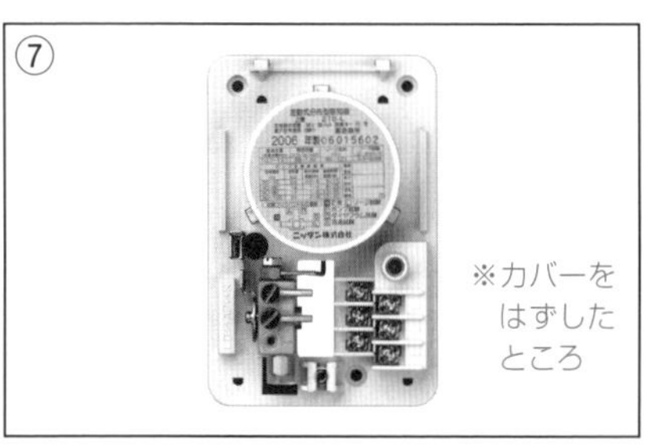

名称 差動式分布型感知器（空気管式）の検出器

解説 天井面に空気管をめぐらせ，空気の膨張によって広範囲の温度上昇を感知する。

名称 差動式分布型感知器（熱電対式）の検出器

解説 天井面にめぐらせた熱電対の熱起電力を感知する。

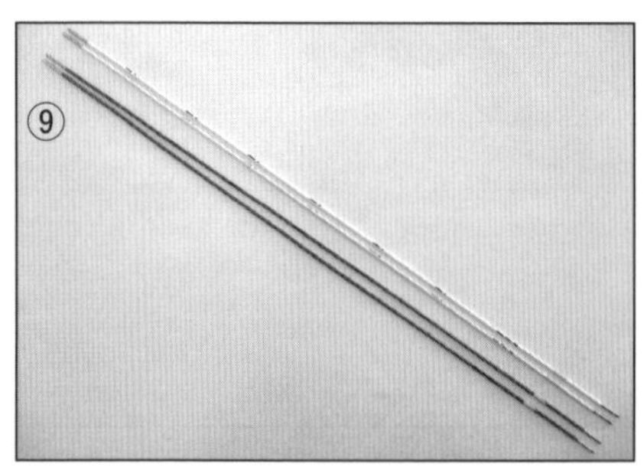

名称 差動式分布型感知器（熱電対式）の熱電対部

解説 天井面にめぐらせた熱電対の熱起電力を感知する。

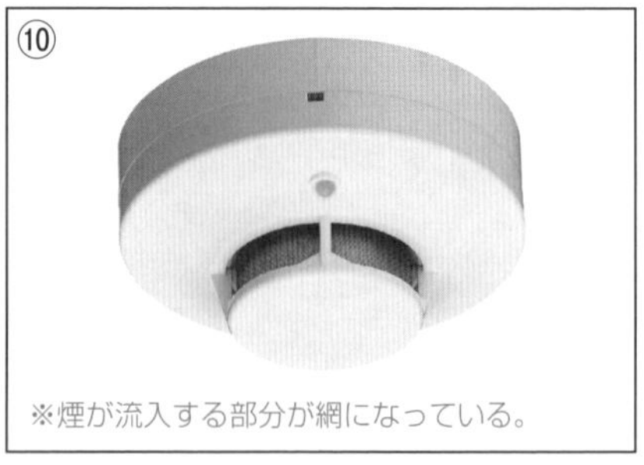

名称 光電式スポット型感知器

解説 光電素子の受光量が，煙の粒子によって変化する。

⑪

※裏面に のマークが表示されている。

名称 イオン化式スポット型感知器

解説 煙によるイオン電流の変化を感知する。

⑫

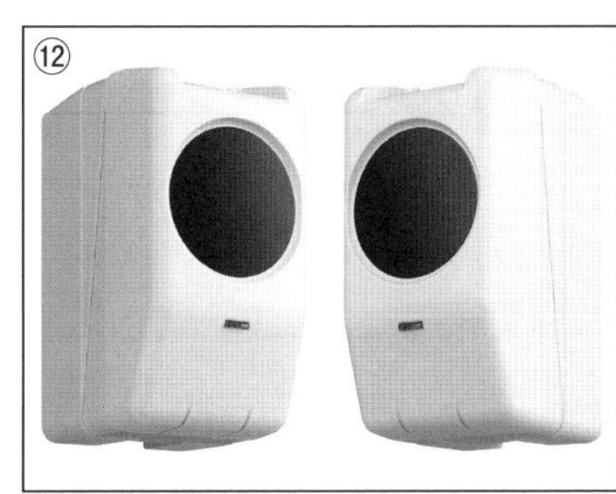

名称 光電式分離型感知器の送光部と受光部

解説 煙が光軸を遮り，受光量が変化するのを感知する。

⑬

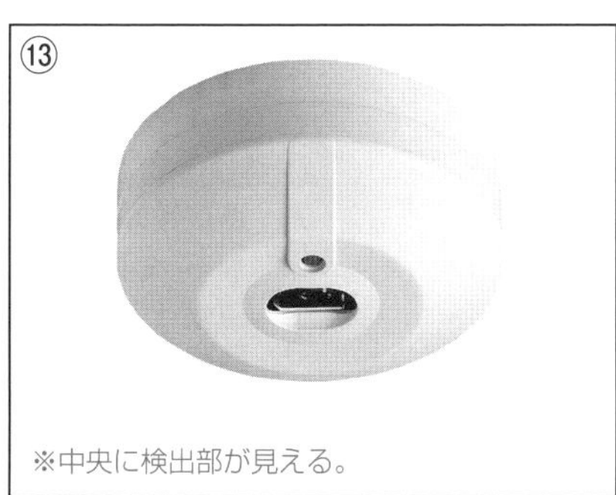

※中央に検出部が見える。

名称 紫外線式スポット型感知器

解説 炎が発する紫外線を感知する。

⑭

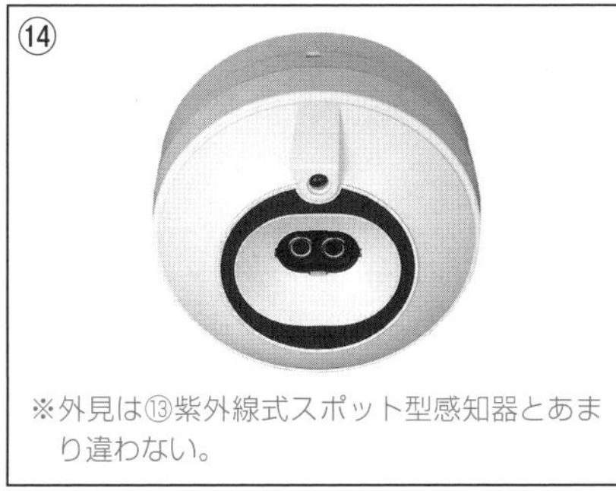

※外見は⑬紫外線式スポット型感知器とあまり違わない。

名称 赤外線式スポット型感知器

解説 炎が発する赤外線を感知する。

2 感知器の構造

感知器の構造から，感知器の種別や作動原理，各部の名称がわかるようにしましょう。

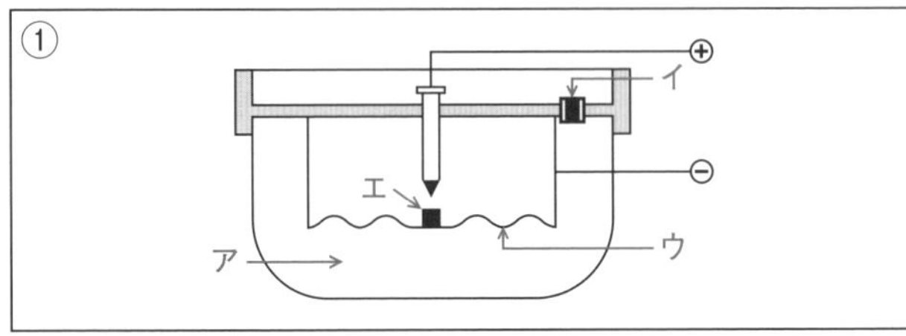

各部の名称
ア：空気室
イ：リーク孔
ウ：ダイヤフラム
エ：接点

感知器種別 差動式スポット型感知器

作動原理 周囲温度が急激に上昇すると，空気室の空気が膨張し，ダイヤフラムが押し上げられて接点が閉じる。

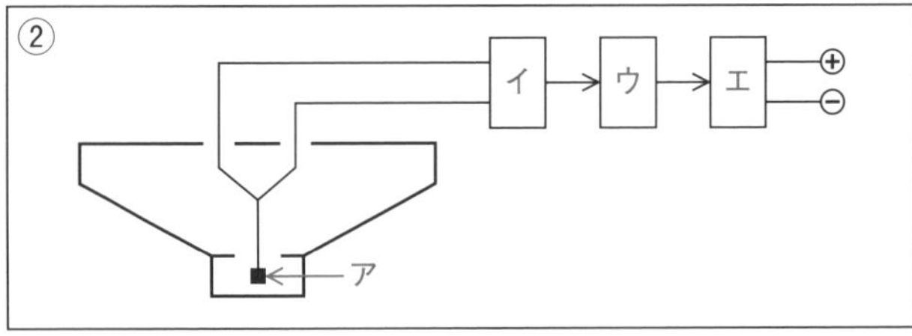

各部の名称
ア：温度検知素子（サーミスタ）
イ：温度上昇率検知回路
ウ：比較回路
エ：スイッチング回路

感知器種別 差動式スポット型感知器

作動原理 温度検知素子（サーミスタ）を利用して，周囲温度の上昇を感知する。

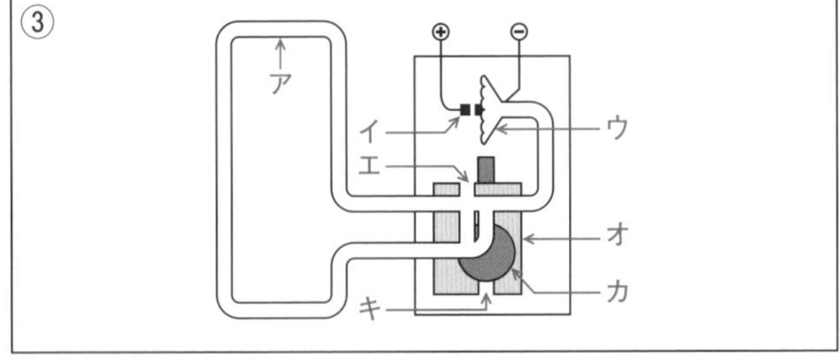

各部の名称
ア：空気管
イ：接点
ウ：ダイヤフラム
エ：リーク孔
オ：コックスタンド
カ：試験コック
キ：試験孔

感知器種別 差動式分布型感知器

作動原理 天井面に空気管をめぐらせ，空気の膨張によって広範囲の温度上昇を感知する。

空気管の付属品

差動式分布型感知器の空気管については，次のような付属品についても形状と用途を理解しておきましょう。

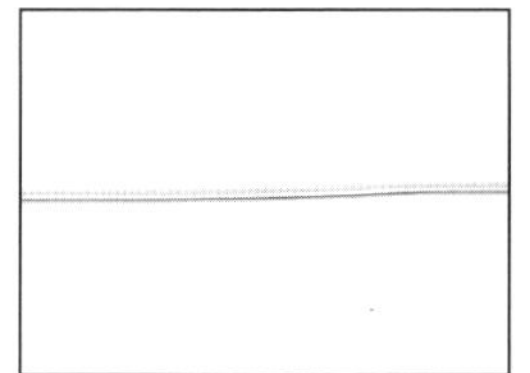

名称 空気管
解説 外径1.94mm以上，肉厚0.3mm以上の管。

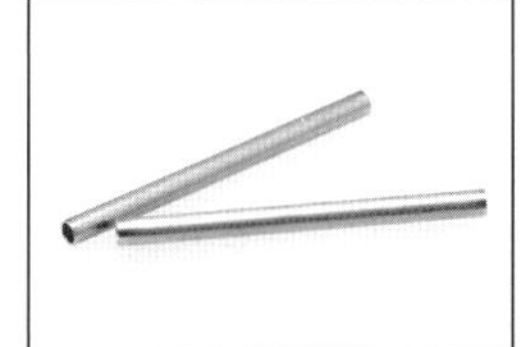

名称 スリーブ
解説 空気管同士を接続するのに用いる。

名称 銅管端子
解説 検出部と空気管を接続するのに用いる。

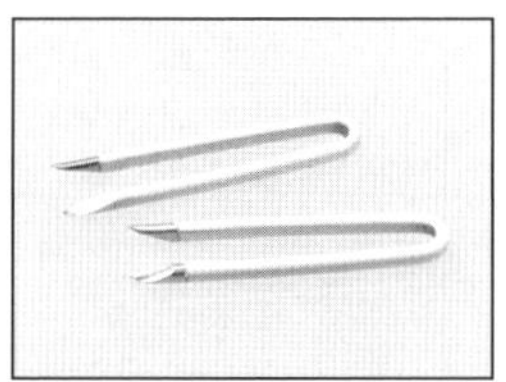

名称 止め金具（ステップル）
解説 空気管を造営材に固定するのに用いる。

名称 クリップ
解説 空気管を造営材に固定するのに用いる。

名称 貫通キャップ
解説 空気管が造営材を貫通する場所に用いる。

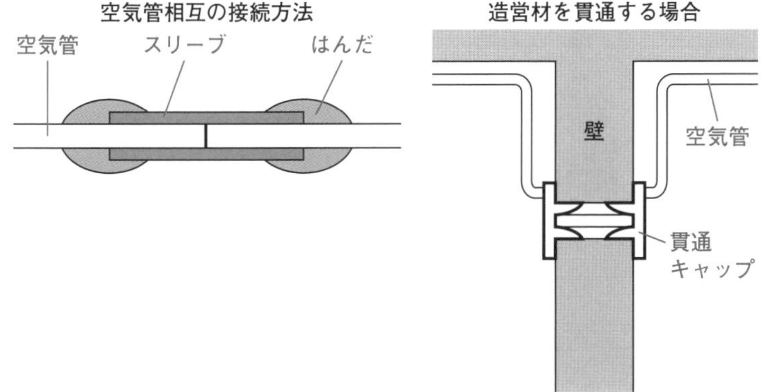

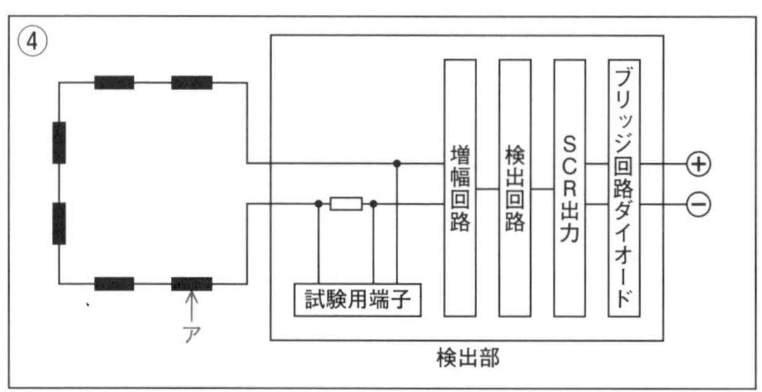

各部の名称
ア：熱電対

感知器種別 差動式分布型感知器
作動原理 天井面に取り付けた熱電対の熱起電力を感知する。

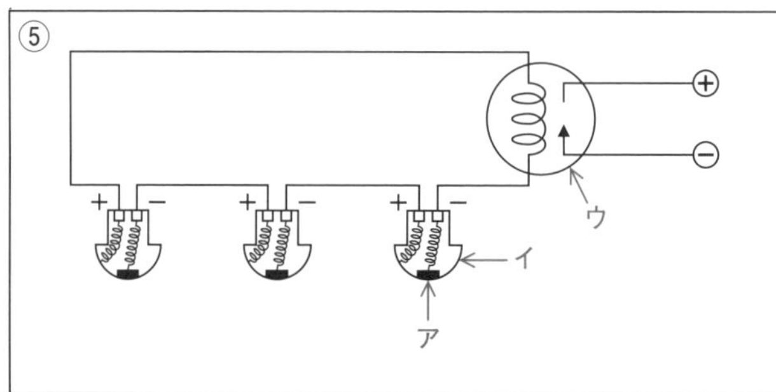

各部の名称
ア：熱半導体素子
イ：受熱板
ウ：メーターリレー

感知器種別 差動式分布型感知器
作動原理 天井面に取り付けた熱半導体素子の熱起電力を感知する。

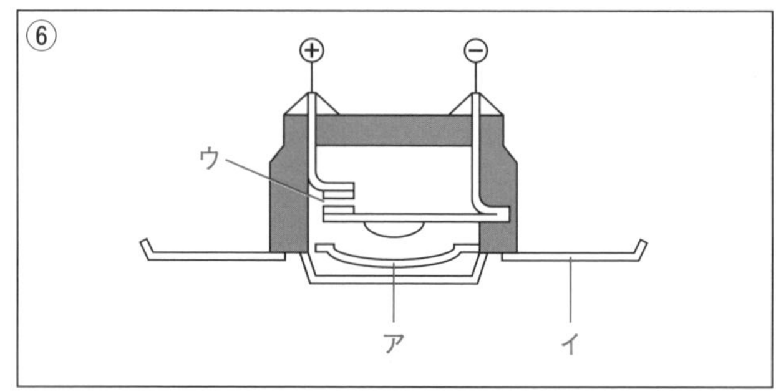

各部の名称
ア：円形バイメタル
イ：受熱板
ウ：接点

感知器種別 定温式スポット型感知器
作動原理 周囲温度が一定以上になると，バイメタルが反転して接点を押し上げる。

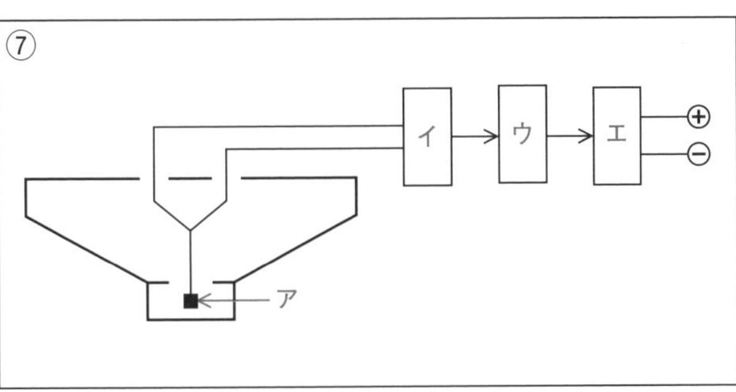

各部の名称

ア：温度検知素子（サーミスタ）
イ：温度検知回路
ウ：比較回路
エ：スイッチング回路

感知器種別 定温式スポット型感知器

作動原理 周囲温度が所定の温度以上になるのを，温度検知素子（サーミスタ）で感知する。

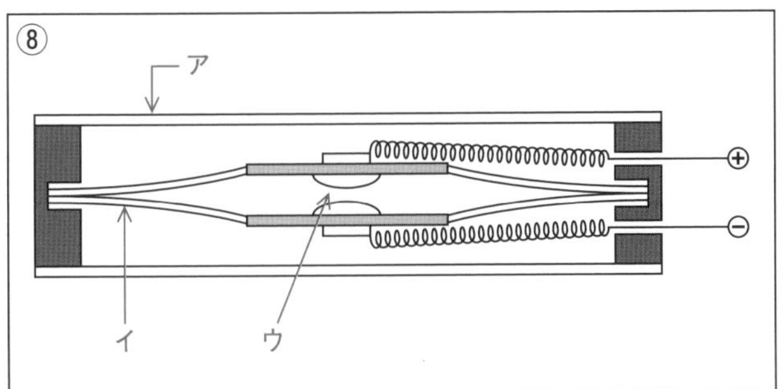

各部の名称

ア：高膨張金属
イ：低膨張金属
ウ：接点

感知器種別 定温式スポット型感知器

作動原理 金属の膨張係数の差を利用したもの。

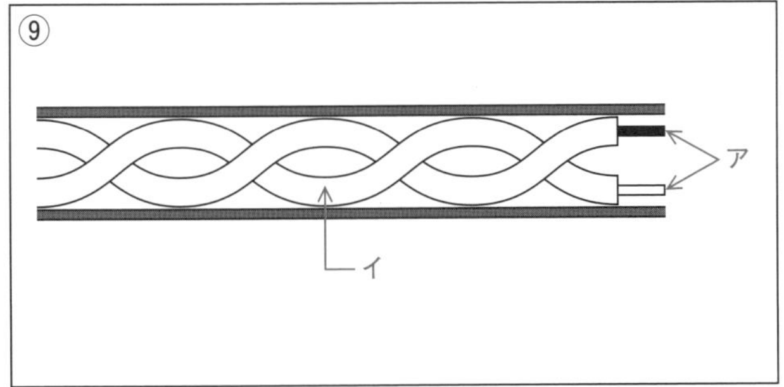

各部の名称

ア：ピアノ線
イ：絶縁被覆

感知器種別 定温式感知線型感知器

作動原理 熱によって絶縁被覆が溶け，ピアノ線同士が接触する。

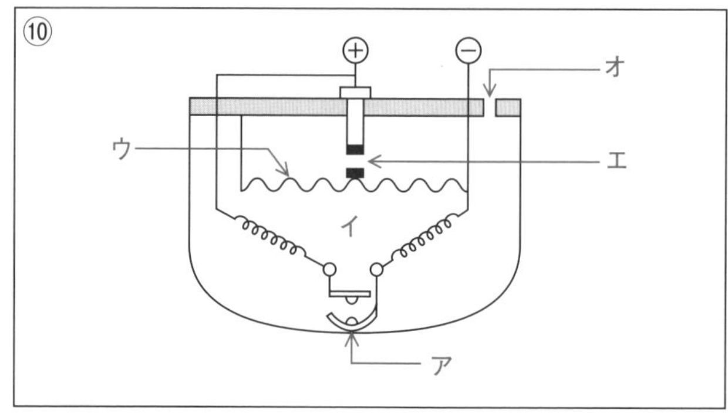

各部の名称

ア：バイメタル
イ：空気室
ウ：ダイヤフラム
エ：接点
オ：リーク孔

感知器種別 補償式スポット型感知器

作動原理 差動式スポット型と定温式スポット型の両方の機能をもつ。

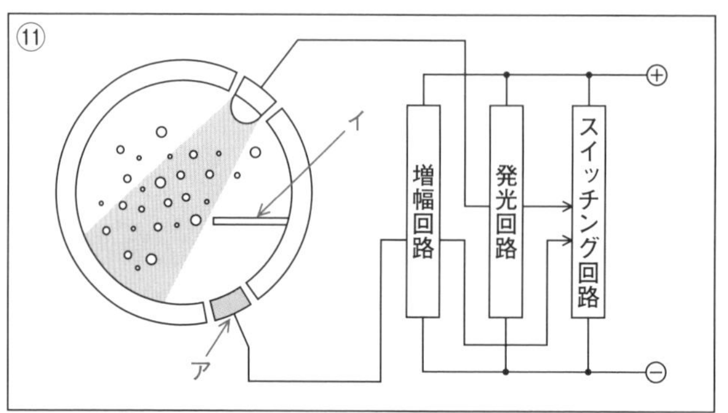

各部の名称

ア：光電素子
イ：遮光板

感知器種別 光電式スポット型感知器

作動原理 光電素子の受光量が，煙の粒子によって変化する。

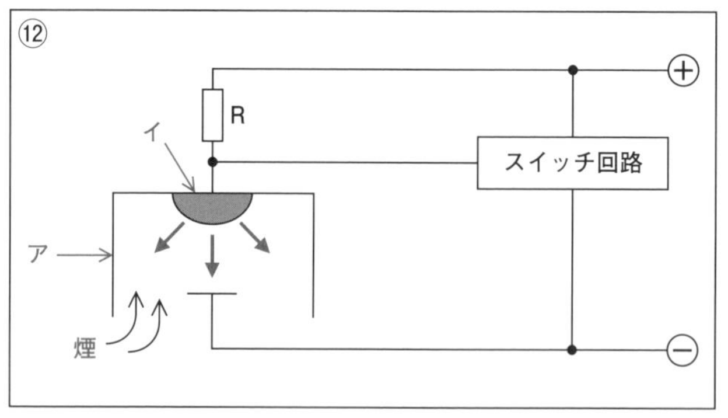

各部の名称

ア：イオン室
イ：放射線源
(アメリシウム 241)

感知器種別 イオン化式スポット型感知器

作動原理 煙によるイオン電流の変化を感知する。

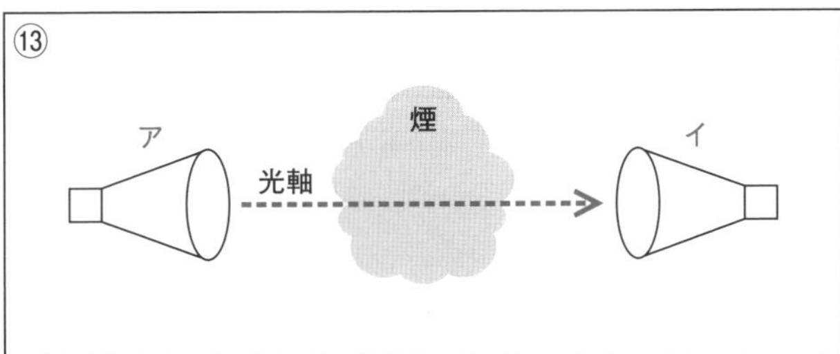

各部の名称
ア：送光部
イ：受光部

感知器種別 光電式分離型感知器

作動原理 煙が光軸を遮り，受光量が変化するのを感知する。

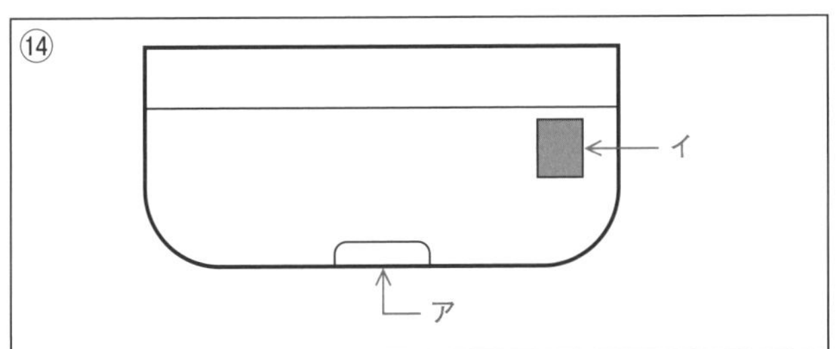

各部の名称
ア：検出素子
(UVトロン)
イ：作動確認灯

感知器種別 紫外線式スポット型感知器

作動原理 炎が発する紫外線を感知する。

3 受信機・発信機など

形状から名称と用途がわかるようにしましょう。

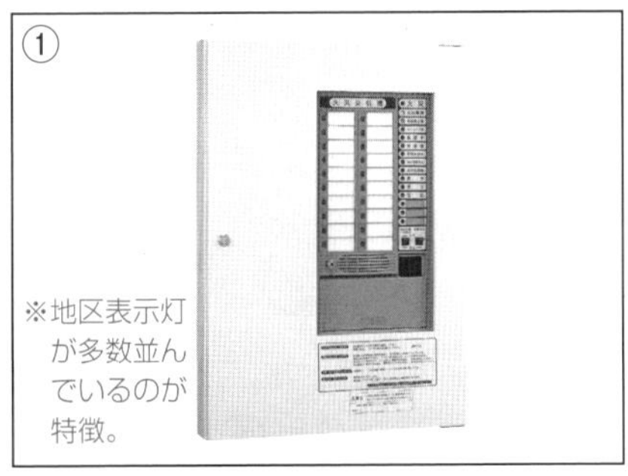

※地区表示灯が多数並んでいるのが特徴。

名称 P型1級受信機

解説 5回線より多くの警戒区域を設定できる受信機。

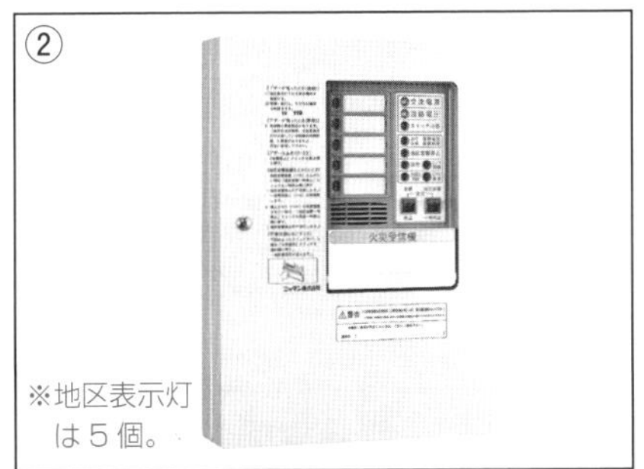

※地区表示灯は5個。

名称 P型2級受信機（多回線用）

解説 警戒区域が5以下の自動火災報知設備の受信機。

③

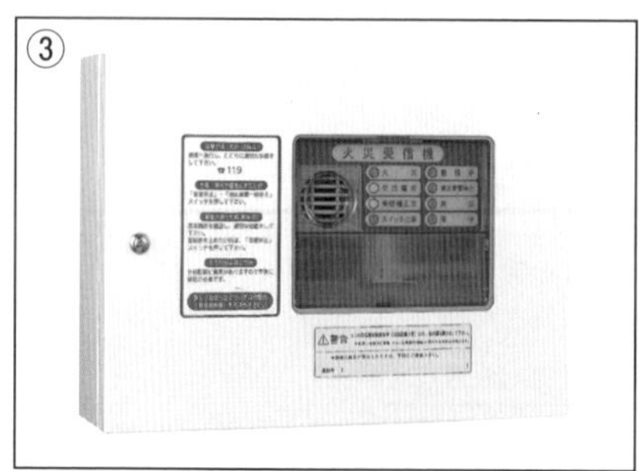

名称 P型2級受信機（1回線用）

解説 接続する回線が1のP型受信機。

④

名称 P型3級受信機

解説 接続する回線が1のP型受信機。

⑤

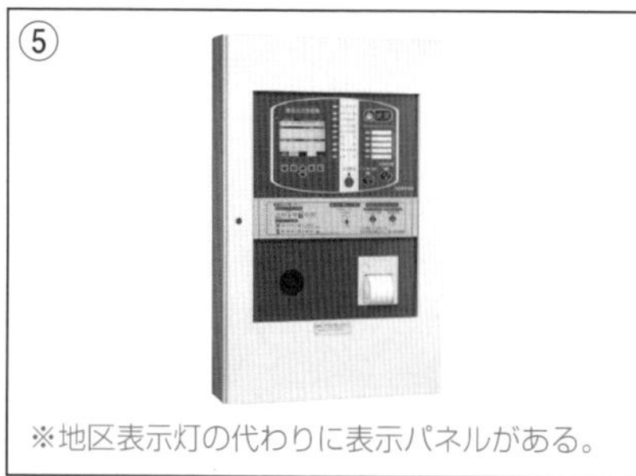

※地区表示灯の代わりに表示パネルがある。

名称 R型受信機

解説 各感知器から固有の信号を受信できる受信機。

⑥

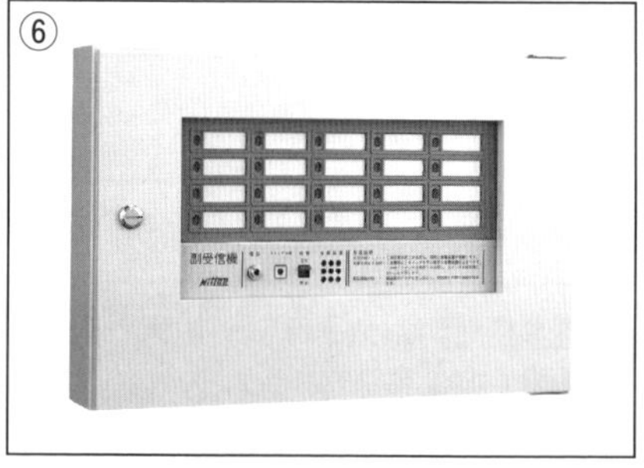

名称 副受信機

解説 宿直室などに設置される受信機の子機。地区表示灯と副音響装置がある。

⑦

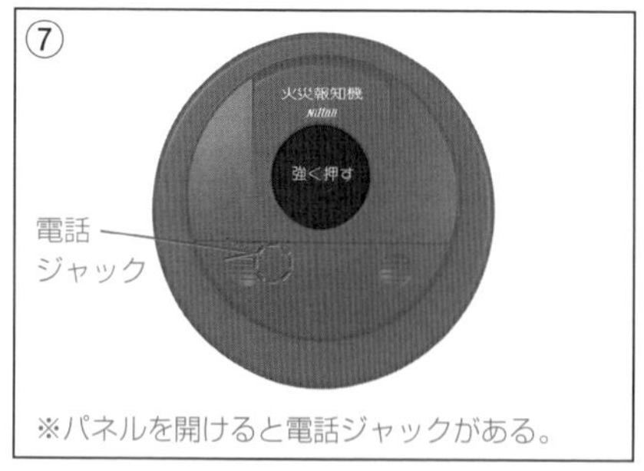

※パネルを開けると電話ジャックがある。

名称 P型1級発信機

解説 P型1級受信機と接続する発信機。

⑧

※電話ジャックはない。

名称 P型2級発信機

解説 P型2級受信機と接続する発信機。

⑨
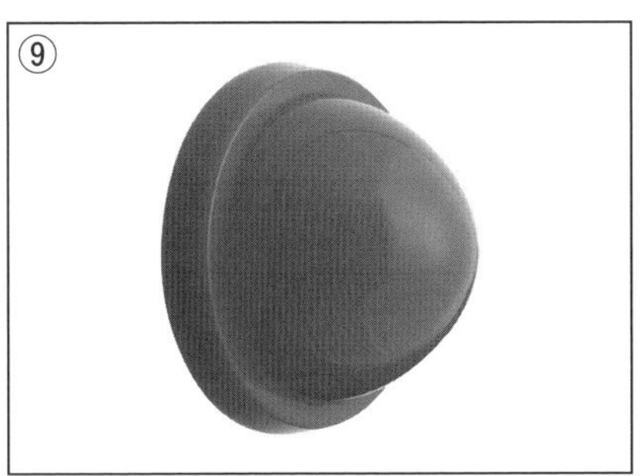

名称 表示灯

解説 発信機のある場所を示す赤いランプ。

⑩
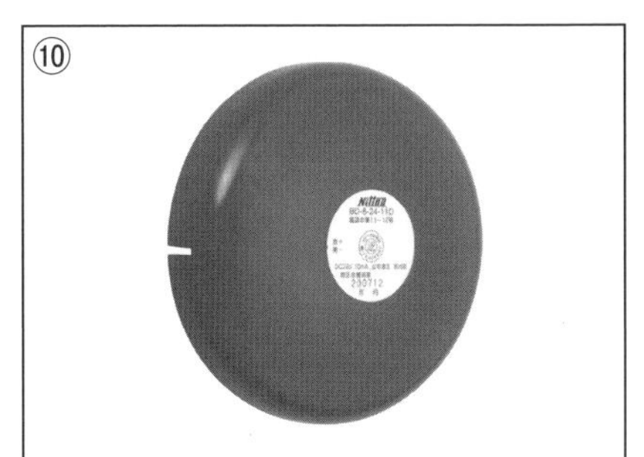

名称 地区音響装置

解説 火災を知らせるベル。

⑪
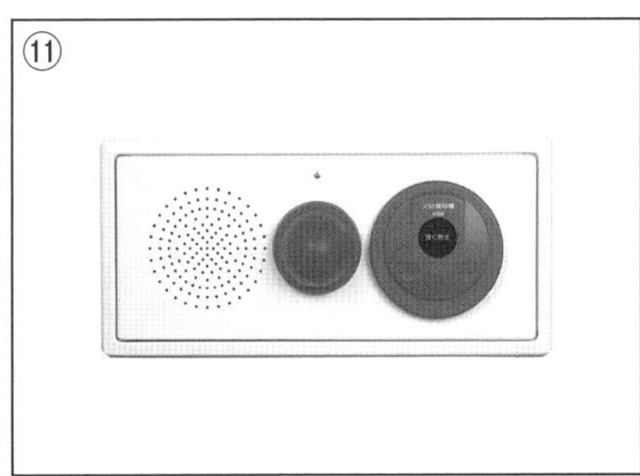

名称 機器収容箱

解説 発信機，表示灯，地区音響装置を収納。

⑫
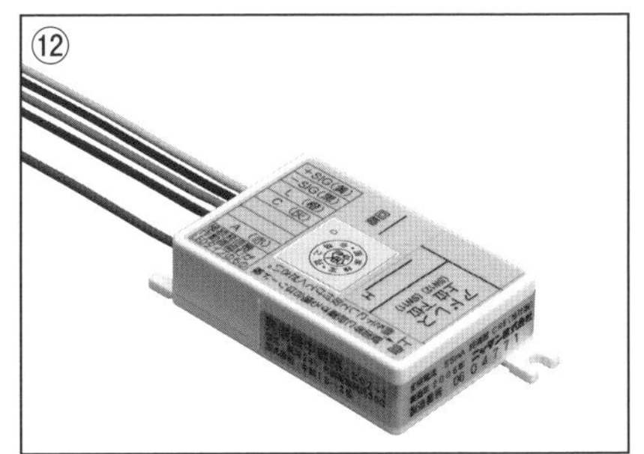

名称 中継器

解説 感知器と受信機の間を中継する装置。

⑬
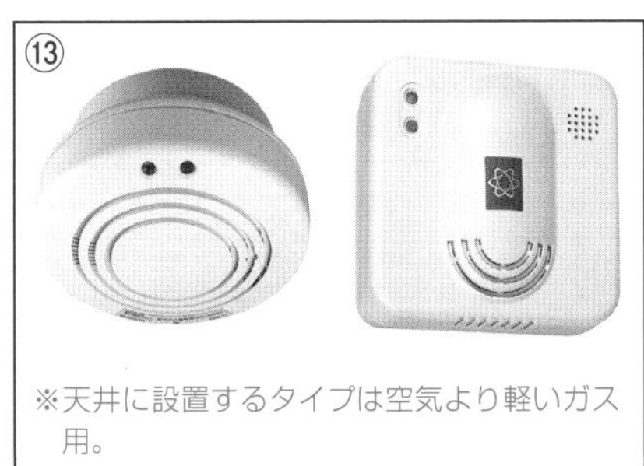

※天井に設置するタイプは空気より軽いガス用。

名称 ガス漏れ検知器

解説 ガス漏れ火災警報装置に用いる検知器。天井に設置するタイプと壁に設置するタイプがある。

⑭

名称 火災通報装置

解説 押しボタンで119番に火災を通報する装置。

⑮

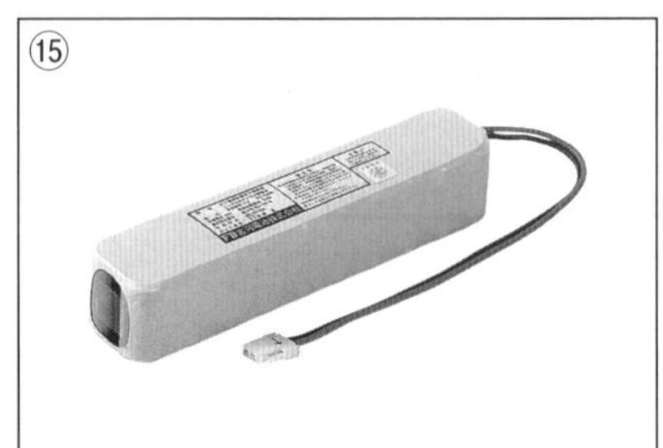

名称 密閉型蓄電池

解説 受信機の予備電源として用いる。

⑯

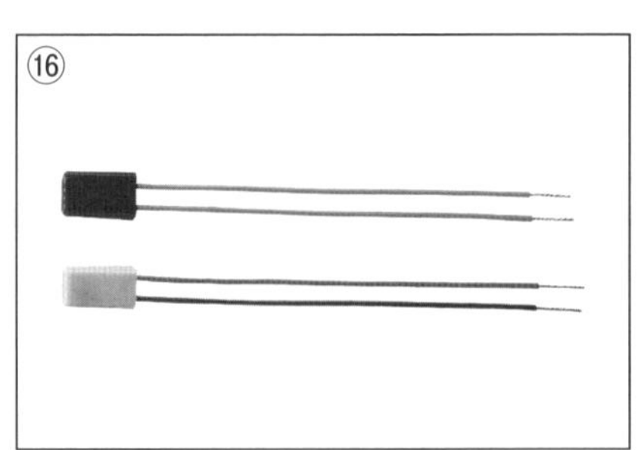

名称 終端器（終端抵抗）

解説 感知器回路の末端に設置する。

⑰

名称 表示灯用発光ダイオード

解説 表示灯等のランプ。

⑱

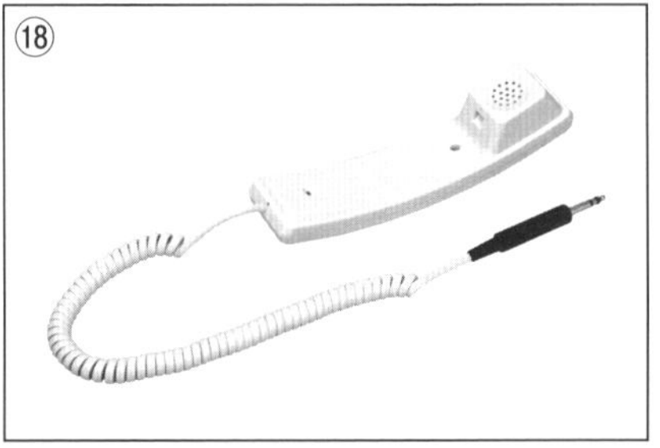

名称 携帯用送受話器

解説 電話ジャックに接続して通話を行う。

4 試験器

形状から名称と用途がわかるようにしましょう。

①

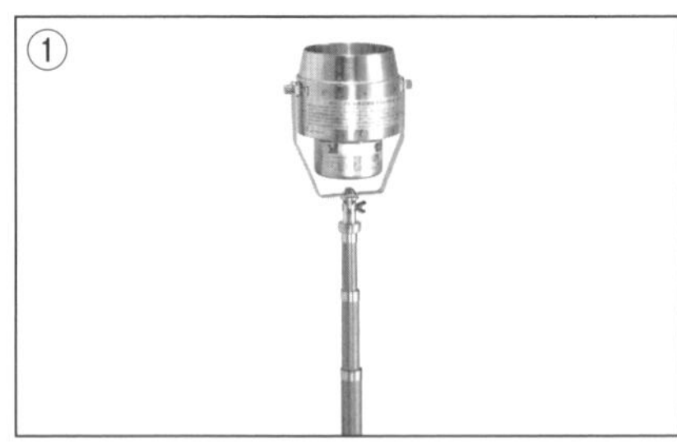

名称 加熱試験器

解説 スポット型の熱感知器の作動試験に用いる。

②

名称 加煙試験器

解説 スポット型の煙感知器の作動試験に用いる。

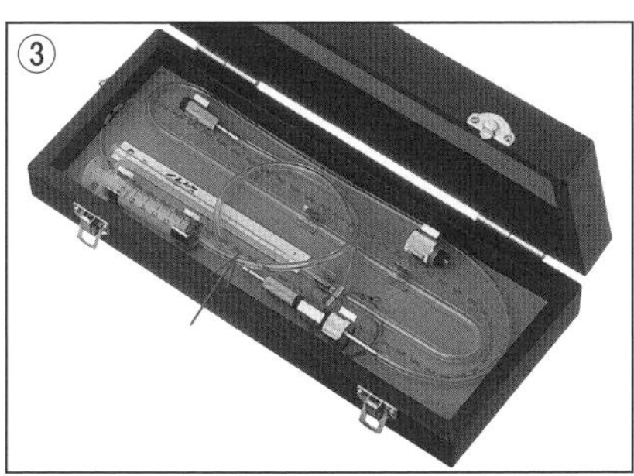
③

名称 マノメーター

解説 差動式分布型感知器（空気管式）の流通試験や接点水高試験に用いる。

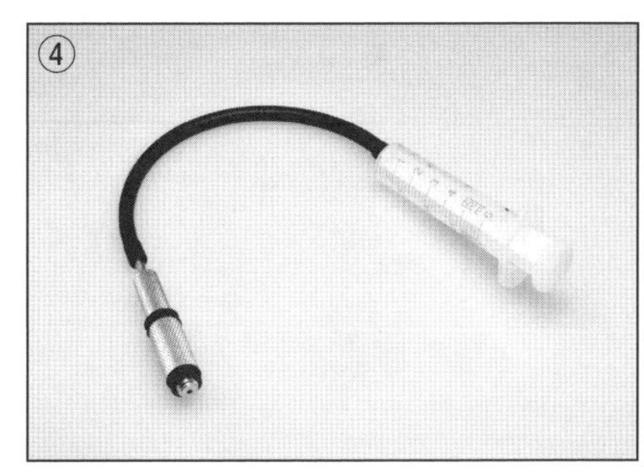
④

名称 テストポンプ

解説 差動式分布型感知器（空気管式）の作動試験や流通試験，接点水高試験に用いる。

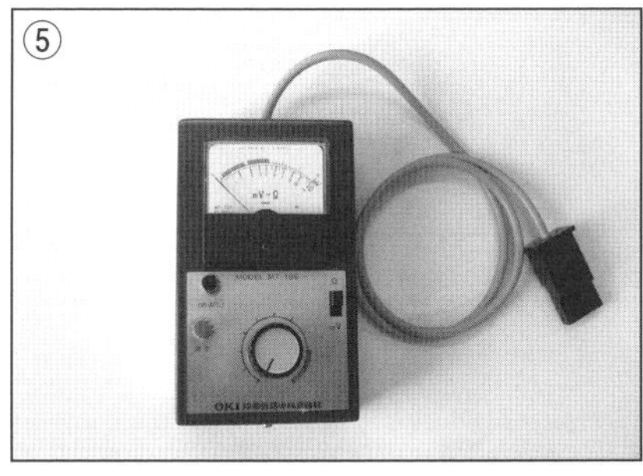

⑤

名称 メーターリレー試験器

解説 差動式分布型感知器（熱電対）などの作動試験や，回路合成抵抗試験に用いる。

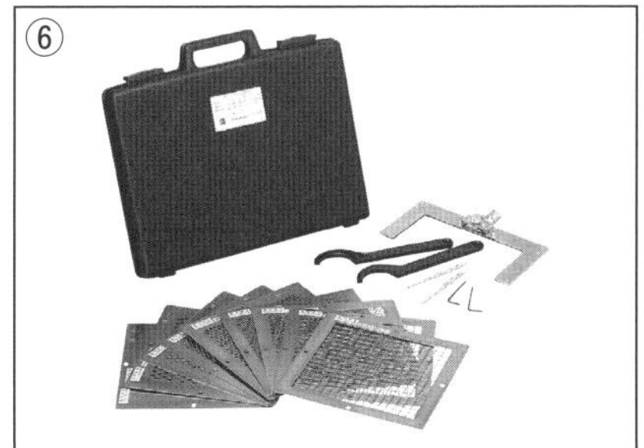
⑥

名称 減光フィルター

解説 光電式分離型感知器の作動試験に用いる。

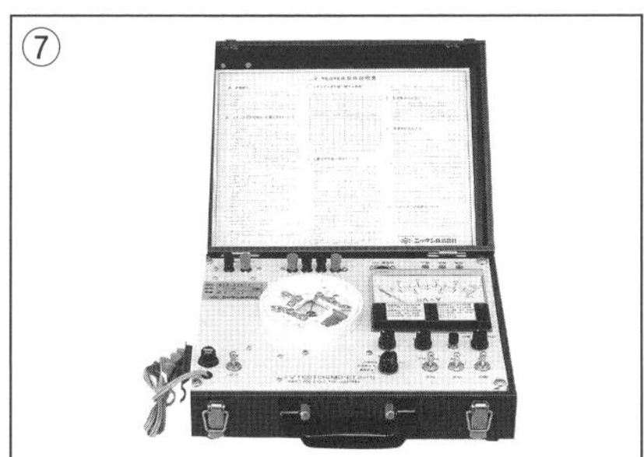
⑦

名称 煙感知器感度試験器

解説 スポット型の煙感知器の感度試験に用いる。

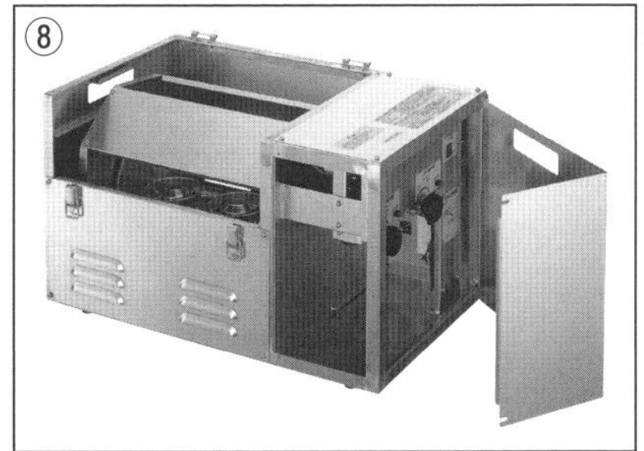
⑧

名称 炎感知器試験器

解説 炎感知器の作動試験に用いる。

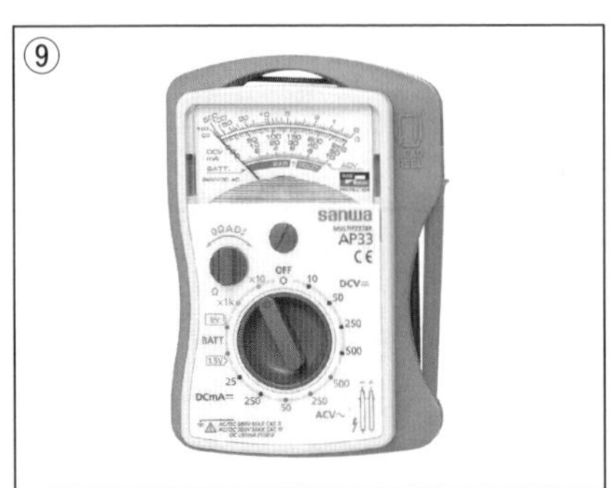

名称 回路計（テスター）

解説 回路の電流や電圧，抵抗値を測定するのに用いる。

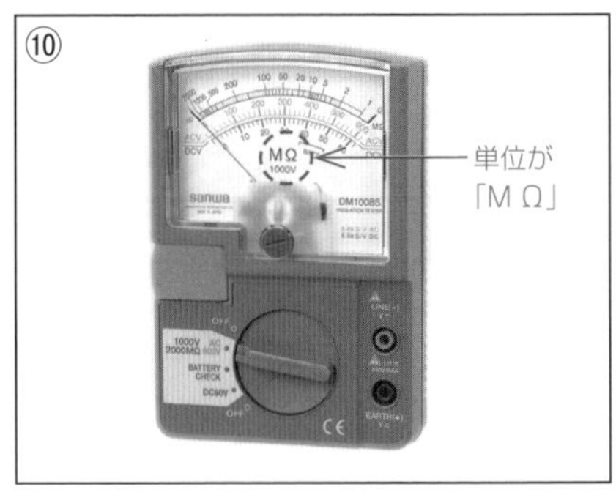

名称 絶縁抵抗計（メガー）

解説 機器の外箱や電路の絶縁抵抗を測定するのに用いる。

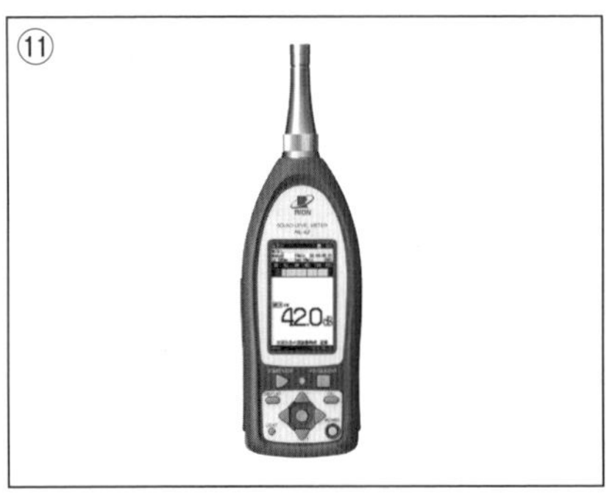

名称 騒音計

解説 音響装置の音圧を測定するのに用いる。

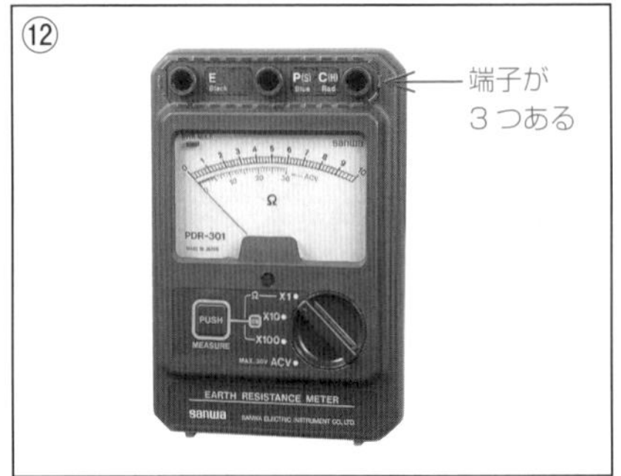

名称 接地抵抗計（アーステスター）

解説 接地抵抗を測定するのに用いる。

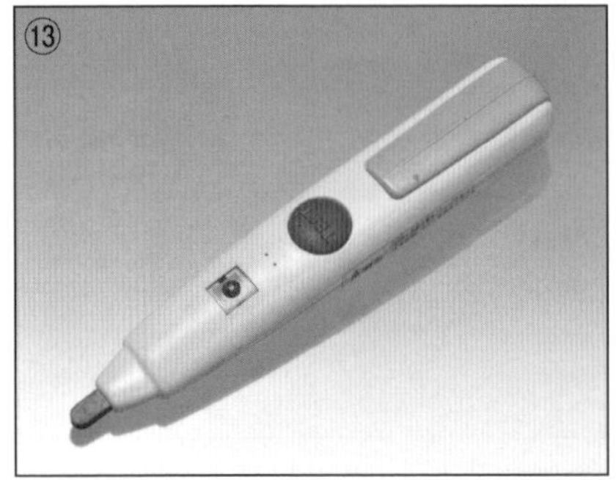

名称 検電器

解説 電路の充電の有無を調べる。

名称 加熱試験器用の火口

解説 加熱試験器に入れる白金カイロ。

5 配線材料

形状から名称と用途がわかるようにしましょう。

①

名称 ねじなし電線管

解説 金属管工事で，配線する電線を収納する金属製のパイプ。

②

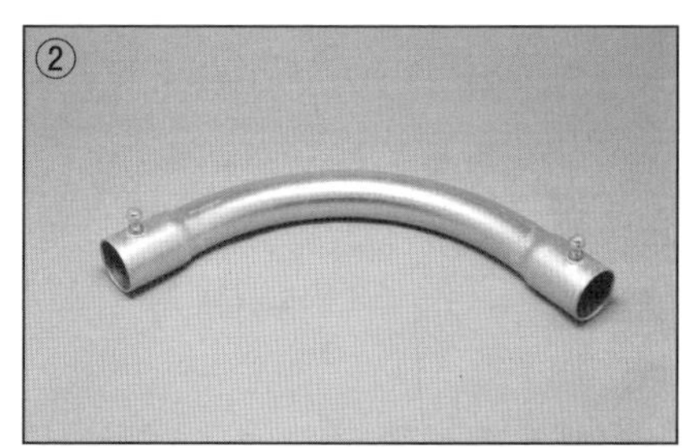

名称 ノーマルベンド

解説 電線管の屈曲部分に用いる。

③

名称 ボックスコネクタ

解説 電線管とアウトレットボックスを接続するのに用いる。

④

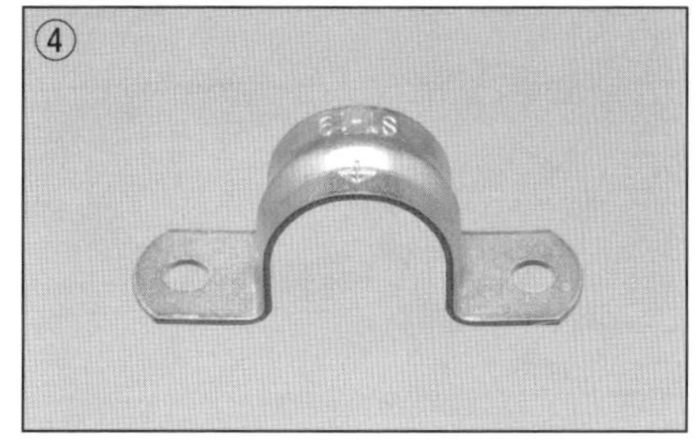

名称 サドル

解説 電線管を造営材に固定するのに用いる。

⑤

名称 絶縁ブッシング

解説 電線管から引き出した電線の被覆を保護する。

⑥

名称 アウトレットボックス

解説 電線相互の接続や，電気機器の取付け箇所に設置する箱。

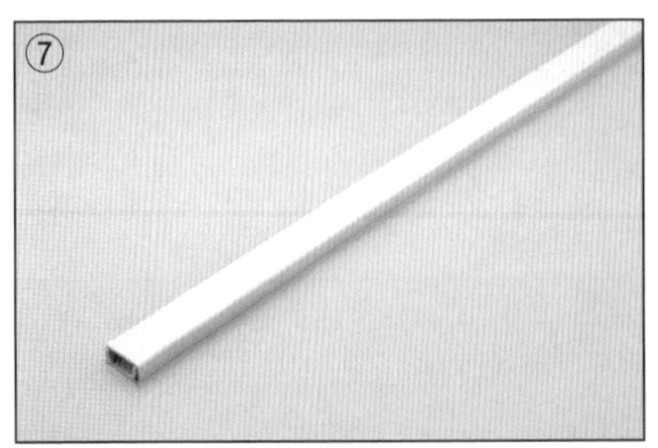

名称 モール（線ぴ）

解説 壁に沿って電線を収納する。

名称 リングスリーブ

解説 電線相互の接続箇所に用いる。

6 工具

形状から名称と用途がわかるようにしましょう。

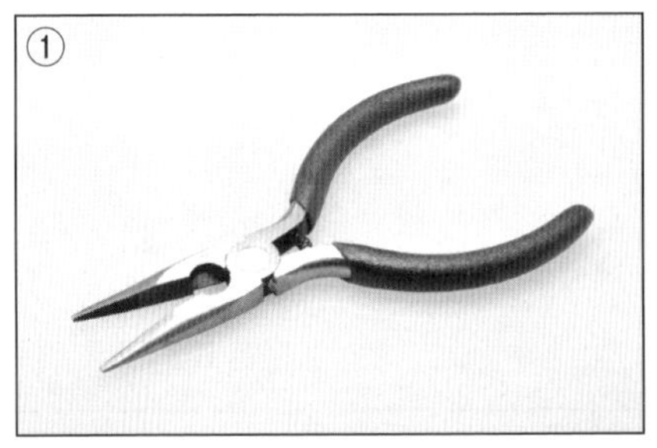

名称 ラジオペンチ

解説 電線などを挟んだり，切断，曲げ加工などに用いる。

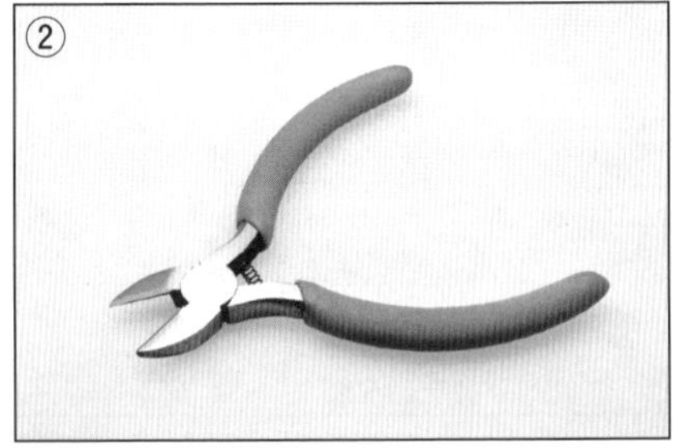

名称 ニッパー

解説 電線などを切断するのに用いる。

名称 圧着ペンチ

解説 リングスリーブを圧着する。

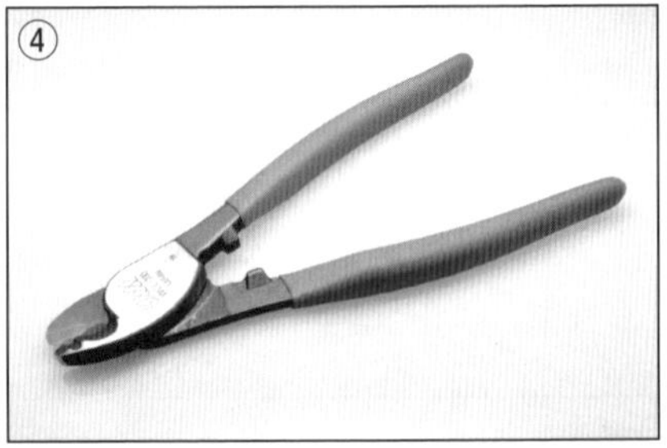

名称 ワイヤーカッター

解説 電線，ケーブルなどを切断する。

⑤
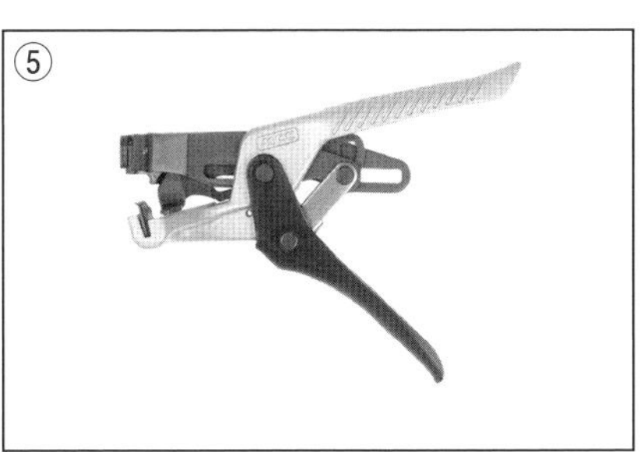

名称 ワイヤーストリッパー
解説 電線，ケーブルの被覆を剥ぐ。

⑥
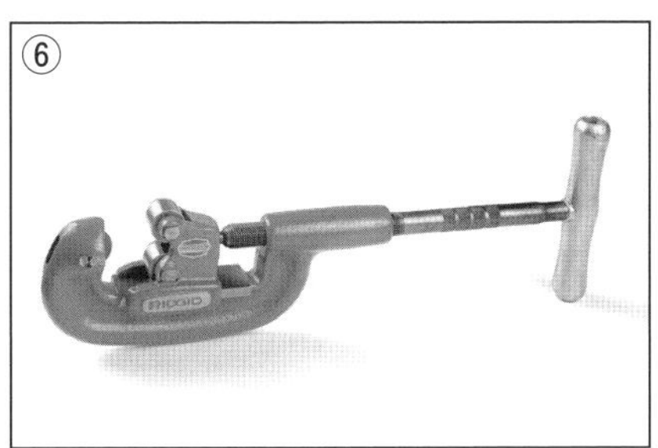

名称 パイプカッター
解説 電線管を切断する。

⑦
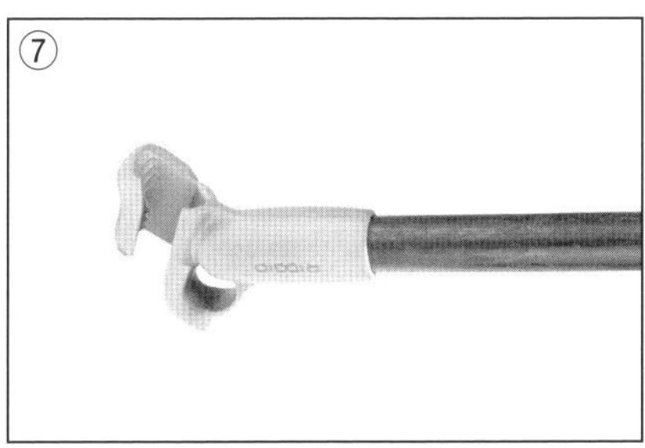

名称 パイプベンダー
解説 金属管の曲げ加工に用いる。

⑧
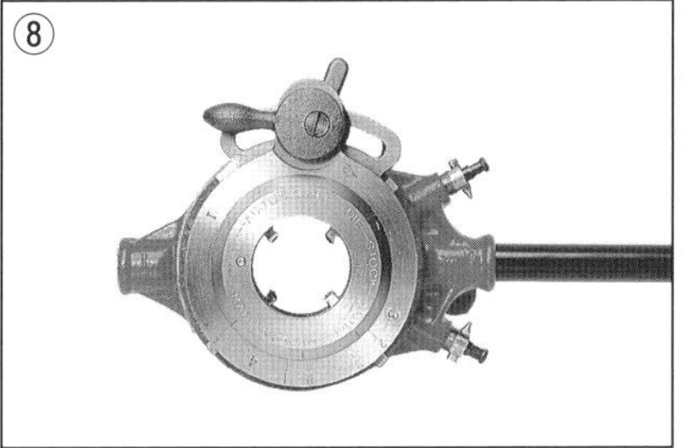

名称 ねじ切り器
解説 金属管にねじを切るのに用いる。

⑨
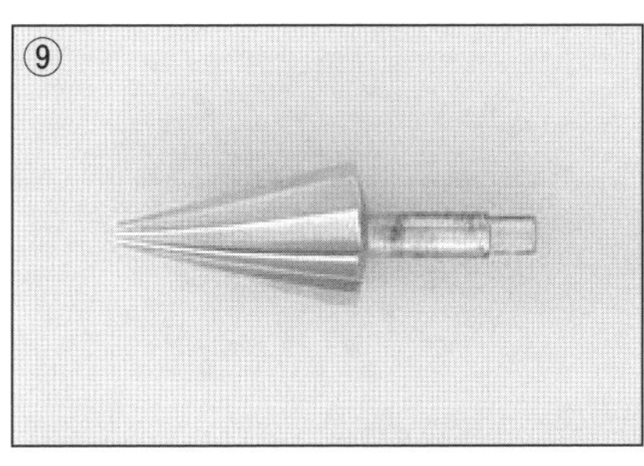

名称 リーマ
解説 金属管の内側のバリ取りなどに用いる。

⑩

名称 ホルソ
解説 金属板などに穴を開ける。

実技問題

実技問題では，自動火災報知設備の点検・整備の手順や，感知器の設置場所を問う問題が出題されます。ほとんどは，これまで学習したことの応用です。

1 送り配線試験

感知器回路の配線は送り配線とし，末端に発信機，押しボタンまたは終端器（終端抵抗）を設けます。

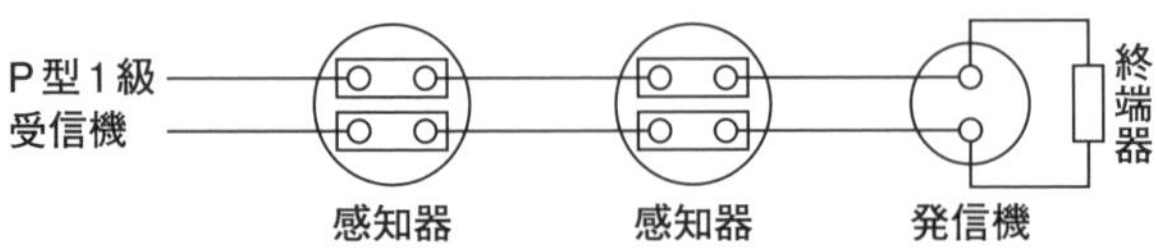

受信機の導通試験装置は，終端器に電流が流れなくなるのを検知して，断線の有無を判断します。そのため，断線しても電流が流れるような箇所のある配線は，感知器回路の配線としては誤っています。

【誤った配線の例】

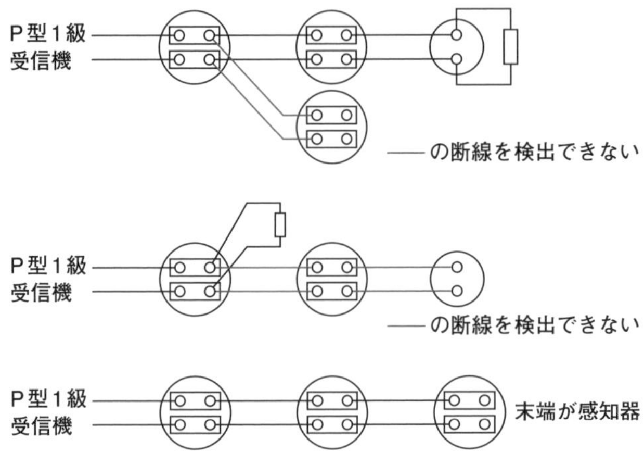

2 受信機の試験

設置工事完了時や点検時に行う受信機の試験には，火災表示試験，回路導通試験，同時作動試験，予備電源試験などがあります。主な試験の目的と，操作手順を理解しておきましょう。

①火災表示試験

【目的】火災表示，保持機能が正常であることを確認する。

【手順】①**火災表示試験スイッチ**を「試験」側に倒す（スイッチ注意灯が点灯）。

②**回線選択スイッチ**で，試験する回線を選択する。

③火災灯，地区表示灯が点灯しているか，選択した回線と地区表示灯が示す回線は一致しているか，音響装置が正常に鳴動しているかを確認する。

④**復旧スイッチ**を操作して元の状態に戻し，次の回線に移る。

②回路導通試験

【目的】感知器回路が断線していないかどうかを確認する。

【手順】①**導通試験スイッチ**を「試験」側に倒す（スイッチ注意灯が点灯）。

②**回線選択スイッチ**で，試験する回線を選択する。

③試験用計器の指示値が適正であることを確認する（受信機によっては，導通表示灯が

補足

受信機の試験項目
火災表示試験，回路導通試験，同時作動試験以外に，以下の試験項目があります。

- **感知器作動試験**：感知器の自動試験機能または遠隔試験機能のある受信機で，感知器の作動試験を行います。
- **注意表示試験**：アナログ式受信機で，注意表示が正常であることを確認します。
- **設定表示温度試験**：アナログ式受信機で，アナログ式感知器の設定表示温度が正しく設定されていることを確認します。
- **予備電源試験**：予備電源の電圧及び自動切り替え機能が正常であることを確認します。
- **非常電源試験**：自動切り替え機能が正常であることを確認します。
- **付属装置試験**：付属装置が作動しても，火災表示や注意表示が正常に行われることを確認します。
- **相互作動試験**：受信機が複数ある場合に，受信機間で相互通話ができること，地区音響装置がどの受信機からも正常に鳴動できることを確認します。

点灯）。

③同時作動試験

【目的】 複数の警戒区域から，同時に火災信号を受信したとき，火災表示が正常に行われることを確認する。

【手順】 ①火災表示試験スイッチを「試験」側に倒す。

②回線選択スイッチを回して，回線を5つ選択する（非常電源使用時は2回線分）。

③火災灯，地区表示灯が点灯しているか，選択した回線と地区表示灯が示す回線は一致しているか，音響装置が正常に鳴動しているかを確認する。

3 感知器の試験

感知器の試験は，感知器の種別ごとに試験項目や使用する試験器が異なります。各試験項目の試験方法や，試験器の名称を理解しておきましょう。

種別	試験項目	使用する試験器等
差動式スポット型・補償式スポット型・定温式スポット型	作動試験	加熱試験器 差動スポット試験器※
差動式分布型（空気管式）	作動試験 作動継続試験	テストポンプ
	流通試験 接点水高試験	テストポンプ，マノメーター
差動式分布型（熱電対式・熱半導体式）	作動試験 回路合成抵抗試験	メーターリレー試験器
定温式感知線型	作動試験 回路合成抵抗試験	回路試験器
煙感知器（光電式分離型以外）	作動試験	加煙試験器
	感度試験（総合点検時のみ）	煙感知器感度試験器
光電式分離型	作動試験	減光フィルター
炎感知器	作動試験	感知器に適応する試験器

※点検しにくい場所に設置した差動式スポット型感知器用。

チャレンジ問題

［解説］319 ページ ［解答一覧］325 ページ

問1

難 中 **易**

次に示す感知器の名称と，作動原理を答えよ。

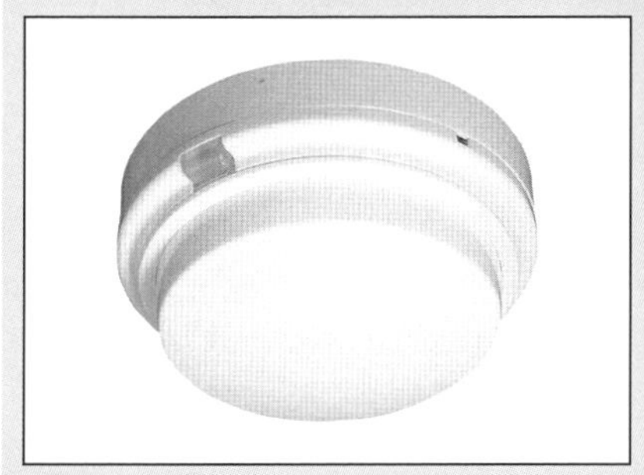

感知器の名称	
作動原理	

問2

難 中 **易**

次に示す感知器の名称と，作動原理を答えよ。

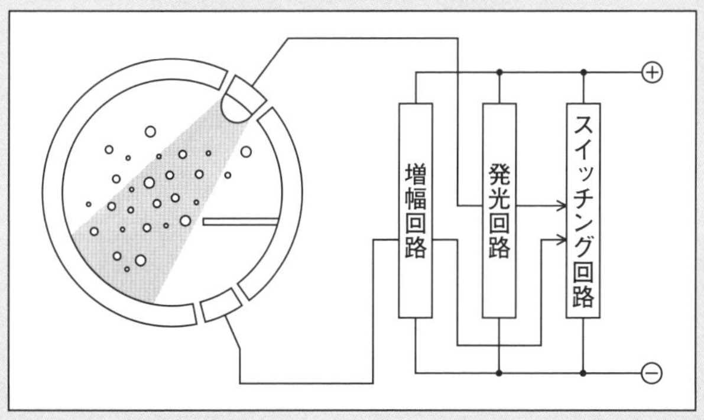

感知器の名称	
作動原理	

問3

難　中　易

次の図は，差動式分布型感知器（空気管式）の付属品である。それぞれの名称と用途を答えよ。

A

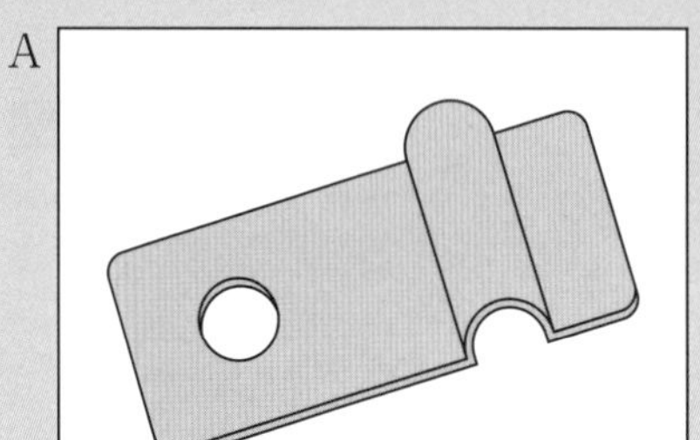

B

	名称	用途
A		
B		

問4

難　中　易

次の写真に示す工具の名称と用途を答えよ。

A

B

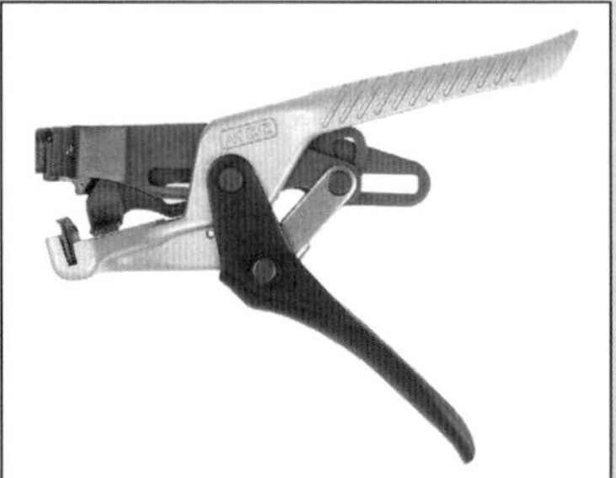

	名称	用途
A		
B		

問5

難　中　**易**

P型1級受信機が備えている機能であって，P型2級受信機では省略できるものを，次の解答群からすべて選び，その番号を答えよ。ただし，P型1級受信機，P型2級受信機とも，1回線のものは除くものとする。

解答群

①火災灯	②地区表示灯	③予備電源
④火災表示試験スイッチ	⑤導通試験スイッチ	⑥復旧スイッチ
⑦交流電源灯	⑧発信機灯	⑨電話灯
⑩スイッチ注意灯	⑪主音響装置	⑫電話ジャック

問6

難　中　**易**

次の写真A～Cは，感知器の点検に用いる試験器である。

A

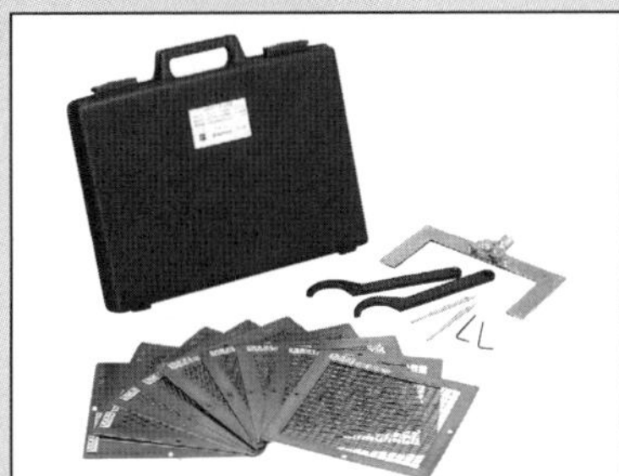

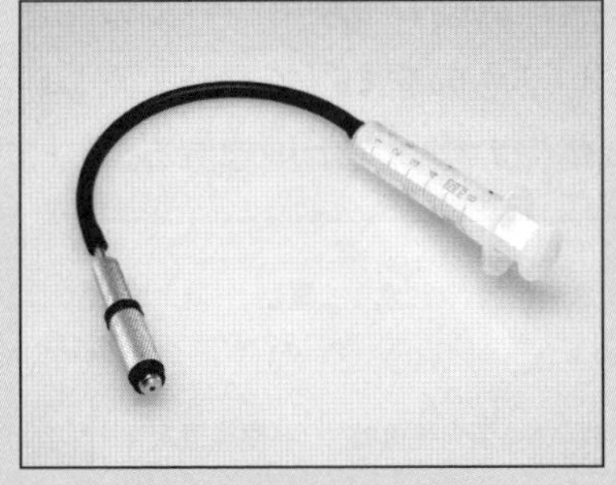

設問1　それぞれの名称を答えよ。

設問2　それぞれの試験器を用いて点検できる感知器を解答群の中から

すべて選び，記号で答えよ。

解答群

①光電式スポット型感知器	②光電式分離型感知器
③定温式スポット型感知器	④補償式スポット型感知器
⑤差動式分布型感知器(空気管式)	⑥差動式分布型感知器(熱電対式)
⑦差動式スポット型感知器	⑧イオン化式スポット型感知器

	試験器の名称	点検できる感知器
A		
B		
C		

問7

難　中　易

P型1級発信機とP型2級発信機の構造上の相違点を2つ述べよ。

	相違点
①	
②	

問8

難　中　易

以下は，P型1級受信機における共通線試験の手順についての記述である。記述中の下線部のうち，誤っているものをすべて選び，正しい語句に訂正せよ。なお，図はP型1級受信機の操作パネルである。

主音響停止　地区音響停止　火災復旧　交流電源　発信機　スイッチ注意　電話　消火栓

予備電源試験　導通試験　試験復旧　火災表示試験　消火栓連動　回線選択

※ スイッチ　○ 表示灯

(1) あらかじめ各回線ごとに①火災表示試験を行い，断線のないことを確認する。

(2) ②予備電源試験スイッチを倒す。このとき，スイッチ注意灯が点灯する。

(3) 受信機の端子盤から，③共通線を１本はずす。

(4) ④回線選択スイッチを順に回し，断線している回線の数を数える。

(5) (4) で数えた回線数が⑤６以下であれば「良」と判定する。

(6) すべての⑥共通線について，(3) ～ (5) を繰り返す。

問９ 難 中 易

図は，P型１級受信機の前面部である。この受信機の操作について，次の設問に答えよ。

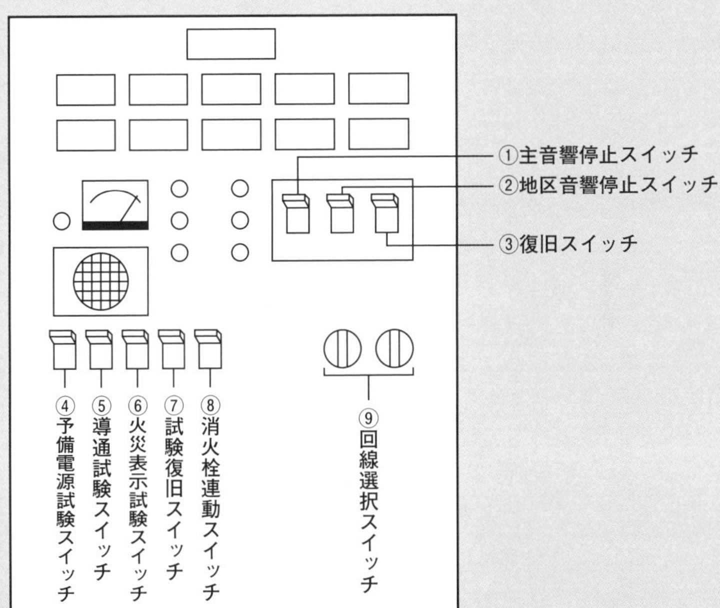

設問１　火災表示試験の操作手順として，正しいものは次のうちどれか。

(1) ⑥→⑨→⑦　　(2) ⑥→⑨→③

(3) ⑥→①→⑨→②　　(4) ⑥→③→⑨

設問２　同時作動試験の操作手順として，正しいものは次のうちどれか。

（1）⑥→⑨→④　（2）⑥→③→⑨　（3）⑥→⑨→⑦　（4）⑥→⑨

•問 10•

難　中　**易**

Ｐ型受信機のスイッチ注意灯が点灯している原因として，適当なものはどれか。解答群の中からすべて選びなさい。

解答群

①地区音響停止スイッチが停止の位置にある。
②復旧スイッチが定位にない。
③予備電源試験スイッチが定位にない。
④火災表示試験スイッチが試験の位置にある。
⑤Ｐ型１級発信機の押しボタンが押されている。
⑥主電源が停止している。
⑦導通試験スイッチが試験の位置にある。

•問 11•

難　中　**易**

図の接続ボックス内の結線方法として，正しいものは次のうちどれか。

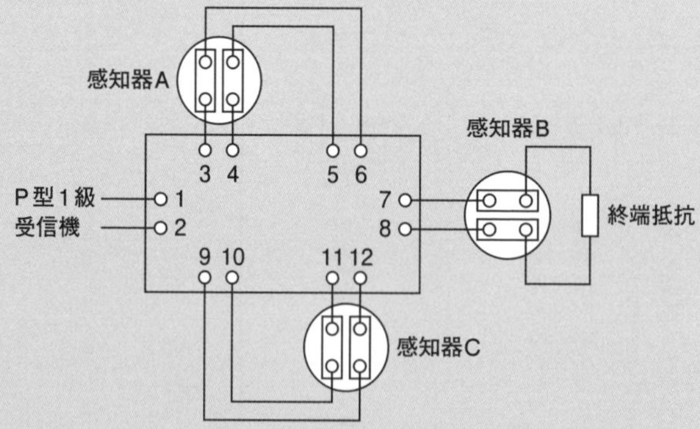

（1）1-3，2-4，5-9，6-8，7-10，8-12

（2）1-4，2-3，5-9，6-11，7-10，8-12

（3）1-3，2-4，5-10，6-9，7-12，8-11

（4）1-9，2-10，3-7，4-12，5-11，6-8

解説

問1 ドーム型の空気室は，差動式スポット型感知器の特徴です。このタイプの感知器は，空気の熱膨張を利用して火災を感知します。火災の熱によって空気室内の空気が膨張すると，ダイヤフラムがふくらんで接点が閉じます。

解答 参照 296 ページ

感知器の名称	差動式スポット型感知器
作動原理	熱による空気の膨張を利用する。

問2 図は，光電式スポット型感知器の構造図です。暗箱に煙の粒子が侵入すると，光源から出た光が散乱します。この散乱光を光電素子が感知して作動します。

解答 参照 300 ページ

感知器の名称	光電式スポット型感知器
作動原理	光電素子が煙による散乱光を感知して作動する。

問3 図Aの部品はクリップで，空気管を造営材に固定するのに用いる金具です。

図Bの部品は貫通キャップで，空気管が造営材を貫通する際に開けた穴をふさぐのに用います。

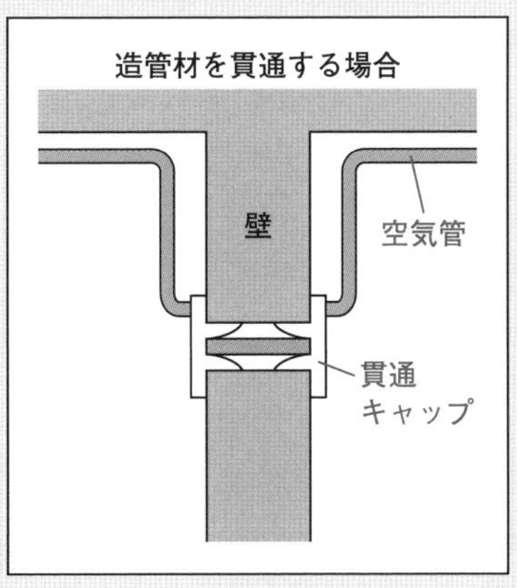

解答 **参照** 297 ページ

	名称	用途
A	クリップ	空気管を造営材に固定する。
B	貫通キャップ	空気管が造営材を貫通する際に用いる。

問4 写真Aは圧着ペンチです。圧着ペンチは電線相互を接続する際，電線にはめたリングスリーブや圧着端子を圧着するのに用います。柄の色が赤色のものは圧着端子用，黄色のものはリングスリーブ用となっています。

写真Bはワイヤーストリッパーです。ワイヤーストリッパーは電線の被覆をはぎ取るのに用いる工具です。

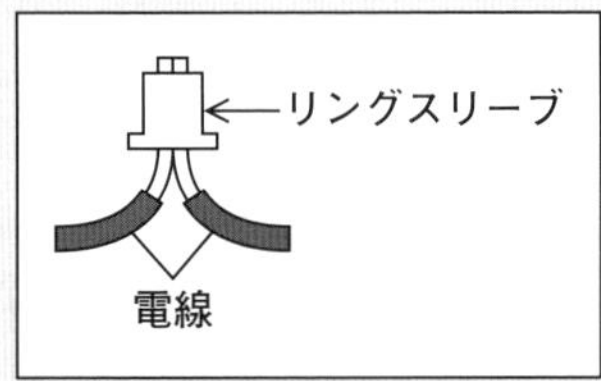

解答 **参照** 308 ページ

	名称	用途
A	圧着ペンチ	リングスリーブや圧着端子の圧着に用いる。
B	ワイヤーストリッパー	電線の被覆をはぎ取るのに用いる。

問5 P型1級受信機とP型2級受信機の違いに関する問題です。

①**火災灯**　火災信号を受信すると点灯するランプ。P型2級受信機では省略できます。

②**地区表示灯**　火災が発生した警戒区域を示すランプ。1回線のP型2級受信機では省略できますが，多回線の場合は省略できません。

③**予備電源**　停電時に切り替わる電源。1回線のP型2級受信機では省略できますが，多回線の場合は省略できません。

④**火災表示試験スイッチ**　火災表示試験用のスイッチ。P型1級とP型2級の両方に必要です。

⑤**導通試験スイッチ**　回路導通試験用のスイッチ。P型2級受信機では省略できます。

⑥**復旧スイッチ**　火災表示から復旧するスイッチ。P型1級とP型2級の両方に必要です。

⑦**交流電源灯**　主電源を監視するランプ。P型1級とP型2級の両方に必要です。

⑧**発信機灯**　発信機のボタンが押されたときに点灯するランプ。P型1級発信機の確認ランプに対応するもので，P型2級受信機では省略できます。

⑨**電話灯**　P型1級発信機の電話ジャックに電話が接続されたとき，呼出し音とともに点灯するランプ。P型2級受信機では省略できます。

⑩**スイッチ注意灯**　定位置の状態にないスイッチがあると点灯するランプ。P型1級とP型2級の両方に必要です。

⑪**主音響装置**　火災が発生すると鳴動する音響装置。P型1級とP型2級の両方に必要です。

⑫**電話ジャック**　電話機を接続して，P型1級発信機と電話連絡を行います。P型2級受信機では省略できます。

以上から，P型2級受信機（多回線）で省略できるものは，①，⑤，⑧，⑨，⑫の5つです。

解答　**参照** 150，151ページ

①，⑤，⑧，⑨，⑫

問6　写真Aは加熱試験器です。加熱試験器は，スポット型の熱感知器の作動試験に用います。

写真Bは減光フィルターです。減光フィルターは，光電式分離型感知器の作動試験に用います。

写真Cはテストポンプです。テストポンプは，差動式分布型感知器（空気管式）の作動試験や接点水高試験などに用います。

解答 **参照** 304ページ

	設問1	設問2
A	加熱試験器	③定温式スポット型感知器 ④補償式スポット型感知器 ⑦差動式スポット型感知器
B	減光フィルター	②光電式分離型感知器
C	テストポンプ	⑤差動式分布型感知器（空気管式）

問7 P型1級発信機には，受信機と連絡するための電話を接続する電話ジャックがあります。また，受信機が火災信号を受信したことを知らせる確認ランプが付いています。どちらもP型2級発信機には備えられていません。

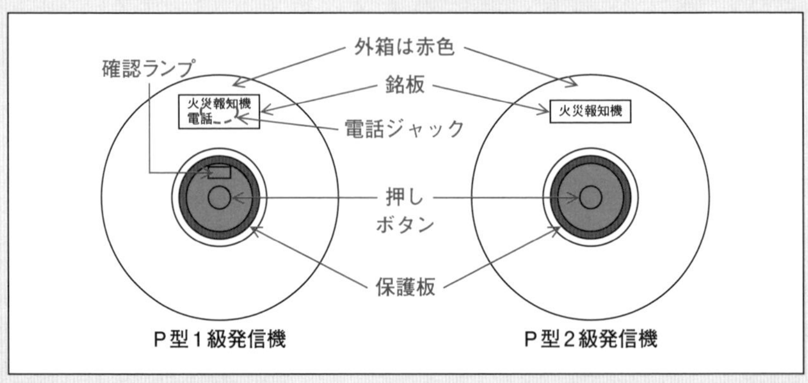

解答 **参照** 177ページ

① P型1級発信機には電話ジャックがある。

② P型1級発信機には確認ランプがある。

問8 共通線試験は，各警戒区域の共通線が7警戒区域以下であることを確認する試験です。その方法は，共通線を1本はずし，断線する回線の数が 7 以下であることを確認します。ただし，共通線試験の前に，あらかじめ各回線が断線していないことを確認しておく必要があります。

下線① 断線のないことを確認する試験は，火災表示試験ではなく，回路導通試験です。

下線② 共通線試験は，共通線をはずすほかは回路導通試験の手順と同じです。したがって試験では予備電源試験スイッチではなく，導通試験スイッチを用います。

下線③ 正しい。

下線④ 正しい。

下線⑤ 共通線は 1 本につき 7 警戒区域以下なので，6 ではなく 7 以下が断線していれば「良」と判定します。

下線⑥ 正しい。

解答 **参照** 255 ページ

誤っている部分	訂正箇所
①	火災表示試験→回路導通試験
②	予備電源試験スイッチ→導通試験スイッチ
⑤	6 → 7

問 9

設問 1 火災表示試験の手順は次のとおりです。

(1) 火災表示試験スイッチ（⑥）を「試験」側にする

スイッチ注意灯が点灯します。

(2) 回線選択スイッチ（⑨）で，試験対象の回線を選択する

火災灯・地区表示灯の表示，選択した回線の番号と地区表示灯の番号が一致していること，主音響装置・地区音響装置の鳴動を確認します。

(3) 復旧スイッチ（③）で元の状態に戻す

(2) と (3) を順次繰り返し，すべての回線を確認します。

以上から，⑥→⑨→③が正解となります。

設問２　同時作動試験の手順は次のとおりです（312ページ）。

（1）火災表示試験スイッチ（⑥）を「試験」側にする

　　スイッチ注意灯が点灯します。

（2）回線選択スイッチ（⑨）を連続して回し，５回線を選択する

　　地区表示灯が順次点灯し，火災灯の表示や主音響装置・地区音響装置の鳴動が保持されていることを確認します。

以上から，⑥→⑨が正解となります。

解答　　**参照** 311ページ

設問１（2）　設問２（4）

問10　スイッチ注意灯は，受信機の操作パネルが通常の状態にないときに，点滅して注意をうながすランプです。

⑤発信機の押しボタンや，⑥主電源の状態は，スイッチ注意灯ではわかりません。

また，②復旧スイッチと③予備電源試験スイッチは，押している間だけ「入」の状態になり，手を離すと自動的に定位に戻るスイッチです。このタイプのスイッチは，押してもスイッチ注意灯は点灯しません。

残る①地区音響停止スイッチと④火災表示試験スイッチ，⑦導通試験スイッチは，自動的には定位に戻りません。これらのスイッチを操作すると，手動で定位に戻すまでの間，スイッチ注意灯が点滅します。

解答　　**参照** 147ページ

①，④，⑦

問11　感知器回路は送り配線とし，終端抵抗は回路の末端に取り付けます。したがって，受信機→感知器Ａ→感知器Ｃ→感知器Ｂ（または受信機→感知器Ｃ→感知器Ａ→感知器Ｂ）の順に配線する必要があります。

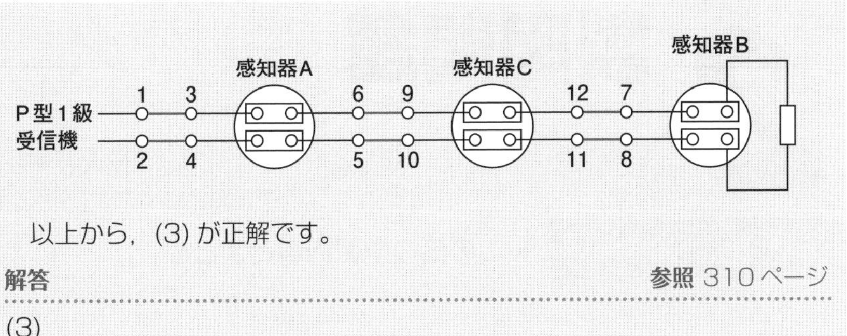

以上から，(3) が正解です。

解答 **参照** 310ページ

(3)

解 答

問1	感知器の名称	差動式スポット型感知器		
	作動原理	熱による空気の膨張を利用する		
問2	感知器の名称	光電式スポット型感知器		
	作動原理	光電素子が煙による散乱光を感知して作動する		
問3	A	名称：クリップ	用途：空気管を造営材に固定する。	
	B	名称：貫通キャップ	用途：空気管が造営材を貫通する際に用いる。	
問4	A	名称：圧着ペンチ	用途：リングスリーブや圧着端子の圧着に用いる。	
	B	名称：ワイヤーストリッパー	用途：電線の被覆をはぎ取るのに用いる。	
問5	①, ⑤, ⑧, ⑨, ⑫			
問6	設問1	A：加熱試験器　B：減光フィルター　C：テストポンプ		
	設問2	A：③, ④, ⑦　B：②　C：⑤		
問7	①	P型1級発信機には電話ジャックがある。		
	②	P型1級発信機には確認ランプがある。		
問8	誤っている部分	訂正箇所		
	①	火災表示試験→回路導通試験		
	②	予備電源試験スイッチ→導通試験スイッチ		
	⑤	6→7		
問9	設問1	(2)	設問2	(4)
問10	①, ④, ⑦	問11	(3)	

2 製図問題

まとめ&丸暗記 この節の学習内容とまとめ

□ 平面図の作成

①警戒区域の設定

・全体の面積からたて穴区画の面積を除いた面積が 600m² 以下（一辺の長さ 50m 以下）なら，階全体を 1 つの警戒区域とする。
・たて穴区画は，相互の距離が 50m 以下なら，1 つの警戒区域にまとめる。

②感知器の設置

・特定防火対象物などの地階・無窓階・11 階以上→煙感知器（2 種）
・廊下・通路→煙感知器（2 種）を歩行距離 30m につき 1 個設置する。
・湯沸室，厨房室，ボイラー室など→定温式スポット型感知器（1 種）
・その他の居室→差動式スポット型感知器（2 種）

$$\text{感知器の個数} = \frac{\text{感知区域の面積}}{\text{感知器の感知面積}} \text{個}$$ ※小数点以下は切り上げ

感知区域：はりの深さが 40cm 以上（煙感知器の場合は 60cm 以上）の場合は，感知区域を区切る。
感知面積：次の表による。

取付け面の高さ		差動式スポット型(2 種)	定温式スポット型(1 種)	煙感知器（1 種・2 種）
4m 未満	耐火構造	70m²	60m²	150m²
	その他の構造	40m²	30m²	
4m 以上 8m 未満	耐火構造	35m²	30m²	75m²
	その他の構造	25m²	15m²	

③機器収容箱の設置

・地区音響装置→水平距離 25m につき 1 個
・発信機→歩行距離 50m につき 1 個

④配線

機器収容箱から終端器まで，送り配線で設置

□ 系統図の作成

受信機から出る電線本数

ベル線	一斉鳴動の場合	HIV 線× 2 本
	区分鳴動の場合	HIV 線×回線数＋1 本
表示灯線	消火栓と連動する場合	HIV 線× 2 本
	消火栓と連動しない場合	IV 線× 2 本
電話連絡線	P 型 1 級受信機の場合	IV 線× 1 本
	P 型 2 級受信機の場合	なし

確認応答線	P 型 1 級受信機の場合	IV 線× 1 本
	P 型 2 級受信機の場合	なし
共通線	7 警戒区域ごとに	IV 線× 1 本
	警戒区域線	IV 線×警戒区域数

製図問題の概要

1 平面図と系統図

製図問題で出題される自動火災報知設備の設備図には，平面図と系統図があります。

①平面図

階ごとの建築平面図に，機器配置や配線を記入したもの。

例

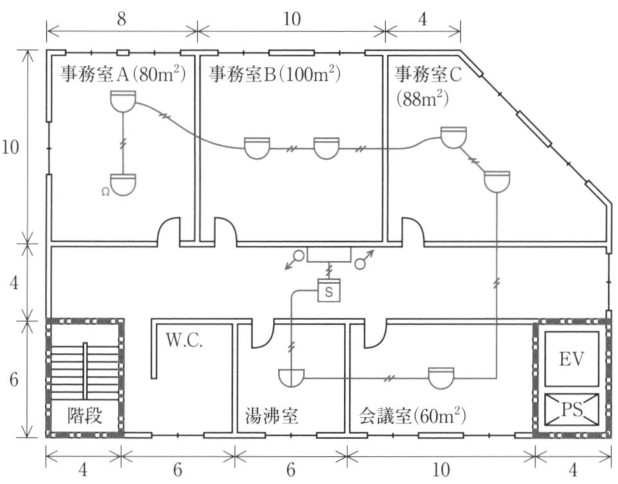

②系統図

各階に設置される機器の種類と個数，各機器から受信機に至るの配線を断面的に表したもの。

補足

製図問題は，乙種第４類消防設備士試験では出題されません。甲種第４類を受験する方のみ，試験対策が必要です。

例

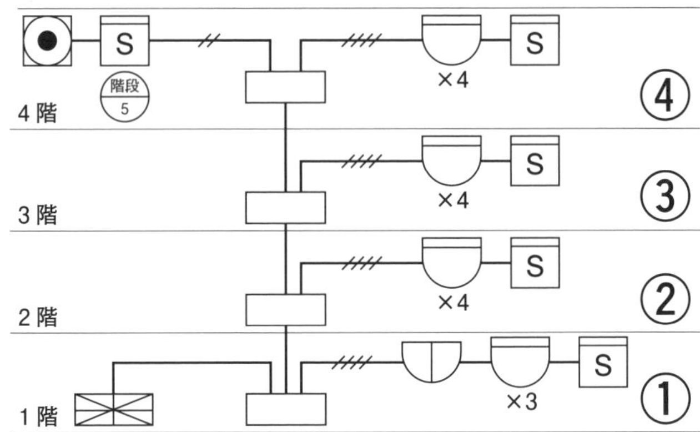

2 図記号

平面図や系統図で使用する主な図記号には，次のものがあります。

◆自動火災報知設備

名称	図記号	摘要
差動式スポット型感知器		必要に応じ，種別を傍記する。
補償式スポット型感知器		必要に応じ，種別を傍記する。
定温式スポット型感知器		a) 必要に応じ，種別を傍記する。 b) 防水型は，とする。 c) 耐酸型は，とする。 d) 耐アルカリ型は，とする。 e) 防爆型は，EX を傍記する。
煙感知器	S	a) 必要に応じ，種別を傍記する。 b) 光電式分離型感知器は，次による。 送光部 S→ 受光部 →S
炎感知器		必要に応じ，種別を傍記する。

名称	図記号	摘要
定温式感知線型感知器		必要に応じ，種別を傍記する。
差動式分布型感知器（空気管式）		
差動式分布型感知器（熱電対式）		
差動式分布型感知器（熱半導体式）		
差動式分布型感知器の検出部		必要に応じ，種別を傍記する。
P型発信機	 P	
回路試験器		
警報ベル	 B	
受信機	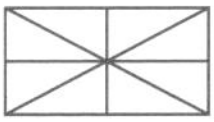	ガス漏れ火災警報設備と一体のものは，とする。 
副受信機	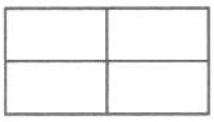	
中継器	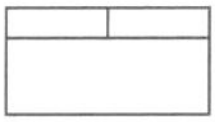	
表示灯		
終端抵抗（終端器）	Ω	例  Ω P Ω Ω
機器収容箱		
警戒区域線		配線の図記号より太くする。
警戒区域番号	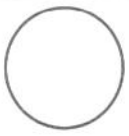	a) ○の中に警戒区域番号を記入する。 b) 必要に応じ⊖とし，上部に警戒場所，下部に警戒区域番号を記入する。 例 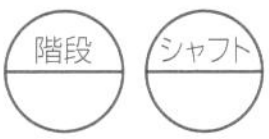 階段 シャフト

◆一般配線

名称	図記号	摘要
天井隠ぺい配線 床隠ぺい配線 露出配線	―――― ― ― ― - - - - - -	電線の種類を示す場合は，次の記号を記入する。 <table><tr><th>記号</th><th>電線の種類</th></tr><tr><td>IV</td><td>600V ビニル絶縁電線</td></tr><tr><td>HIV</td><td>600V 二種ビニル絶縁電線</td></tr></table>絶縁電線の太さ及び電線数は，次のように記入する。単位の明らかな場合は，単位を省略してもよい。ただし，2.0（実数）は直径，2（整数）は断面積を示す。 例 1.6　2.0　2　8
立上り 引下げ 素通し		上の階の配線に接続 下の階の配線に接続 下の階と上の階を結ぶ配線を通す。

◆ガス漏れ火災警報設備

名称	図記号	摘要
検知器	G	壁掛型は G とする。
検知区域警報装置	BZ	
音声警報装置		
受信機		自動火災報知設備と両用の場合は
中継器		
表示灯		
警戒区域線	―・・―	配線の図記号より太くする。
警戒区域番号	△	△の中に警戒区域番号を記入する。

平面図の設計

平面図に自動火災報知設備を設置する手順を，例題を使って説明します。

例　題　次の図は，耐火構造の事務所ビル（地上3階，地下1階）の地階平面図である。凡例に示す感知器を用いて，この階の平面図を作成せよ。

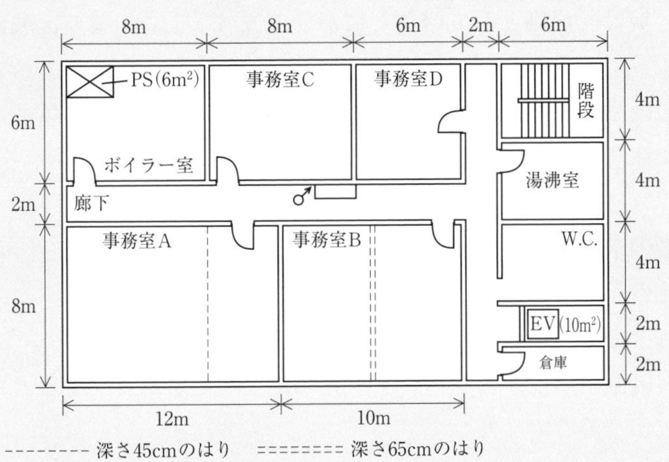

-------- 深さ45cmのはり　======== 深さ65cmのはり

凡例

記号	名称	備考
(差動式スポット型感知器記号)	差動式スポット型感知器	2種
(定温式スポット型感知器・防水型記号)	定温式スポット型感知器	1種，75℃，防水型
(定温式スポット型感知器記号)	定温式スポット型感知器	1種，75℃
S	光電式スポット型感知器	2種
(機器収容箱記号)	機器収容箱	発信機，表示灯，地区音響装置を収納

〈条件〉

①主要構造部は耐火構造とする。

②天井の高さは4m未満である。

③感知器は，必要最小個数を設けるものとする。

④受信機はP型1級を使用し，1階に設置されている。

平面図の設計は，大きく次のような手順で行います。

①警戒区域を設定する
②機器を設置する
③配線する

1 警戒区域を設定する

警戒区域は，原則として階ごとに設定します。1つの警戒区域の面積は600m^{2}以下，一辺の長さは50m以下です（光電式分離型感知器を除く）。また，階段やエレベーター昇降路などのたて穴区画は，別の警戒区域とすることに注意しましょう。

警戒区域の求め方

①階全体の床面積を求めます。

30m × 16m = 480m^2　…階全体の床面積

②たて穴区画（階段，エレベーター昇降路，パイプシャフトなど）は別警戒区域となるので除外します。

$\underbrace{24m^2}_{\text{階段}} + \underbrace{10m^2}_{\text{EV}} + \underbrace{6m^2}_{\text{PS}} = 40m^2$　…たて穴区画の面積

480m^2 − 40m^2 = 440m^2　…たて穴区画を除外した床面積

③②で算出した床面積を600m^{2}で割り，警戒区域数を算出します。600m^{2}以下なら警戒区域数は1です。

④たて穴区画は，相互間の距離が50m以下の場合は，同一警戒区域とすることができます。

例題の場合は，階段，EV，PS（パイプシャフト）を除いた地階全体を1警戒区域とします。警戒区域線を記入すると，次のようになります。

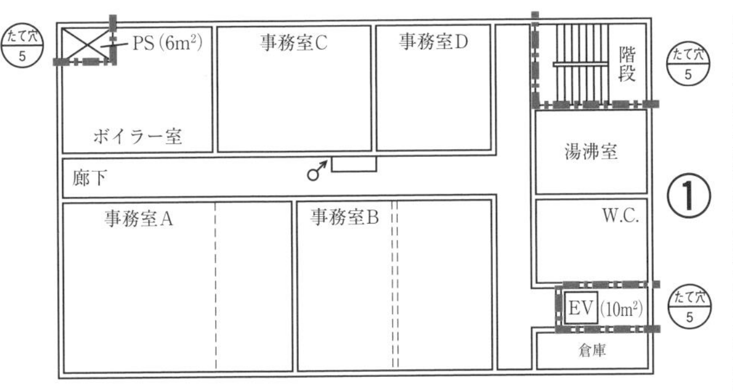

2 感知器の種類を選ぶ

製図問題では，主に次のような感知器が使われます。

差動式スポット型感知器（2種）

定温式スポット型感知器（1種）

S 煙感知器（2種）

まずは，この3種類を場所によって使い分けられるようにしましょう。

①煙感知器を設置しなければならない場所

まず，煙感知器を設置しなければならない場所を確認します。原則として，次のような場所には煙感知器を設置しなければなりません（197ページ参照）。

(1) **階段・傾斜路**
(2) **廊下・通路**（特定防火対象物，共同住宅，工場，事務所など）
(3) **たて穴区画**
(4) **地階・無窓階・11階以上**（特定防火対象物，事務所）

補足

炎感知器を設置する場合
炎感知器は，天井面の高さが20m以上の場所や，屋外駐車場のように外気が流通する場所に設置します。

補足

パイプシャフト(PS)
給水・排水・ガスなどの配管スペース。パイプスペースともいう。

平面図が特定防火対象物か事務所の地階など，上記（4）に当てはまる場合は，原則として各室に煙感知器を設置します。**その他の場合は原則として差動式スポット型感知器（2 種）を設置し**，上記（1）から（3）の部分にのみ，煙感知器を設置することになります。

②定温式スポット型感知器を設置する場所

蒸気が滞留したり，火気を使用するような場所には，煙感知器を使用できません。次のような場所には，**定温式スポット型感知器（1 種）**を設置します。設置場所に応じて，防水型，防爆型，耐酸型といったタイプを使い分けます。

- **湯沸室，脱衣室（水蒸気が多量に滞留する場所）→防水型**
- **バッテリー室（腐食性ガスが発生するおそれのある場所）→耐酸型**
- **厨房室，調理室（煙が滞留する場所）→防水型（高湿度の場合）**
- **乾燥室，ボイラー室（著しく高温になる場所）→**
- **オイルタンク室（爆発の危険がある場所）→防爆型** EX
- **結露が発生する場所→防水型**
- **火炎が露出するものが設けられている場所→**

③差動式スポット型感知器を設置する場所

駐車場（排気ガスが多量に滞留する場所）には，煙感知器も定温式スポット型感知器も設置できないので，差動式スポット型（2 種）を設置します。

④感知器の設置を省略できる場所

次のような場所は，感知器の設置を省略できます。平面図の設計では，このうちの（5）と（6）が特に問題となります。

（1）取付け面の高さが 20m 以上の場所（炎感知器を設置）
（2）上屋その他外部の気流が流通する場所で，感知器によっては火災の発生を有効に感知できない場所（炎感知器を設置）

(3) 天井と上階の床との間の距離が0.5m未満の天井裏
(4) 主要構造部分を耐火構造とする建築物の天井裏
(5) **便所**，**浴室等**，常に水を使用する部屋
(6) 天井・壁を不燃材料とする**押入れ**

以上の基準に従って，感知器の設置場所と種類を決めていきます。例題の平面図は，事務所ビルの地階なので，各室と廊下には煙感知器を設置します。ただし，湯沸室には定温式スポット型（防水型），ボイラー室には定温式スポット型を設置します。また，便所には感知器を設置しません。

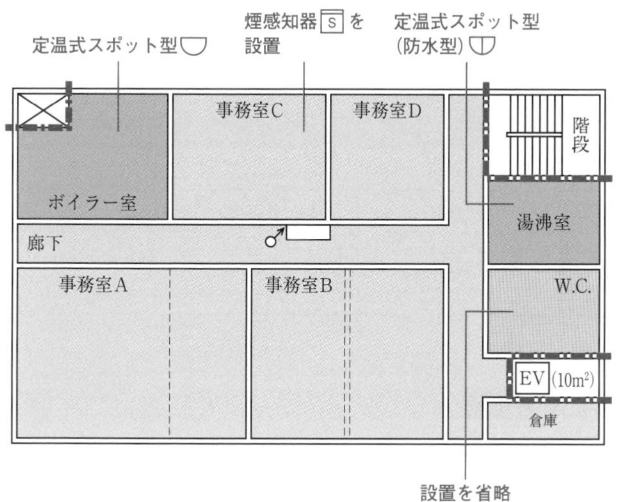

補足

製図問題では，次のような場所が定温式スポット型感知器を設置する場所としてよく出題されます。

湯沸室
給湯室
厨房室
ボイラー室
オイルタンク室
バッテリー室

3 感知器を設置する

設置場所と種類が決まったら，感知区域ごとに感知器がいくつ必要かを求めます。感知器の設置個数は，基本的には感知区域の面積÷感知面積で決まります。

$$設置個数＝\frac{感知区域の面積}{感知器1個の感知面積}〔個〕$$ ※小数点以下切上げ

①感知区域

原則として壁で仕切られた部分を1つの感知区域としますが，天井から0.4m（煙感知器の場合は0.6m）以上のはりが突き出ている場合は，はりによって感知区域を区切ります。

②感知面積

感知面積は，取付け面の高さや，耐火構造かどうかによって，感知器の種類ごとに次のように定められています。

取付け面の高さ		差動式スポット型（2種）	定温式スポット型（1種）	煙感知器（1種・2種）
4m未満	耐火構造	$70m^2$	$60m^2$	$150m^2$
	その他の構造	$40m^2$	$30m^2$	
4m以上8m未満	耐火構造	$35m^2$	$30m^2$	$75m^2$（4m以上20m未満）
	その他の構造	$25m^2$	$15m^2$	

③廊下・通路に設置する煙感知器

廊下や通路に設置する煙感知器（1種または2種）は，面積ではなく，歩行距離30mごとに1個以上を設置します。

④たて穴区画に設置する煙感知器

階段やエレベーター昇降路などのたて穴区画は，平面図の階とは警戒区域が別になるため，必ずしもその階に煙感知器を設置するとは限りません。ただし，問題文の条件に，設置するように指示されている場合があるので注意しましょう。

以上の基準に従って，例題の平面図に感知器を配置しましょう。

例題の建物は耐火構造で，天井の高さは4m未満です。したがって煙感知器（2種）の感知面積は150m²，定温式スポット型（1種）の感知面積は60m²になります。

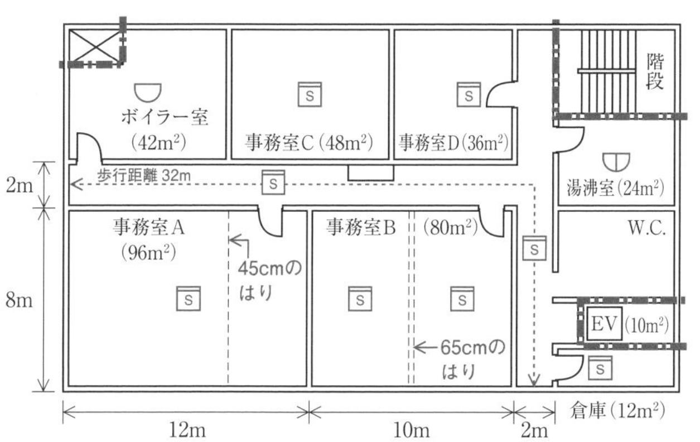

- 事務室C（48m²），事務室D（36m²），倉庫（12m²）には，それぞれ煙感知器を1個設置します。
- 事務室A（96m²）には深さ45cmのはりがありますが，煙感知器の場合は感知区域を分ける必要はないので，煙感知器を1個設置します。
- 事務室B（80m²）には深さ65cmのはりがあるので，感知区域を2つに分け，各感知区域に煙感知器を1個ずつ設置します。
- ボイラー室（42m²）と湯沸室（24m²）には，定温式スポット型感知器（1種）を1個ずつ設置します。湯沸室に設置する感知器は防水型にします。
- 廊下は，最も長い歩行距離が12＋10＋1＋1＋8＝32mとなります。30mを超えるので，煙感知器は図のように2個必要になります。

補足

階段の煙感知器

階段には垂直距離15mごとに1個の煙感知器を設置するので，3～4階ごとに1個ずつ設置することになります。地階が2以上ある場合は，地階部分の階段を別警戒区域にするため，地下1階にも設置します。

補足

床面積40m²未満の室に煙感知器を設置する場合は，入口付近に設置します（事務室D，倉庫）。

4 受信機・発信機・地区音響装置を設置する

受信機・発信機・地区音響装置は，それぞれ次の基準に従って設置します。

受信機	防災センター等，常時人がいる場所に設ける。
発信機	その階の各部分からの**歩行距離が 50m 以下**となるように設ける。
地区音響装置	その階の各部分からの**水平距離が 25m 以下**となるように設ける。

受信機については，平面図に管理人室等がある場合はそこに設置しますが，平面図によってはその階に設置しない場合もあります。

また，発信機と地区音響装置は，表示灯といっしょに機器収容箱に収めて設置する場合が多いので，その場合は両方の設置条件を満たす場所に，機器収容箱を設置すれば済みます。

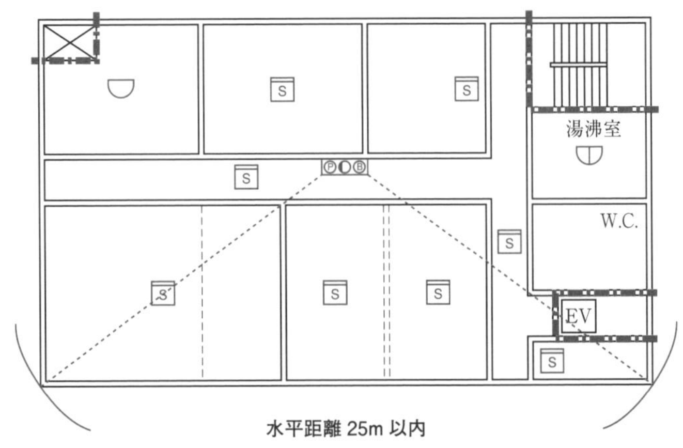

5 感知器回路を配線する

感知器回路の配線にはいくつかのパターンが考えられますが，基本的には，1つの警戒区域内にある感知器を順番にたどって，1つの経路を作ります。同じ階に2つの警戒区域がある場合は，配線の経路も2つになります。

①配線の出発点

平面図の場合，配線の出発点はほとんどの場合機器収容箱です。本来の出発点は受信機ですが，受信機から機器収容箱までの配線には，感知器回路以外にも地区音響装置の配線や，発信機との電話連絡線及び確認応答線を含んでいます。平面図では，これらの配線は省略されるか簡略化されます。

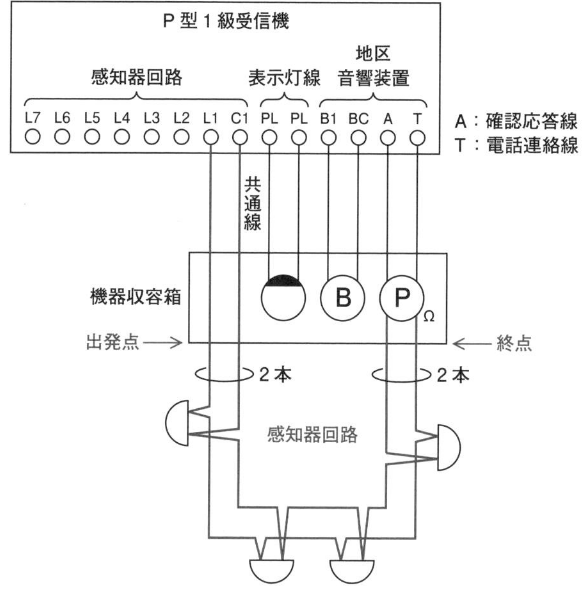

②配線の終点

配線の終点は，感知器になる場合と，発信機になる場合があります。機器収容箱の発信機を終点とする場合は，上図のように配線がぐるっと一回りして，出発点に戻ってくることになります。

Ｐ型１級受信機の場合は，配線の終点となる感知器または発信機に終端器（Ω）が必要です。

補足

受信機の端子には，以下の種類があります。

L1，L2，…	警戒区域線
C1，C2，…	共通線
PL	表示灯線（×２本）
B1，B2，…	ベル線
BC	ベル線共通線
A	確認応答線
T	電話連絡線

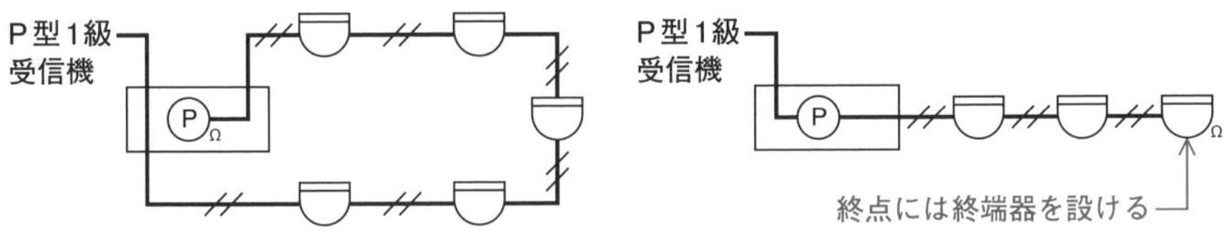

P型2級受信機の場合は終端器は必要ありませんが，配線の終点は感知器ではなく，発信機か押しボタン（回路試験器）にしなければなりません(215ページ参照)。

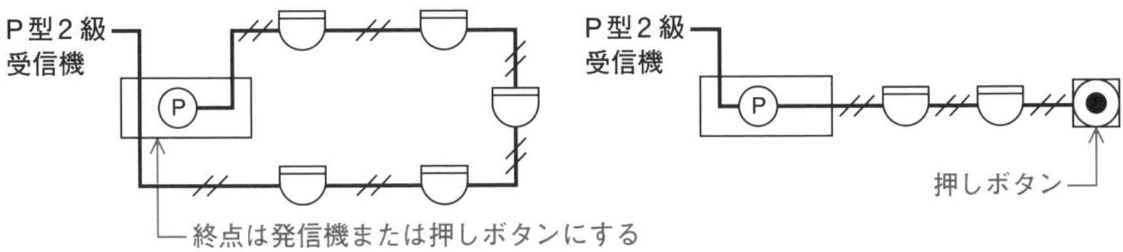

③分岐線の電線本数

感知器回路は送り配線としなければなりません。そのため，分岐線を次のように配線するのは誤りになります。

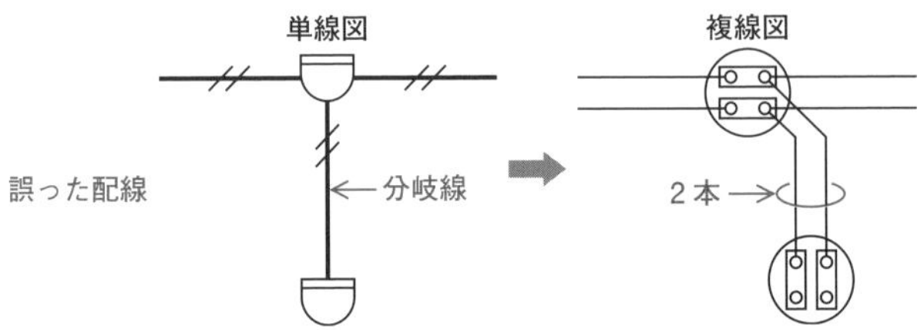

このような分岐線は，正しくは次のように配線します。分岐線の電線本数が，2本ではなく4本になることに注意してください。

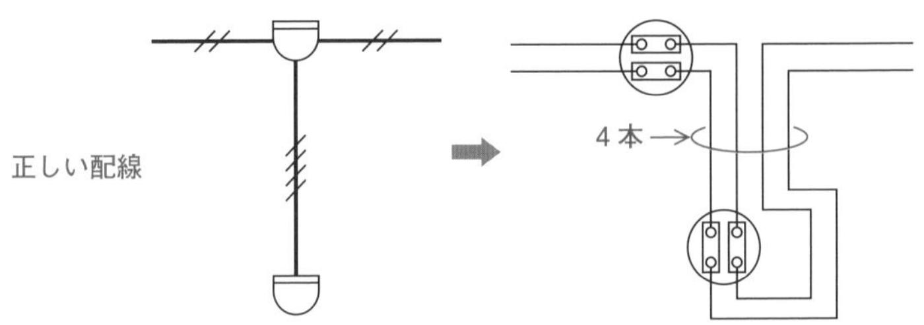

④異なる警戒区域への配線

警戒区域が異なる感知器への配線は，回線が別になります。1つの階が複数の警戒区域に分かれている場合は，警戒区域ごとに感知器を配線します。

一方，たて穴区画は階の警戒区域とは別の警戒区域になるため，他の階に設置する感知器と回線を接続することに注意します。

1つの階を複数の警戒区地に分けた場合

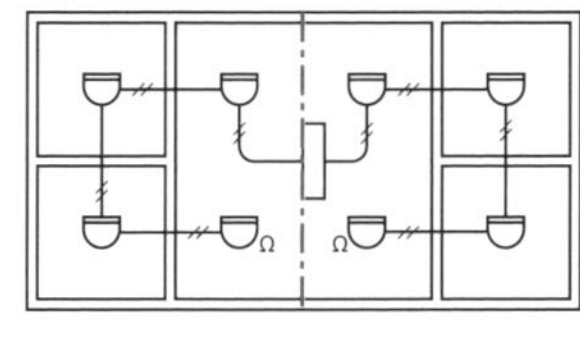

たて穴区画に設置する煙感知器の配線

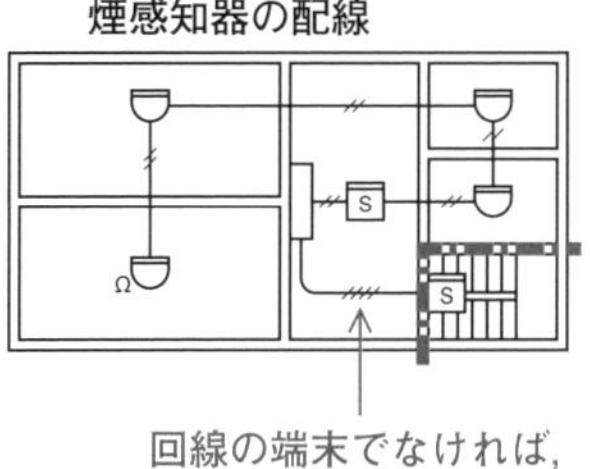

以上のルールに従って，例題の平面図に配線してみましょう。この例では，終端を発信機としました。倉庫とボイラー室に設置する感知器は分岐線としたので，電線本数が4本になっています。

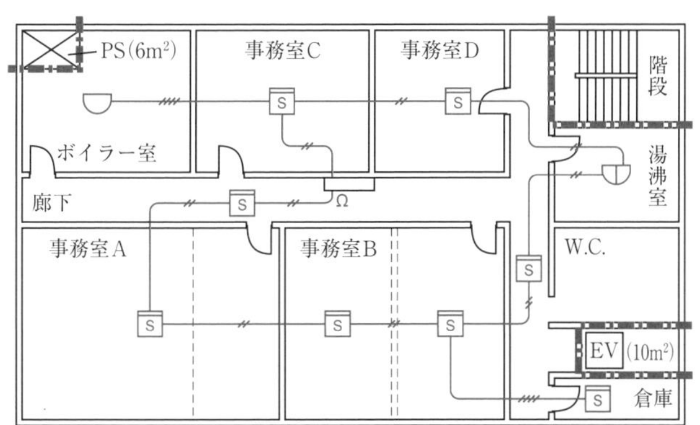

例題の平面図は以上で完成です。

補足

感知器回路の配線パターン

機器収容箱で終端させる場合の配線は，次のように電線本数が2本になる場合と4本になる場合があります。

・2本になる場合

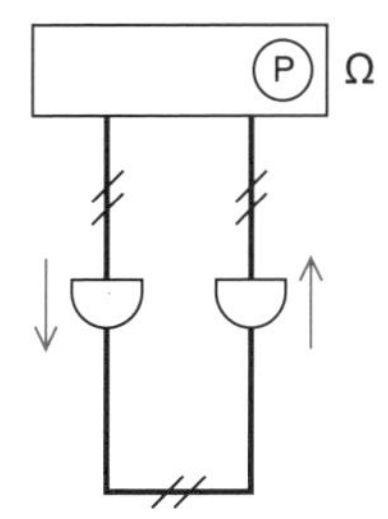

・4本になる場合

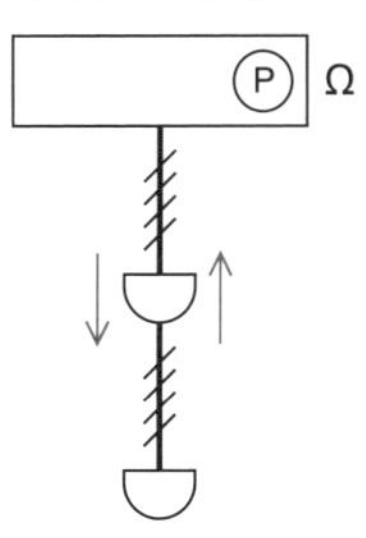

なお，問題によっては，「ボイラー室に終端器を設置すること」のように条件が設けられている場合もあります。

6 差動式分布型感知器の平面図

平面図に差動式分布型感知器（空気管式）を設置する場合は，次のような基準に従います。

①はりの深さが 0.6m 以上の場合は，感知区域を分ける。

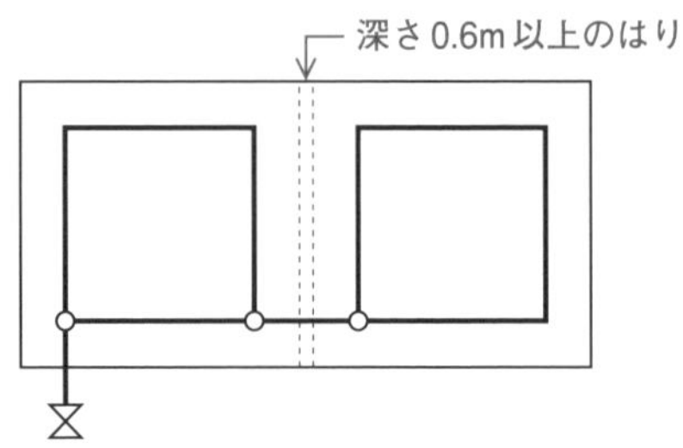

②空気管は壁から 1.5m 以内に設け，相互間隔は 9m 以下（耐火構造以外では 6m 以下）とする。

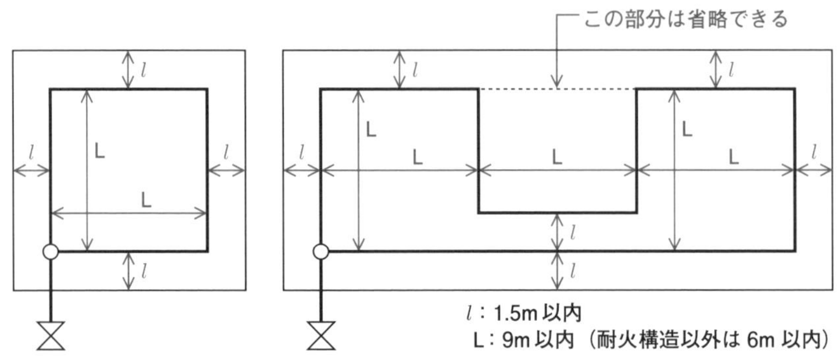

ただし，次のように取り付けた場合は，空気管の一部を省略できます。

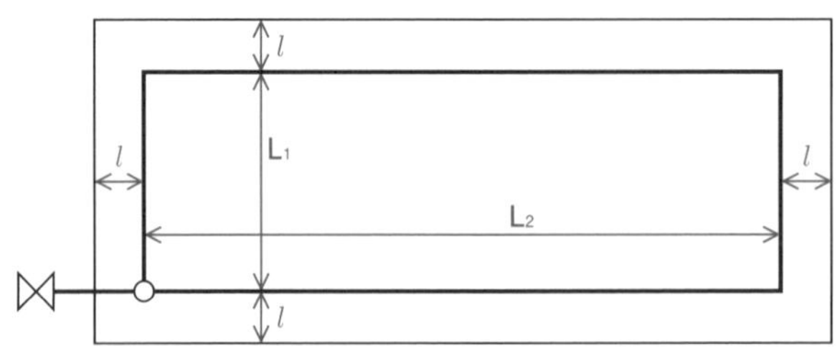

L_1 を 6m (5m) 以内にすれば，L_2 を 9m (6m) より大きくできる。
（ ）内は耐火構造以外

③感知器の露出部分は，感知区域ごとに 20m 以上とする。

長さが足りない場合は，空気管をコイル巻きにしたり，二重巻きにしたりして 20m 以上にします。

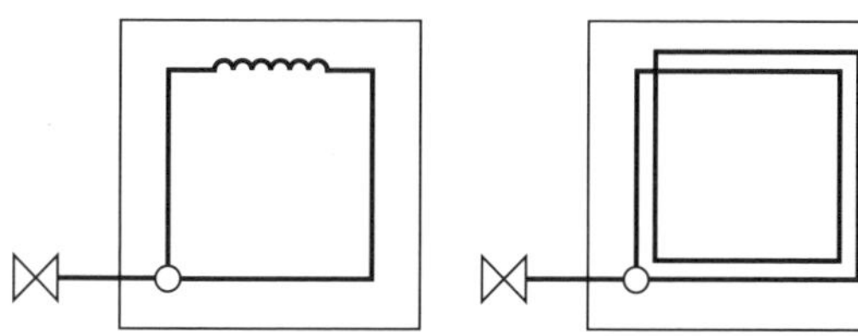

④ 1 つの検出部に接続する空気管の長さは 100m 以下とする。

100m 以下であれば，1 つの検出器で複数の感知区域をカバーしてもかまいません。

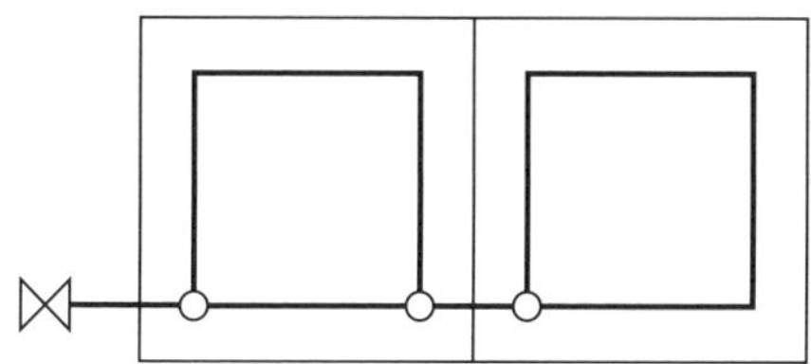

⑤天井の傾斜が 3 ／ 10 以上ある場合は，空気管の間隔が頂部にいくほど「密」になるように設ける。

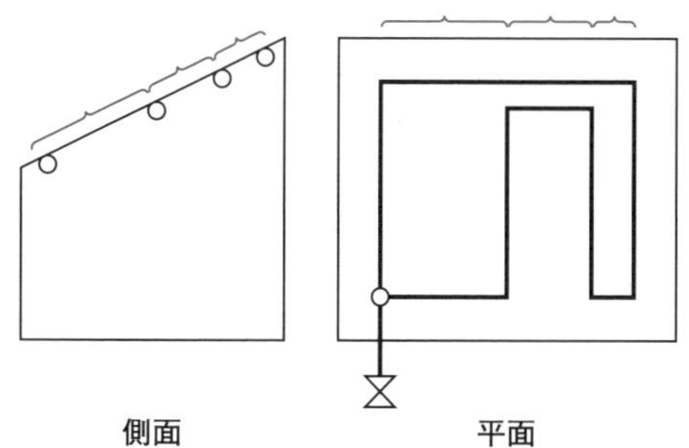

補足

空気管式以外の差動式分布型感知器の設置基準については，203 ページを参照してください。

系統図の作成

1 系統図の基本

系統図は，各階に設置される感知器の種類と個数，受信機に至る配線を，断面的に表したものです。

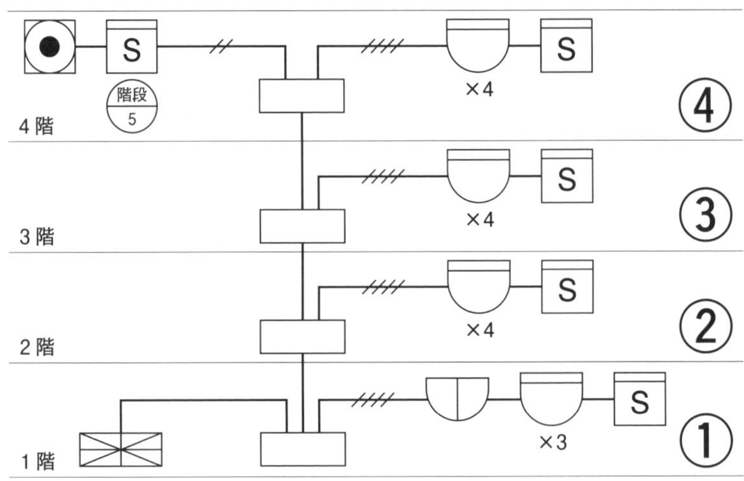

各階の機器収容箱からは，感知器回路の配線が警戒区域ごとに簡略化して記述されます。上の系統図では，警戒区域①に定温式スポット型感知器1個，差動式スポット型感知器3個，煙感知器1個が接続されていることがわかります。このように，接続されている感知器を種類ごとに表し，その個数を表示します。

感知器回路の電線本数が4本になっていますが，これは機器収容箱からスタートした回線が，機器収容箱に戻って発信機で終端していることを示しています。末端を押しボタン（回路試験器）や別の発信機にした場合は回線を戻す必要がないので，その場合の電線本数は2本になります。これらは配線の仕方によって変わることに注意してください。

感知器回路の配線が２本になる場合

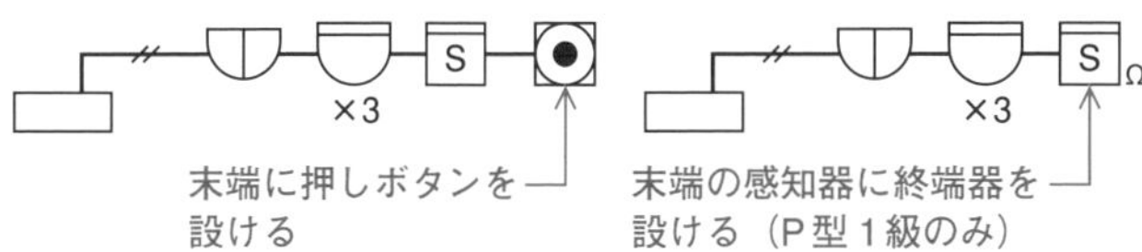

2 幹線の電線本数を求める

幹線には，各階の感知器回線への配線のほか，地区音響装置の配線，表示灯線などが通っています。次に，それぞれの電線本数の求め方を説明します。

①感知器回路への配線

受信機から各警戒区域の感知器回路への配線には，共通線を使用するので，電線本数は**回線数＋１本**となります。ただし，１本の共通線は７警戒区域までしか使用できないので，７回線ごとに共通線が１本増えます。

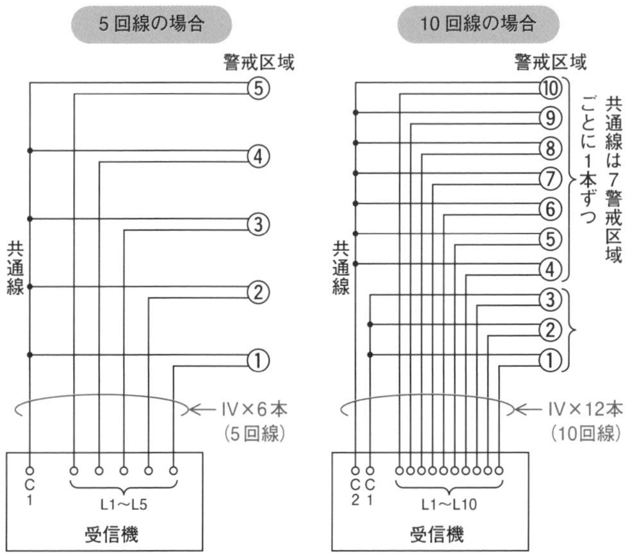

補足

系統図において，受信機から各階の機器収容箱を通っている配線を幹線といいます。製図問題では，特に幹線の電線本数を問う問題が出題されます。

②地区音響装置への配線

地区音響装置の電線（ベル線）には，HIV線（耐熱配線）を用います（217ページ参照）。

地区音響装置の鳴動方式には，**一斉鳴動**と**区分鳴動**があります。一斉鳴動の場合は，1つの回線にすべての地区音響装置を並列に接続すればいいので，受信機から出る電線の本数は2本だけで済みます。

防火対象物が地上5階建て以上で，延べ面積が3000m²を超える場合には，区分鳴動方式になります。区分鳴動では，回線を各階ごとに分ける必要があるので，電線の本数は地区音響装置の回線数＋共通線1本となります（地区音響装置の共通線には，警戒区域の制限はありません）。

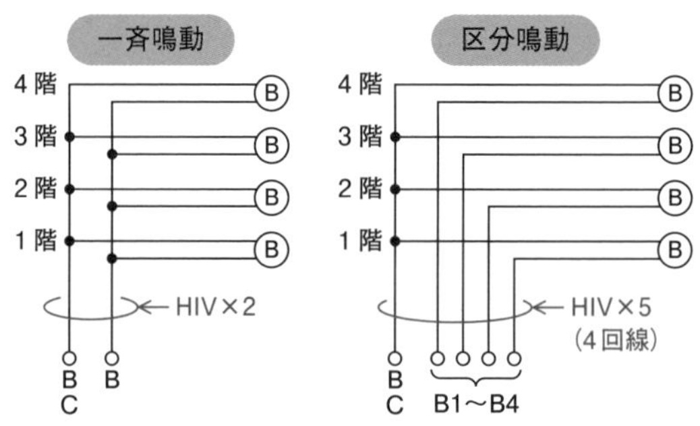

③表示灯線

各階の表示灯に電力を供給する配線です。1回線にすべての表示灯を並列に接続するので，電線本数は2本になります。

なお，発信機と連動して消火栓が起動する場合，表示灯は消火栓との兼用になります。その場合，表示灯線にはHIV線（耐熱配線）を用いることになっています。

④確認応答線と電話連絡線（P型1級発信機のみ）

P型1級発信機には，火災信号を発信したときに点灯する確認ランプへの配線と，受信機と電話連絡を行うための電話連絡線が各1本ずつ必要になります。これらはP型2級発信機では必要ありません。

3 P型2級受信機の系統図

例題 図の（　　）内に適当な電線本数を記入し，系統図を完成させなさい。

階段 5

4階
IV1.2×（ ）
HIV1.2×（ ）
×4
④

3階
IV1.2×（ ）
HIV1.2×（ ）
×4
③

2階
IV1.2×（ ）
HIV1.2×（ ）
IV1.2×（ ）
HIV1.2×（ ）
×4
②

1階
×3
①

凡例

図面記号	名称	備考
⊠	受信機	P型2級（5回線）
⌓	差動式スポット型感知器	2種
⌓	定温式スポット型感知器	1種防水型
S	光電式スポット型感知器	2種
▭	機器収容箱	地区音響装置，表示灯，P型2級発信機
⊙	回路試験器	

解説

・P型2級受信機なので，確認応答線や電話連絡線は必要ありません。

・感知器回路は5回線なので，共通線は1本だけです。

・地区音響装置は一斉鳴動になります。

・地区音響装置の電線にはHIV線（耐熱電線）を用います。その他の電線はIV線（600Vビニル絶縁電線）を用います。

補足

「IV1.2」は直径1.2mmのIV線（600Vビニル絶縁電線），「HIV1.2」は，直径1.2mmのHIV線（600V二種ビニル絶縁電線）を意味します。

この系統図の幹線の内訳は，次のようになります。

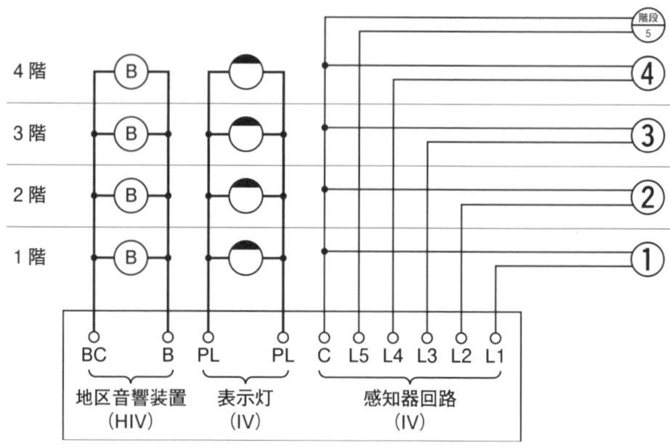

上の図から，幹線の電線本数を各階ごとにまとめると，次のようになります。

階	電線	BC	B	PL	C	L	合計
4階	IV			2	1	2	5
	HIV	1	1				2
3階	IV			2	1	3	6
	HIV	1	1				2
2階	IV			2	1	4	7
	HIV	1	1				2
1階	IV			2	1	5	8
	HIV	1	1				2

例題の系統図にこれらの電線本数を記入すれば完成です。

解説

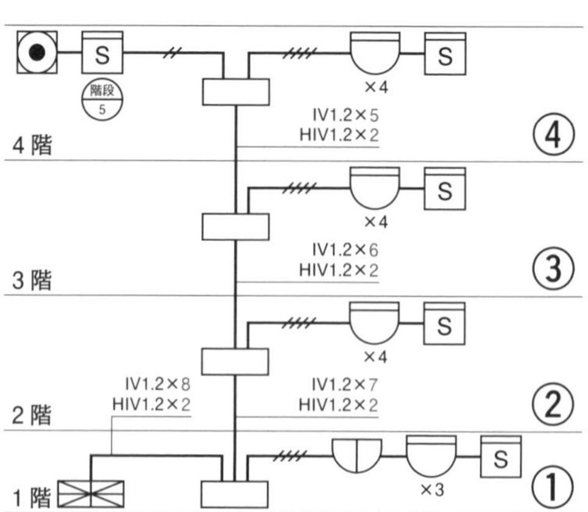

4 P型1級受信機の系統図

例 題 図の（　　）内に適当な電線本数を記入し，系統図を完成させなさい。

・延べ床面積は 2500m² とする。

・発信機は消火栓ポンプと連動する。

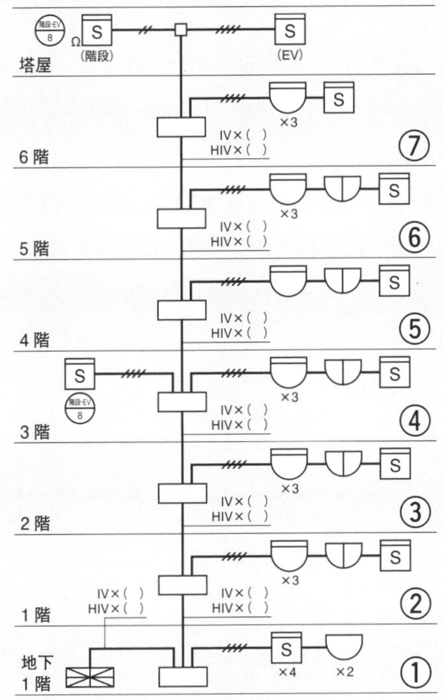

凡例

図面記号	名称	備考
(受信機記号)	受信機	P型1級
(差動式記号)	差動式スポット型感知器	2種
(定温式記号)	定温式スポット型感知器	1種防水型
S	光電式スポット型感知器	2種
(長方形)	機器収容箱	地区音響装置，表示灯，P型1級発信機

補足

警戒区域の数と，表示灯・地区音響装置の個数とはかならずしも一致しないことに注意しましょう。また，階段の警戒区域には，発信機は設置されません。

2 製図問題

解 説

・P型1級受信機では，感知器，地区音響装置，表示灯線以外に，発信機と接続する確認応答線と電話連絡線が必要です。

・警戒区域が8あるので，共通線が2本必要になります。共通線は，上階にある警戒区域から順に7つとったほうが，電線本数が少なくて済みます。

・地区音響装置は，延べ面積が 3000m² 以下なので一斉鳴動方式になります。

・階段は垂直距離 15m ごとに煙感知器を設置する必要があるため，例題では3階に煙感知器を設置しています。ただし，途中階の煙感知器は，幹線の電線本数には影響ありません。

・発信機を消火栓ポンプと連動させる場合，表示灯は消火栓の表示灯と兼用になります。この場合は，表示灯線を HIV 線（耐熱電線）にする必要があります。

この系統図の幹線の内訳は，次のようになります。

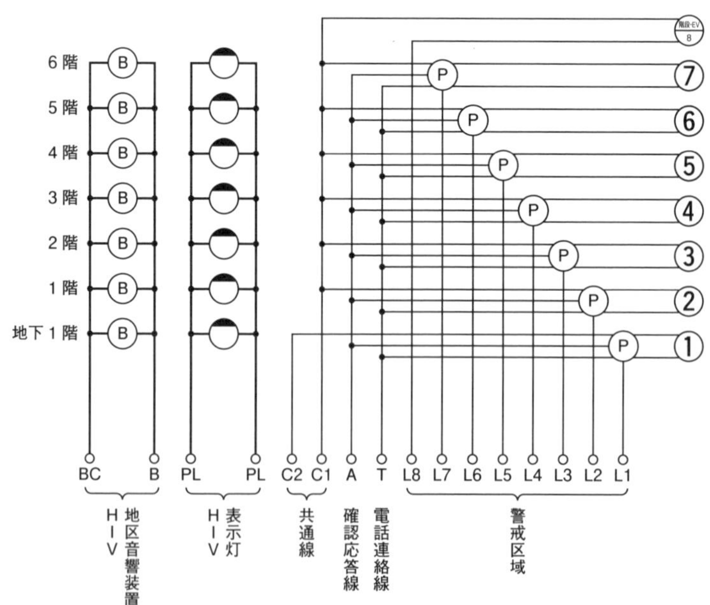

階	電線	BC	B	PL	A	T	C	L	合計
6階	IV				1	1	1	2	5
	HIV	1	1	2					4
5階	IV				1	1	1	3	6
	HIV	1	1	2					4
4階	IV				1	1	1	4	7
	HIV	1	1	2					4
3階	IV				1	1	1	5	8
	HIV	1	1	2					4
2階	IV				1	1	1	6	9
	HIV	1	1	2					4
1階	IV				1	1	1	7	10
	HIV	1	1	2					4
地下1階	IV				1	1	2	8	12
	HIV	1	1	2					4

例題の系統図にこれらの電線本数を記入すると，次のようになります。

解説

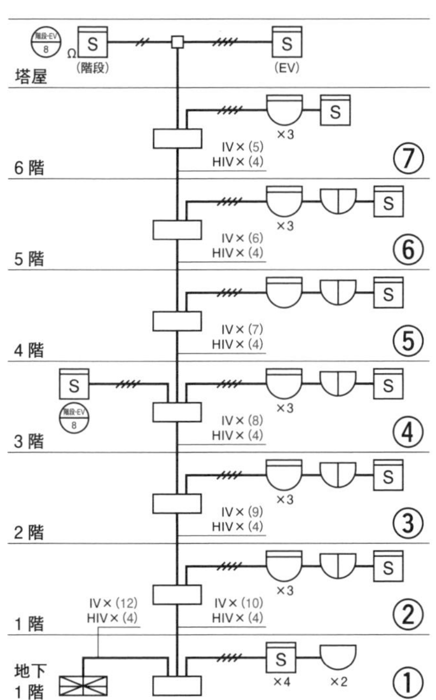

補足

地階を除く階数が5以上で，延べ面積が3000m² 以上の場合は，地区音響装置の区分鳴動が必要です。区分鳴動の配線については，チャレンジ問題の問7を参照してください。

2 製図問題

チャレンジ問題

［解説］359 ページ

問1 難 中 易

次の A，B の防火対象物に自動火災報知設備（光電式分離型感知器を除く）を設置する場合，警戒区域は最小でいくつ設定する必要があるか。ただし，いずれも内部は見通しのきかない構造とする。

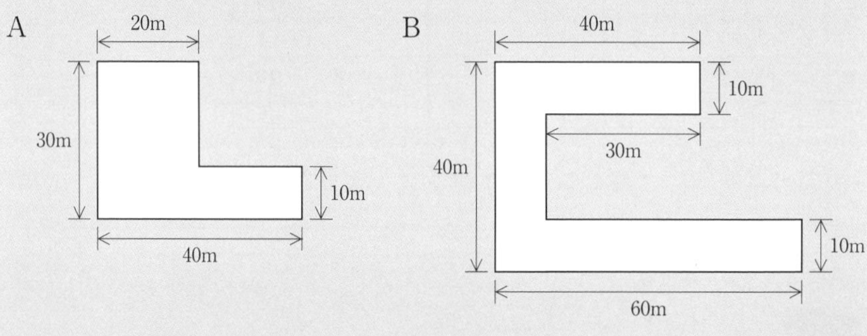

問2 難 中 易

次の A ～ C の防火対象物に自動火災報知設備を設置する場合，警戒区域は最小でいくつ設定する必要があるか。ただし，1 辺の長さはいずれも 50m 以下とし，階段等のたて穴区画は考慮しない。

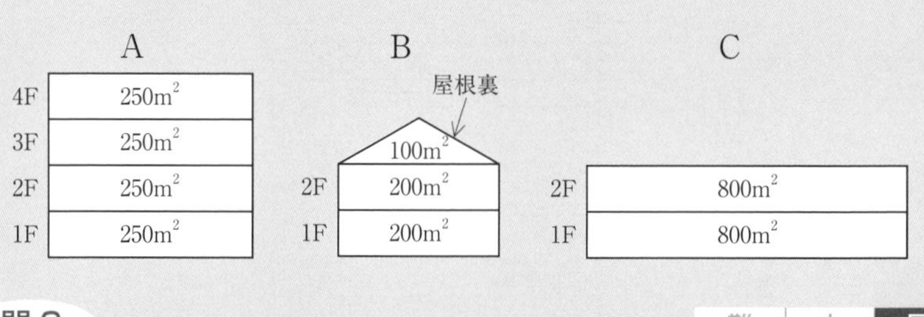

問3 難 中 易

図は，地下 1 階，地上 5 階建て事務所ビルの 3 階部分である。下記の条件に基づき，凡例に示す記号を用いて，平面図を作成せよ。

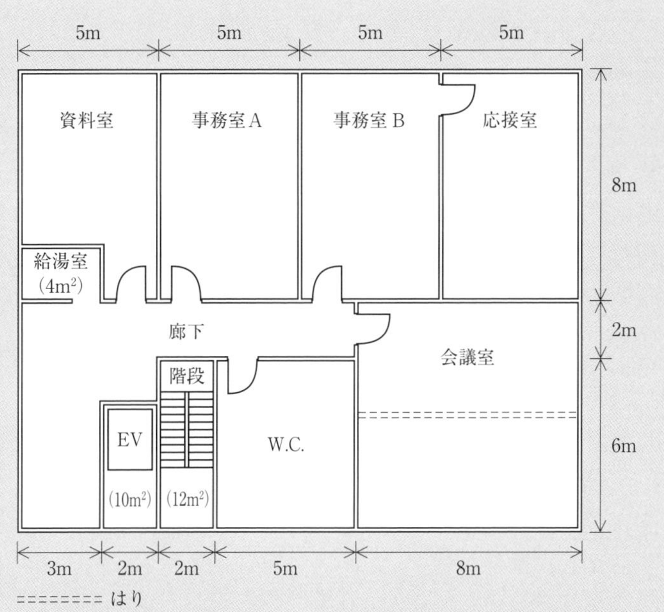

凡例

記号	名称	備考
▭	機器収容箱	発信機，地区音響装置，表示灯を収容
⊖	差動式スポット型感知器	2種
⊕	定温式スポット型感知器	1種防水型
S	光電式スポット型感知器	2種
━ - ━	警戒区域線	
—//—	配線	2本
—////—	同上	4本
Ω	終端記号	
♂ ↙○	配線立上り　引下げ	

〈条件〉

①主要構造部は耐火構造であり，無窓階ではない。

②天井の高さは4.1mで，はりの突出しは43cmである。

③終端抵抗器は会議室の感知器に設置する。

④受信機は別の階に設置しており，立上り，引下げの配線本数等は記入を省略してよい。

⑤階段室及びエレベーター昇降路は別の階で警戒している。

⑥感知器の設置は，必要最小個数とする。

⑦煙感知器は，法令基準により設けなければならない場所にのみ設置するものとする。

問4 難 中 易

図は，政令別表第1（15）項に該当する地上3階建ての防火対象物の2階部分である。下記の条件に基づき，凡例に示す記号を用いて，平面図を作成せよ。

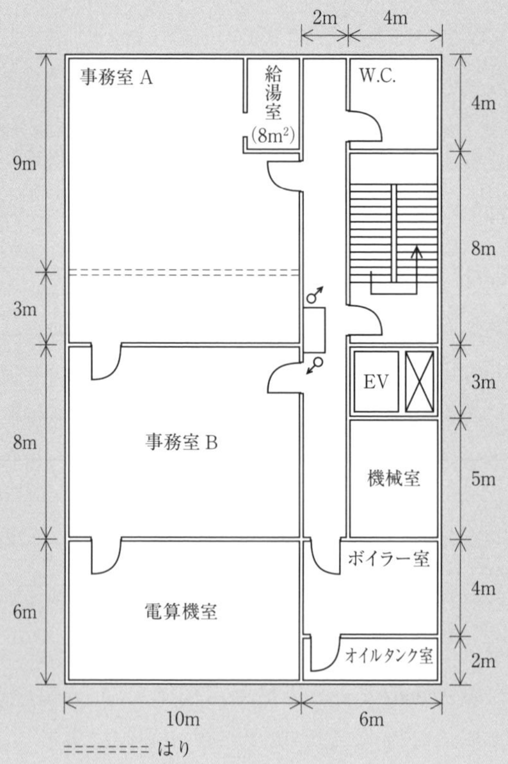

凡例

記号	名称	備考
▭	機器収容箱	発信機，地区音響装置，表示灯を収容
⌓	差動式スポット型感知器	2種
⌓	定温式スポット型感知器	1種
⌓	定温式スポット型感知器	1種防水型
⌓EX	定温式スポット型感知器	1種防爆型
S	光電式スポット型感知器	2種
━ ‐ ━	警戒区域線	
―//―	配線	2本
―////―	同上	4本
Ω	終端記号	
♂ ⤡	配線立上り　引下げ	

〈条件〉

①主要構造部は耐火構造であり，無窓階ではない。

②天井の高さは3.8mで，はりの突出しは45cmである。

③終端抵抗器は，機器収容箱内に設置する。

④受信機は別の階に設置しており，立上り，引下げの配線本数等は記入を省略してよい。

⑤階段室及びエレベーター昇降路は別の階で警戒している。

⑥感知器の設置は，必要最小個数とする。

⑦煙感知器は，法令基準により設けなければならない場所にのみ設置するものとする。

問5　難　中　易

図は，政令別表第1（16）項イに該当する地下1階，地上3階建て防火対象物の地下1階平面図である。下記の条件に基づき，凡例に示す記号を用いて，誤っている箇所を訂正しなさい。

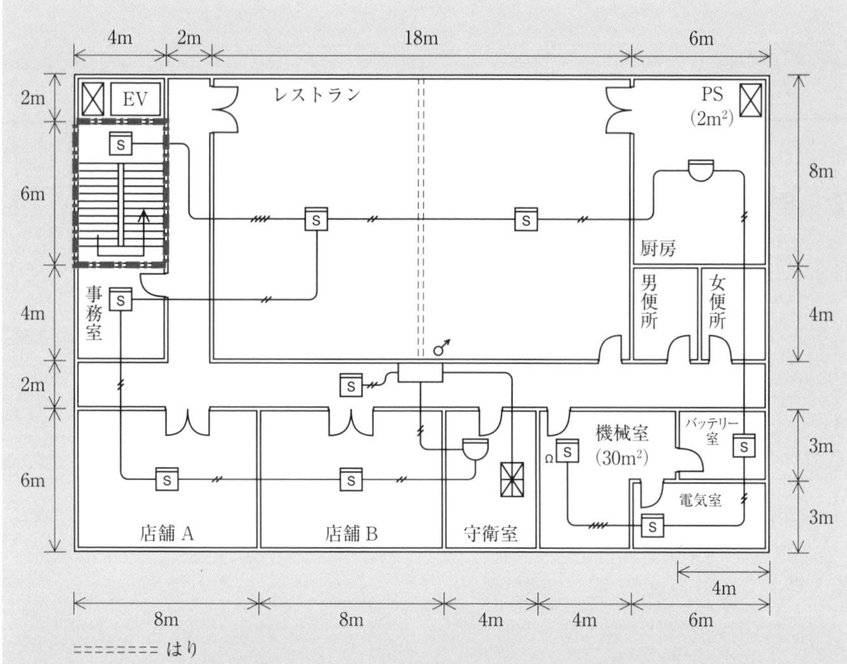

凡例

記号	名称	備考
	機器収容箱	発信機，地区音響装置，表示灯を収容
	差動式スポット型感知器	2 種
	定温式スポット型感知器	1 種防水型
	定温式スポット型感知器	1 種耐酸型
S	光電式スポット型感知器	2 種
	警戒区域線	
	配線	2 本
	同上	4 本
Ω	終端記号	
♂	配線立上り	

〈条件〉

①主要構造部は耐火構造である。

②天井の高さは 3.7m である。ただし，レストランのみ 4.2m とする。

③はりの突出しは 55cm である。

④階段室及びエレベーター昇降路は別の階で警戒している。

⑤感知器の設置は，必要最小個数とする。

⑥受信機から機器収容箱までの配線の電線本数は省略してよい。

問6 難 中 易

図は，平屋建ての工場兼事務所の平面図である。この図について，次の設問に答えよ。

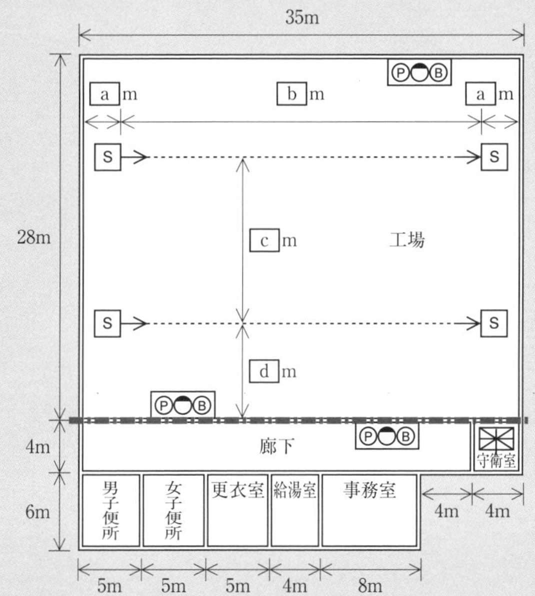

設問1　工場に光電式分離型感知器を図のように設置する場合，□内のａ～ｄに入る適切な数値を答えよ。ただし，工場は主要な出入口から内部を見通せる構造とし，光電式分離型感知器の公称感知距離は 33m とする。

設問２　工場以外の部分にスポット型感知器を配置せよ（配線は記入しなくてよい）。ただし，建物は耐火構造で，天井の高さは4mとする。

・問７・

難　中　易

下図の系統図中の空欄に適切な配線本数を記入しなさい。ただし，地区音響装置は区分鳴動方式とし，屋内消火栓ポンプは発信機と連動するものとする。

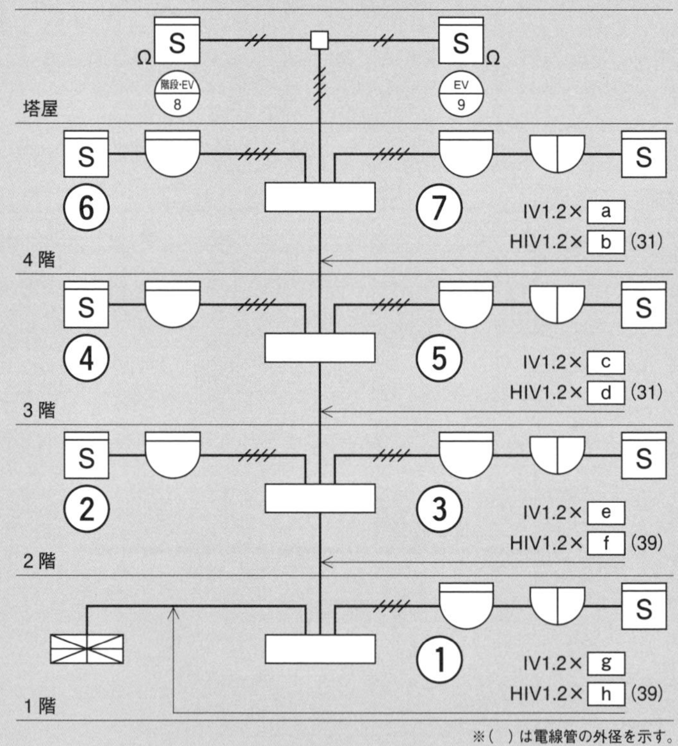

解　説

問1

A：全体の面積は 800m² になります。600m² を超えるため，警戒区域は少なくとも 2 つに分けなければなりません。たとえば，次のように分割します（分け方は何通りもあります）。

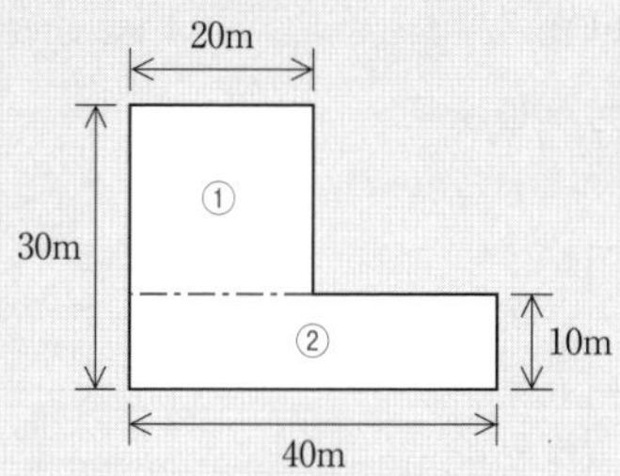

B：全体の面積は 1200m² になるので，警戒区域は少なくとも 2 つに分けなければなりません。ただし，一辺は 50m 以内にする必要があるので，下図のように警戒区域①の辺が 50m 以下になるようにとります。すると，残りの部分の面積が 600m² を超えてしまうため，さらに 2 つに分けなければなりません。したがって，警戒区域は最小で 3 つになります。

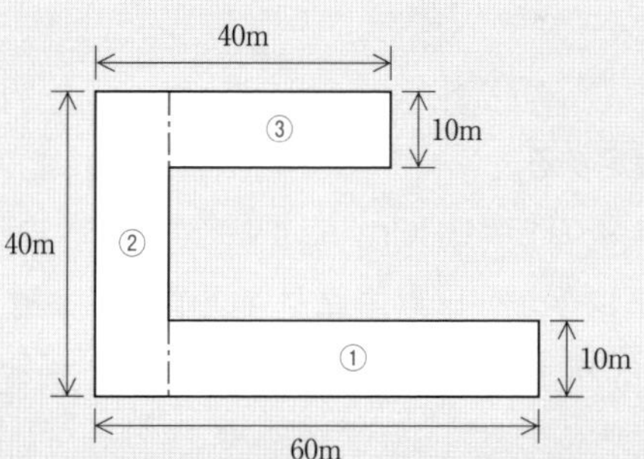

解答

A：2，B：3

問2

A：合計面積が 500m² 以内であれば，2 つの階にわたって警戒区域を設定できるので，警戒区域は1階と2階で1つ，3階と4階で1つの計2つになります。

B：2階の屋根裏は独立した階ではなく，2階と一体にして考えます。すると，1階が $200m^2$，2階が $300m^2$ で合計 $500m^2$ となるため，2つの階にわたって1つの警戒区域を設定できます。

C：1つの階が $600m^2$ を超えるため，1階で2つ，2階で2つの計4つの警戒区域に分割します。

A

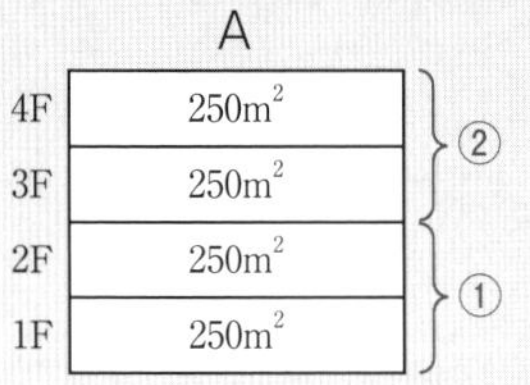

B

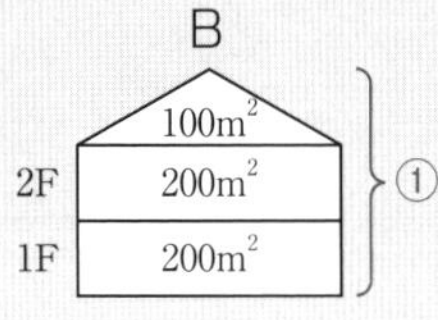

C

2F	③	800m² ④
1F	①	800m² ②

解答

A：2，B：1，C：4

問3

①警戒区域を設定する

床面積は $20 \times 16 = 320m^2$ です。そのうち，たて穴区画の面積は階段が $12m^2$，エレベーター昇降路が $10m^2$ で，合計 $22m^2$ となります。たて穴区画を除いた部分の床面積は $320 - 22 = 298m^2$ なので，1警戒区域で警戒できます。

たて穴区画に警戒区域線を記入するのを忘れないようにしましょう。

②感知器の種別と個数

地階や無窓階の場合は，各室に煙感知器を設置する必要がありますが，この問題の場合はそのどちらでもありません。したがって，各室には原則として差動式スポット型感知器（2種）を設置していきます。

差動式スポット型感知器（2種）の感知面積は，建物が耐火構造・天井の高さ4m以上のとき，35m²です。

差動式スポット型感知器（2種）

取付け高＼構造	耐火構造	その他の構造
4m未満	70m²	40m²
4m以上	35m²	25m²

・階段・エレベーター昇降路

条件⑤より，階段やエレベーター昇降路は別の階で警戒するので，この部分に煙感知器を設置する必要はありません。

・廊下

廊下には，歩行距離30mにつき煙感知器を1台設置します。廊下の歩行距離は，下図のように測ります（9＋1.5＋1＋6＝17.5m）。

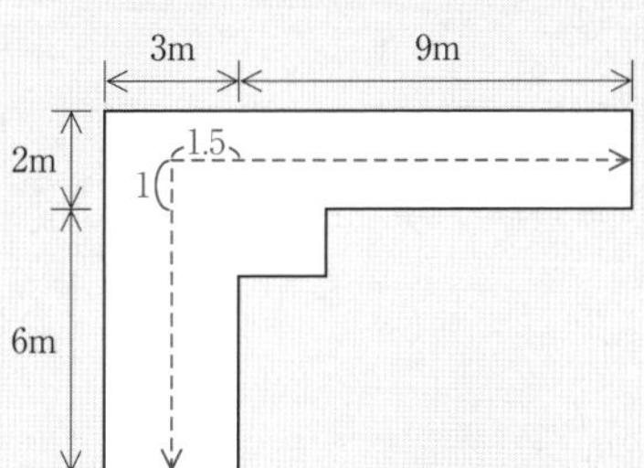

歩行距離は30m以下なので，廊下には光電式スポット型感知器を1台設置すればよいことになります。

・資料室

資料室には差動式スポット型感知器（2種）を設定します。資料室の面積は40m²－4m²＝36m²なので，差動式スポット型感知器は2台必要です。

・**給湯室**

給湯室（$4m^2$）には，定温式スポット型感知器（1 種防水型）を設置します。定温式スポット型感知器（1 種）の感知面積は $30m^2$ なので，設置台数は 1 台になります。

・**事務室 A**

事務室 A（$40m^2$）には，差動式スポット型感知器（2 種）を 2 台設置します。

・**事務室 B**

事務室 B（$40m^2$）には，差動式スポット型感知器（2 種）を 2 台設置します。

・**応接室**

応接室（$40m^2$）には，差動式スポット型感知器（2 種）を 2 台設置します。

・**会議室**

会議室（$64m^2$）の中央には深さ 43cm のはりがあるので，感知区域を分割し，それぞれに差動式スポット型感知器（2 種）を 1 台設置します。

・**便所**

便所には感知器の取付けを省略します。

③機器収容箱の設置

機器収容箱内には地区音響装置が収容されているので，建物の端から水平距離 25m になるように設置します。この問題の場合は，建物の中央付近に設置しておけば問題ありません。

④配線

条件③に,「終端抵抗器は会議室の感知器に設置する」とあるので,機器収容箱からスタートして,会議室で終わるように配線します。解答例は次のようになります。

解答

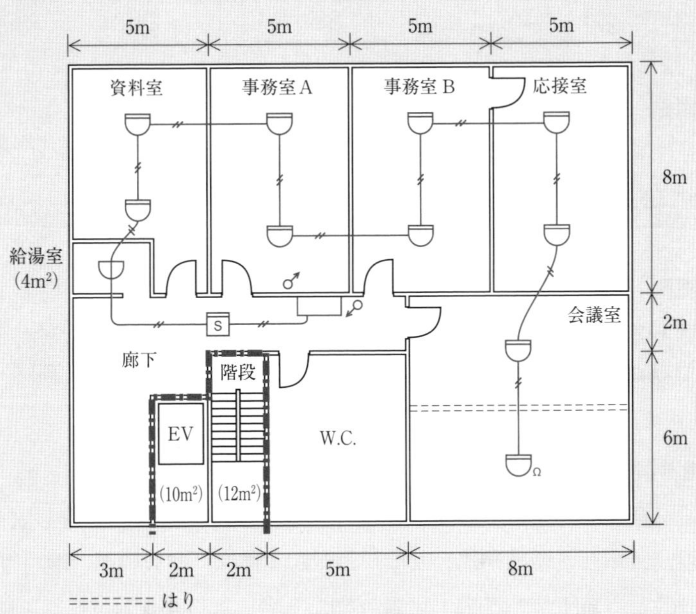

問4

①警戒区域を設定する

床面積は 26 × 16 = 416m² になります。うち,たて穴区画の面積は,階段室が 32m²,エレベーター昇降路が 12m² で,合計 44m² となります。たて穴区画を除いた部分の床面積は 416 − 44 = 372m² なので,階全体を 1 警戒区域で警戒できます。

②感知器の種別と個数

地階でも無窓階でもないので,各室には原則として差動式スポット型感知器(2種)を設置します。

差動式スポット型感知器（2 種）の感知面積は，建物が耐火構造・天井の高さが 4m 未満のとき，70m² です。

構造 ＼ 取付け高	耐火構造	その他の構造
4m 未満	70m²	40m²
4m 以上	35m²	25m²

・階段・エレベーター昇降路

条件⑤より，階段やエレベーター昇降路は別の階で警戒するので，この部分に煙感知器を設置する必要はありません。

・廊下

廊下の歩行距離は 20m です。歩行距離が 30m 以下の場合は，光電式スポット型感知器を 1 台設置します。

・給湯室

給湯室（8m²）には，定温式スポット型感知器（1 種防水型）を設置します。定温式スポット型感知器（1 種）の感知面積は，耐火構造・取付け高 4m 未満の場合 60m² なので，設置台数は 1 台になります。

・事務室 A

事務室 A（112m²）の天井には，深さ 45cm のはりがあるため，感知区域を 2 つに区分します。上の区域は面積が 82m² になるので，差動式スポット型感知器（2 種）を 2 台設置します。下の区域は面積が 30m² なので，差動式スポット型感知器（2 種）を 1 台設置します。

・事務室 B

事務室 B（80m²）には，差動式スポット型感知器（2 種）を 2 台設置します。

・電算機室

ショートなどによる燻焼（くんしょう）火災を感知するため，電算機室には煙感知器を設けるのが一般的です。ここでは光電式スポット型感知器を 1 台設置します。

・便所

便所には感知器の取付けを省略します。

・機械室

機械室（20m²）には，差動式スポット型感知器（2 種）を 1 台設置します。

・ボイラー室

ボイラー室（24m²）には，定温式スポット型感知器（1 種）を 1 台設置します。

・オイルタンク室

オイルタンク室（12m²）には，定温式スポット型感知器（1 種防爆型）を 1 台設置します。

③機器収容箱の設置

機器収容箱内には地区音響装置が収容されているので，建物の端から水平距離 25m になるように設置します。この問題では，すでに設置された状態になっています。

④配線

条件③に，終端抵抗器は機器収容箱内に設置するとあるので，機器収容箱からスタートして，機器収容箱に戻ってくるように配線します。解答例は次のようになります。

解答

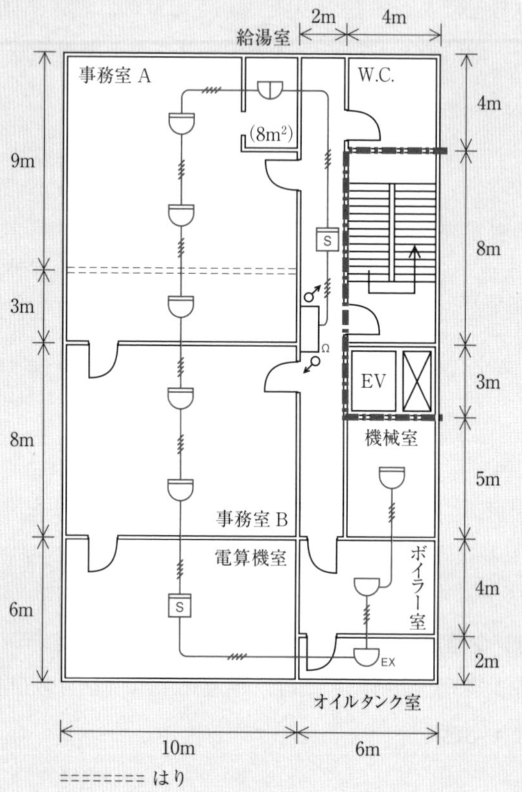

問5 設計のときと同じ手順で，誤っている箇所がないかどうかを確認します。

①警戒区域は正しいか？

全体の床面積は 30 × 20 = 600m² になります。うち，たて穴区画の面積は，エレベーター昇降路が 8m²，階段室が 24m²，PS（パイプシャフト）が 2m² で，合計 34m² です。たて穴区画を除いた部分の床面積は 600 − 34 = 566m² なので，階全体を 1 警戒区域で警戒できます。

問題の平面図は，階段室だけが別警戒区域で，エレベーター昇降路や PS はこの階の警戒区域に含まれてしまっています。これらは，階段と同じ警戒区域にしなければなりません。

誤り 1：エレベーター昇降路と PS を，階段と同じ警戒区域にする。

②感知器の種別と個数は正しいか？

この平面図の階は地階なので，各室には原則として煙感知器（2 種）を設置します。

煙感知器（2 種）の感知面積は，建物が耐火構造・天井の高さが 4m 未満のとき 150m²，4m 以上のとき 75m² になります。

構造＼取付け高	耐火構造	その他の構造
4m 未満	150m²	150m²
4m 以上	75m²	75m²

・階段・エレベーター昇降路

条件④より，階段やエレベーター昇降路は別の階で警戒するので，この部分に煙感知器を設置する必要はありません。

誤り 2：階段室に設置した煙感知器は不要。

・廊下

廊下の歩行距離は，最大で 38m になります。歩行距離が 30m を超えているので，煙感知器は 2 台必要です。

誤り 3：廊下の煙感知器を 2 台にする。

・事務室

地階なので，事務室（16m²）には煙感知器を 1 台設置します。

・**店舗 A・店舗 B**

店舗 A（48m^2）と店舗 B（48m^2）には，煙感知器を 1 台ずつ設置します。

・**守衛室**

地階なので，守衛室（24m^2）には差動式スポット型感知器ではなく，煙感知器を 1 台設置します。

誤り 4：守衛室の差動式スポット型感知器を煙感知器に替える。

・**機械室**

機械室（30m^2）には，煙感知器を 1 台設置します。

・**電気室**

電気室（18m^2）には，煙感知器を 1 台設置します。

・**バッテリー室**

バッテリー室（12m^2）は，腐食性ガスの発生しやすい場所なので，煙感知器は設置できません。代わりに，定温式スポット型感知器（1 種耐酸型）を設置します。

誤り 5：バッテリー室の煙感知器を定温式スポット型感知器（1 種耐酸型）に替える。

・**男便所・女便所**

便所には感知器の取付けを省略します。

・**厨房**

厨房（46m^2）には，差動式スポット型感知器（2 種）ではなく，定温式スポット型感知器（1 種防水型）を設置します。

誤り6：厨房には定温式スポット型感知器（1種防水型）を設置する。

・レストラン

レストラン（216m^2）の天井中央には，深さ55cmのはりが通っています。ただし，煙感知器の感知区域を区分するのは，はりの深さが60cm以上のときなので，ここではレストラン全体を1つの感知区域としてかまいません。

レストランは天井の高さが4m以上あるので，煙感知器の感知面積は75m^{2}となります。216 ÷ 75 = 2.88なので，設置台数は3台必要です。

誤り7：レストランに設置する煙感知器を3台にする。

③機器収容箱の設置

機器収容箱は建物の端から水平距離25mになるように設置します。問題の設置場所でかまいません。

④配線

機器収容箱からスタートして，機械室で終端するように配線しています。廊下も同じ警戒区域ですから，煙感知器への配線本数は2本ではなく4本必要です。

また，電気室から機械室への配線は，4本ではなく2本にします。

誤り8：廊下の煙感知器への配線本数を4本にする。
誤り9：電気室から機械室への配線本数を2本にする。

見つかった誤りをすべて修正すると，次ページのようになります。

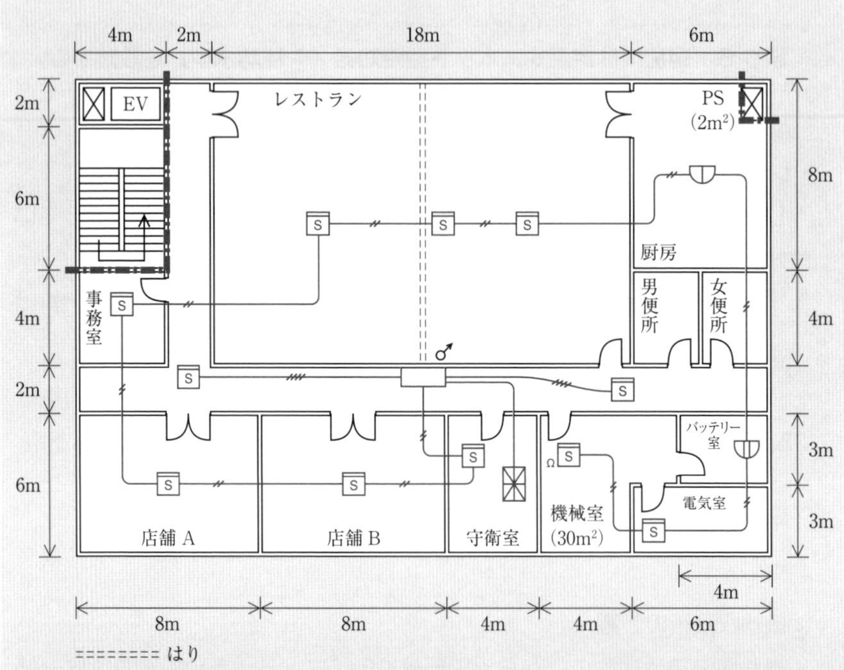

解答

- エレベーター昇降路と PS を，階段と同じ警戒区域にする。
- 階段室に設置した煙感知器は不要。
- 廊下の煙感知器を 2 台にする。
- 守衛室の差動式スポット型感知器を煙感知器に替える。
- バッテリー室の煙感知器を定温式スポット型感知器（1 種耐酸型）に替える。
- 厨房には定温式スポット型感知器（1 種防水型）を設置する。
- レストランに設置する煙感知器を 3 台にする。
- 廊下の煙感知器への配線本数を 4 本にする。
- 電気室から機械室への配線本数を 2 本にする。

設問 1　工場の床面積は 28 × 35 = $980m^2$ となります。$600m^2$ を超

えていますが，内部が見通せる構造の場合は 1000m² までを 1 警戒区域にできるので，工場全体を 1 警戒区域に設定します。

光電式分離型感知器の主な設置基準は，次のとおりです。

・光軸が並行する壁から **0.6m 以上**離れた位置となるように設けること。
・送光部と受光部は，背部の壁から **1m 以内**の位置に設けること。
・感知器の光軸の長さが，公称監視距離の範囲内となるように設けること。
・壁で区画された区域ごとに，その区域の各部分から光軸までの水平距離が **7m 以下**になるように設けること。
・感知器の光軸の高さが，天井等の高さの **80%以上**となるように設けること。

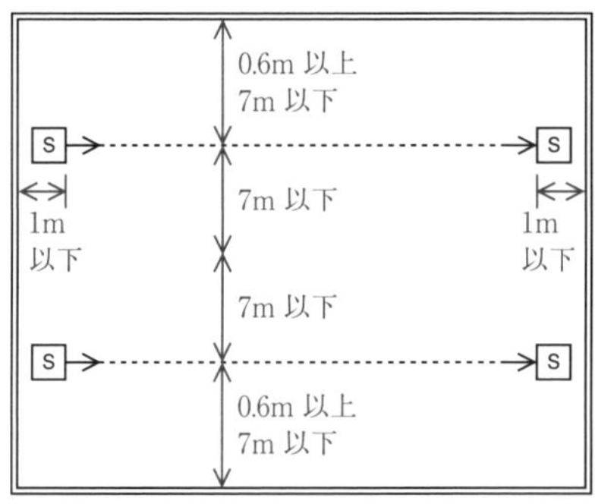

工場の横幅が 35m，光電式分離型感知器の公称感知距離は 33m なので，空欄 a は 1m，空欄 b は 33m になります。

また，縦幅は 28m なので，空欄 c は 14m，空欄 d は 7m になります。

設問 2　原則として，廊下には煙感知器，それ以外の部屋には差動式スポット型感知器（2 種）を設置します。ただし，男子便所と女子便所は，感知器の設置を省略します。また，給湯室には差動式スポット型感知器は設置できないので，代わりに定温式スポット型感知器（1種防水型）を設置します。

感知器の感知面積は，差動式スポット型（2 種）が 35m²，定温式スポット型（1 種）が 30m² です。

設置場所	面積（距離）	設置個数
廊下	歩行距離 31m	煙感知器× 2
男子便所	30m²	―
女子便所	30m²	―
更衣室	30m²	差動式スポット型感知器× 1
給湯室	24m²	定温式スポット型感知器× 1
事務室	48m²	差動式スポット型感知器× 2
守衛室	16m²	差動式スポット型感知器× 1

解答

設問 1　a：1　b：33　c：14　d：7

設問 2　下図の通りです。

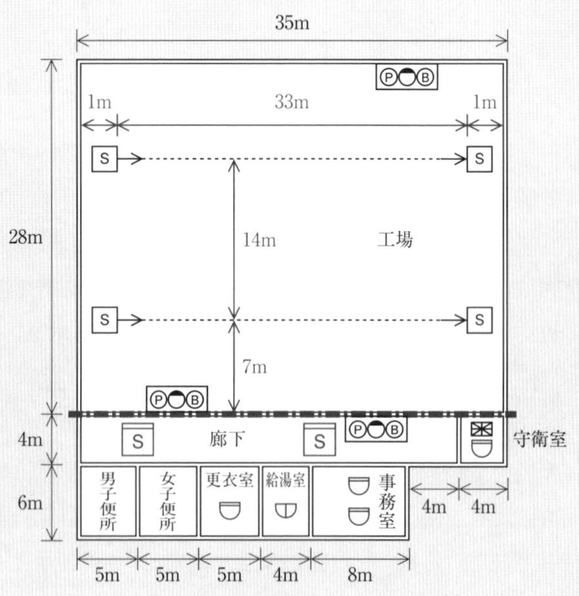

問７

・９回線あるので，Ｐ型１級受信機を設置します。確認応答線（A）と電話連絡線（T）が必要です。

・共通線は２本必要です。上階から順に７警戒区域を１つの共通線とするので，⑨〜③と，②〜①でまとめます。

・区分鳴動方式とするので，１〜４階までの階ごとのベル線（B1 〜 B4）と，ベル線の共通線（BC）が必要になります。

・ベル線は耐熱配線(HIV)とします。また，消火栓ポンプと連動する場合は，表示灯線も耐熱配線とします。

・空欄 g，h

受信機から１階の機器収容箱へは全配線が出ているので，次のようになります（375 ページ）。

配線	端子	本数	
警戒区域線	L1〜L9	9	IV×13 ←g
共通線	C1，C2	2	
確認応答線	A	1	
電話連絡線	T	1	
表示灯線	PL×2	2	HIV×7 ←h
ベル線	B1〜B4 BC	4 1	

・空欄 e，f

１階から２階の機器収容箱への配線は，警戒区域①の警戒区域線と，１階のベル線が減るので，次のようになります。

配線	端子	本数	
警戒区域線	L2〜L9	8	IV×12 ←e
共通線	C1，C2	2	
確認応答線	A	1	
電話連絡線	T	1	
表示灯線	PL×2	2	HIV×6 ←f
ベル線	B2〜B4 BC	3 1	

・**空欄 c，d**

2 階から 3 階の機器収容箱への配線は，警戒区域②と③の警戒区域線と，2 階のベル線が減ります。また，共通線も 1 本減るので，次のようになります。

配線	端子	本数	
警戒区域線	L4〜L9	6	IV×9 ←c
共通線	C1	1	
確認応答線	A	1	
電話連絡線	T	1	
表示灯線	PL×2	2	HIV×5 ←d
ベル線	B3〜B4 BC	2 1	

・**空欄 a，b**

3 階から 4 階の機器収容箱への配線は，警戒区域④と⑤の警戒区域線と，3 階のベル線が減り，次のようになります。

配線	端子	本数	
警戒区域線	L6〜L9	4	IV×7 ←a
共通線	C1	1	
確認応答線	A	1	
電話連絡線	T	1	
表示灯線	PL×2	2	HIV×4 ←b
ベル線	B4 BC	1 1	

受信機から各階への配線は，以下のようになります。

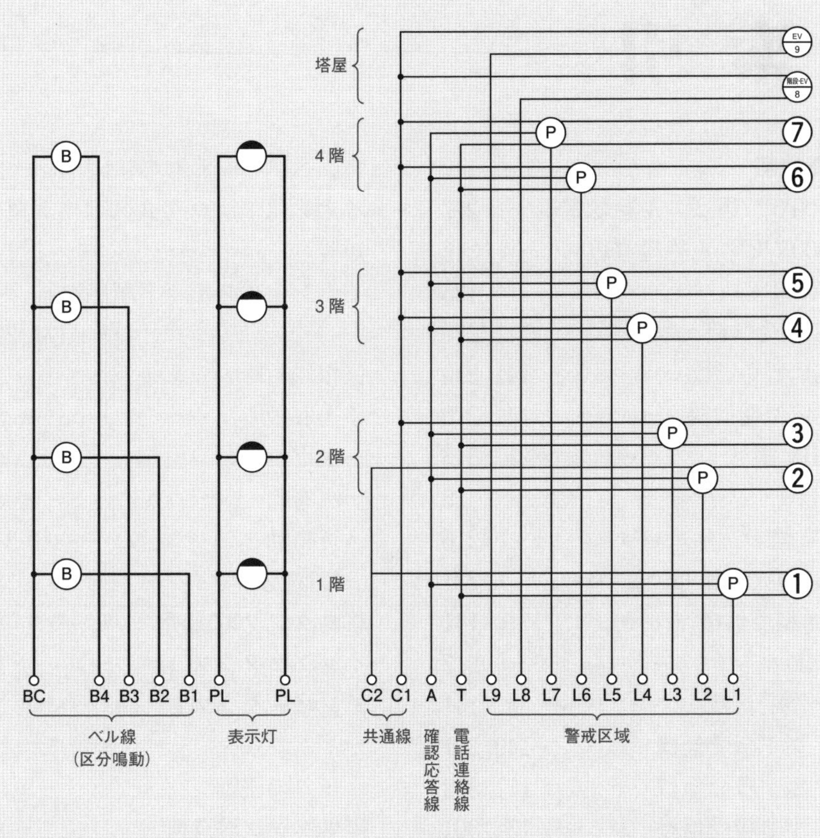

解答

a：7　b：4　c：9　d：5　e：12　f：6　g：13　h：7

索引

さ行

た行

な行

は行

ま行

や行

ら行

わ行

著者紹介●ノマド・ワークス（消防設備士研究会）

執筆：平塚 陽介
編集・DTP：庄司 智子　正木 和実

書籍，雑誌，マニュアルの企画・執筆・編集・DTP制作をはじめ，デジタル・コンテンツの企画・制作に従事する。著書に『消防設備士６類 超速マスター』『消防設備士１類　超速マスター』『電験３種　超速マスター』（TAC出版），『中学レベルからはじめる！やさしくわかる統計学のための数学』『高校レベルからはじめる！やさしくわかる物理学のための数学』『徹底図解 基本からわかる電気数学』『この１冊で合格！ディープラーニングG検定 集中テキスト＆問題集』（ナツメ社），『本気で内定！ SPI＆テストセンター1200題』『図解まるわかり時事用語』（新星出版社），『らくらく突破 乙種第４類危険物取扱者 合格テキスト』（技術評論社），『かんたん合格 基本情報技術者過去問題集』（インプレス）等多数。

消防設備士４類　超速マスター〔第４版〕

2011年　5月　1日　初版　第１刷発行
2024年　10月 20日　第４版　第１刷発行

編 著 者　株式会社　ノマド・ワークス
発 行 者　多田敏男
発 行 所　TAC株式会社　出版事業部（TAC出版）

〒101-8383　東京都千代田区神田三崎町3-2-18
電 話 03(5276)9492（営業）
FAX 03(5276)9674
https://shuppan.tac-school.co.jp

組　　版　株式会社　ノマド・ワークス
印　　刷　今家印刷株式会社
製　　本　株式会社常川製本

ISBN 978-4-300-11253-3
N.D.C.528

(2024年2月現在)

書籍のご購入は

1 全国の書店、大学生協、ネット書店で

2 TAC各校の書籍コーナーで

資格の学校TACの校舎は全国に展開!
校舎のご確認はホームページにて

資格の学校TAC ホームページ
https://www.tac-school.co.jp

3 TAC出版書籍販売サイトで

CYBER BOOK STORE TAC出版書籍販売サイト

TAC 出版 で 検索

24時間
ご注文
受付中

https://bookstore.tac-school.co.jp/

新刊情報を
いち早くチェック!

たっぷり読める
立ち読み機能

学習お役立ちの
特設ページも充実!

TAC出版書籍販売サイト「サイバーブックストア」では、TAC出版および早稲田経営出版から刊行されている、すべての最新書籍をお取り扱いしています。
また、会員登録(無料)をしていただくことで、会員様限定キャンペーンのほか、送料無料サービス、メールマガジン配信サービス、マイページのご利用など、うれしい特典がたくさん受けられます。

サイバーブックストア会員は、特典がいっぱい! (一部抜粋)

通常、1万円(税込)未満のご注文につきましては、送料・手数料として500円(全国一律・税込)頂戴しておりますが、1冊から無料となります。

専用の「マイページ」は、「購入履歴・配送状況の確認」のほか、「ほしいものリスト」や「マイフォルダ」など、便利な機能が満載です。

メールマガジンでは、キャンペーンやおすすめ書籍、新刊情報のほか、「電子ブック版TACNEWS(ダイジェスト版)」をお届けします。

書籍の発売を、販売開始当日にメールにてお知らせします。これなら買い忘れの心配もありません。

書籍の正誤に関するご確認とお問合せについて

書籍の記載内容に誤りではないかと思われる箇所がございましたら、以下の手順にてご確認とお問合せをしてくださいますよう、お願い申し上げます。
なお、正誤のお問合せ以外の**書籍内容に関する解説および受験指導などは、一切行っておりません。**
そのようなお問合せにつきましては、お答えいたしかねますので、あらかじめご了承ください。

1 「Cyber Book Store」にて正誤表を確認する

TAC出版書籍販売サイト「Cyber Book Store」の
トップページ内「正誤表」コーナーにて、正誤表をご確認ください。

CYBER BOOK STORE TAC出版書籍販売サイト

URL:https://bookstore.tac-school.co.jp/

2 1の正誤表がない、あるいは正誤表に該当箇所の記載がない ⇒ 下記①、②のどちらかの方法で文書にて問合せをする

★ご注意ください★

お電話でのお問合せは、お受けいたしません。
①、②のどちらの方法でも、お問合せの際には、「お名前」とともに、
「対象の書籍名(○級・第○回対策も含む)およびその版数(第○版・○○年度版など)」
「お問合せ該当箇所の頁数と行数」
「誤りと思われる記載」
「正しいとお考えになる記載とその根拠」
を明記してください。
なお、回答までに1週間前後を要する場合もございます。あらかじめご了承ください。

① ウェブページ「Cyber Book Store」内の「お問合せフォーム」より問合せをする

【お問合せフォームアドレス】

https://bookstore.tac-school.co.jp/inquiry/

② メールにより問合せをする

【メール宛先 TAC出版】

syuppan-h@tac-school.co.jp

※土日祝日はお問合せ対応をおこなっておりません。
※正誤のお問合せ対応は、該当書籍の改訂版刊行月末日までといたします。

乱丁・落丁による交換は、該当書籍の改訂版刊行月末日までといたします。なお、書籍の在庫状況等により、お受けできない場合もございます。
また、各種本試験の実施の延期、中止を理由とした本書の返品はお受けいたしません。返金もいたしかねますので、あらかじめご了承くださいますようお願い申し上げます。

(2022年7月現在)